伝説の名参謀

秋山真之

神川武利

PHP文庫

○本表紙図柄＝ロゼッタ・ストーン（大英博物館蔵）
○本表紙デザイン＋紋章＝上田晃郷

秋山真之◎目次

本文写真提供　㈶三笠保存会

伝説の名参謀
秋山真之

第一章　五月晴

日露戦争で連合艦隊の旗艦となった戦艦「三笠」は現在、横須賀に記念艦として保存されている。三笠は日本海海戦勝利の偉業を成し遂げた、日本民族の誇りと自信を新たにするとともにその栄光を永く後世に伝えるシンボルである。

青い空がどこまでも広がる五月晴のある日、私はこの「三笠」の艦上に立ってみた。

明治三十八年五月二十七日、三笠に「皇国の興廃この一戦に在り、各員一層奮励努力せよ」とのZ旗がひるがえり、東郷平八郎司令長官以下が、ロシアのバルチック艦隊と沖の島付近で決戦をまじえた。「三笠」につづいて「敷島」「富士」「朝日」「春日」「日進」が白波を蹴たてて進み、そのあとを第二戦隊の「出雲」以下の巡洋艦戦隊がつづく。

国運を賭して、はちきれんばかりの闘志を胸に秘めた日本人が明治に生きていた。
百年足らずの前、そんな日本があったことが今は遠い。
日本海海戦といえば、必ず見られるのが、三笠艦上に立つ東郷大将と幕僚の絵図（東城鉦太郎画）である。東郷司令長官の左手側では秋山真之《さねゆき》首席参謀が図板を手に立っている。日本海海戦の作戦はすべて秋山参謀の頭脳からしぼり出されたものであった。
「日露戦争における海上作戦を通じて、さまざまに錯雑する状況を、その都度、その都度総合していく才能にいたっては、実に驚くべきものがありました。かれはその頭にこんこんとして湧いて尽きざる天才の泉というものを持っていたのです」

「秋山参謀にすべてを委《まか》せる」と言った上司の島村速雄参謀長はこのように明言している。

三十八歳の秋山中佐は、日本の運命を決する海上作戦をひとりでになった。秋山真之は青雲の志を抱いて明治という上昇気流の時代を生きた。明治という時代を生きて大きな仕事を成し遂げた人々は、私心を超えて、誇り高い気概を持っていた。

すがすがしい魂の光が、「三笠」艦上に立つと五月晴の空にひろがる。知謀湧くが如き不朽の名参謀秋山真之の輝きと足跡を私は追ってみたいと思った。

「天気晴朗なれども波高し」という名文句で有名な作戦参謀秋山真之は、明治二十三年、江田島の海軍兵学校を卒業した。江田島は瀬戸内海の波静かな広島湾のふところ深いところにある。

日清戦役中、大本営のおかれた広島にすぐ近く、鎮守府のある、呉の西隣りに位置する。呉は横須賀、佐世保とならぶ海軍の根拠地である。島をへだてた西、岩国には、のち航空隊もおかれた。

広島の港である宇品からは戦役のたびに幾多の将兵が、大陸に渡っていった。

江田島は軍事的に枢要な位置にあるとともに、風光明眉、山紫水明の瀬戸内海国立公園の中にある。西は名勝安芸《あき》の宮島に接し、早瀬、音戸大橋を経て今は本土と陸続きとなっている。

常磐《ときわ》の松の翠濃く、松籟《まつかぜ》の音冴《さ》ゆるこの地は、米国のアナポリス、英国のダートマスと共に世界三大兵学校の一つとして、終戦まで実に一万四千人余の海軍士官を送り出した。

江田島教育で有名なものは「五省」である。

一、至誠に悖《もと》るなかりしか

一、言行に恥づるなかりしか

一、気力に缺《か》くるなかりしか
一、努力に憾《うら》みなかりしか
一、不精に亘《わた》るなかりしか

——生徒は瞑目し心の中でその問いに答えながら、一日の自己を自省自戒する。

ここに江田島の人間教育の原点があった。海軍士官はまず立派な人間であるべく、人格陶冶に重点がおかれた。

第二次大戦後これをみたアメリカ人は、この五省に感じアナポリスに持ち帰って英文にして掲げた。しかしこの五省は、昭和になってはじめられたもので、真之の明治にはまだなかった。

秋山真之は体は小柄だがひどく敏捷《びんしょう》だった。だれよりも速くマストへのぼる。猿か、イタチのように素早く甲板や階段を走り廻った。

真之の得意は水泳とマラソンであった。艦隊勤務に堪えうる体力と、自己とたたかう精神力をきたえるために、よく長距離を駆け足させられたが、真之はいつもまっ先を駆けた。若さあふれる元気者は、体がはずむようにとびはねた。

うららかな天気の、ある休暇の日であった。同郷の出身者が集まって、腹一杯ご馳走を食べた後、真之は腹ごなしに一人駆け足をはじめた。

——明け放れ行く能美島の影、紫にかすむ、と『江田島健児の歌』にあるが、能美島は江田島と地つづきである。真之は軽快に西能美の方へまわって行った。海岸の道を走って行くと、大黒神島が横たわっている。このあたりには美事な楠の古木が目につく。楠は太古より船材として使われたもので、その名残であろう。

やがて西の海に小さく甲島《かぶと》が望見された。まったくかぶとのような感じの島だ。艦隊はこの付近でよく艦砲訓練をしていた。

——飛鶴松《ひかくまつ》と呼ばれる枝振りの美事な古木が、このあたりにあると聞いたが……。

真之はそれらしい寺を見付けると境内に入って行った。

専念寺という寺だった。松は「ウーン」とうなる程、ちょうど鶴が空を翔ぶ姿に似て、荘厳さを感じさせる銘木であった。

真之が汗をぬぐいながら見ていると、眉が白くて背が高く、仙人のような老僧が声をかけた。

「江田の海軍サンですか、駆け足でのどがかわいたでしょう、お茶をひとついかがですか」

庫裏《くり》の一室にとおされ茶を飲んだ。

その部屋に小ぶりな屏風《びようぶ》がある。そこに書かれた文字が真之の目にとまった。

鯨波渦巻く　大海も
奔馬《ほんば》と狂う　白波も
操《あやつ》る櫓櫂《ろかい》に　右左
乞う　見よ　我等が　父祖の業
軽舸《けいか》に　立つる　八幡旗
風に　靡《なび》かす　大王旗
祖先の血を得し　我が健児

飛躍を　千里に　期せん哉《かな》

真之が身をのり出して見ていると老僧が言った。

「ここは大王《だいおう》といいますが、伊予の河野、村上水軍と連携し、大陸沿岸で竜虎の如く暴れまわったつわものの地です。明人為《みんじん》に胆《きも》寒しです。はっはっは」

真之はこたえた。

「わたしも伊予水軍の末裔《まつえい》です。いいものを見せていただきました。これを見ていると、水軍の血潮が体中をかけめぐるようで熱くなります」

一礼してから、寺を辞した。

やがて真之はもと来た道をひきかえしはじめた。

右手に大黒神島が翠をたたえて海に浮かぶ。海面が陽光を受けてキラキラ光っている。

真之は先祖伝来の水軍の血潮が体にたぎっているのを感じていた。

小舟で荒海にのり出してゆく雄々しい海の民。

真之は海軍軍人の途を進むことに、満足とかぎりない希望にあふれていた。

「――宜候《ようそろ》やな」

真之は思わず口に出して言った。

宜候とは、右左に向ける必要なく真っ直ぐに進めという操船のときの号令である。読んで字のとおり「宜《よろ》しく候《そうろう》」という。室町時代、八幡船に使っていたものがそのまま海軍に受けつがれている。

（――人生もまっすぐ進めばよい。五月晴の空だ）

真之は胸一杯に空気を吸い込んだ。

春潮や　倭寇《わこう》の子孫　汝とわれ
と高浜虚子の句にみられるように、伊予人の間には、波濤万里を乗り越える倭寇の、栄《は》えある子孫であるという矜持《きんじ》がある。

しかしその一方で真之の生まれた松山という土地は、気候温暖で地味が肥え、豊かであることから、詩趣があり駘蕩《たいとう》としているところがあった。優しく穏やかな風土は、闘争心よりも文芸的なものに秀でていた。

秋山真之も最初から海軍兵学校を熱望して入ったのではない。実は文学の道を志し、一年年長の正岡子規とともに大学予備門（一高の前身）に通っていた。

真之は七、八歳の頃、雪の日に北の窓をあけてそこから用を足して歌をつくった。

　雪の日に北の窓あけシシすれば
　　あまりの寒さにチンコちぢまる

父親は、真之には言葉に対する鋭い感覚があり、他の子供より文才があるとみていた。

小学生の時には漢学塾に通って、孔孟の素読をならい、漢詩のつくり方を教わった。中学に入ってからは短歌の先生についてならった。

　春の野に若菜をつめる乙女子《おとめご》は

なべて霞《かすみ》のころもきるなり
風の音も身にしむ秋の夕暮に
さびしく帰る海士の釣舟

というような歌を詠んで、すっかり文学趣味にひたっていた。

父親は、

——真之は歌よみか俳諧づくりになるのではないか、
と思っていた。父親が文章家であったからその影響を受けたのであろう。

真之はまた絵心もあって、凧《たこ》に武者絵を上手に描《か》いて評判であった。

旧士族で絵の上手な伊奈のオジさんという人が、生活のために凧絵を描いて売っていた。真之は通学の途中、ここに寄って凧絵を見ていた。

こっそり真似て描いた絵がうまく描けていた。真之の、「武者絵の凧」は子供達の評判になった。源頼光の鬼退治とか、坂田の金時、牛若丸と天狗などである。

「淳《じゅん》さん、描いておくれ」

と言ってくるので、母のお貞は、

「この頃、淳の絵の具代がかさんで困る」

と言ってこぼしたこともあった。


こうみてくると真之の教育環境は恵まれていたようにみえるが、秋山家の家計は実は、大変な火の車だった。

秋山家は、初代久信が松山藩主松平（久松）定行に仕えてから、真之の父の六代、平五郎久敬《ひさたか》にいたる松山藩士の家である。

身分は蔵米を支給される、十石取りの徒行侍《かち》である。松山藩は幕末、朝敵になって藩財政が破綻し、藩士の給与は、三割、五割と減俸となり生活は困窮した。

秋山家はわずか十石取りの下士だけに、家計のやりくりは悲惨を極めた。

そんな中、秋山真之は明治元年（一八六八年）三月十日、父平五郎久敬と母貞の五男として生まれた。幼名を淳五郎という。

長男、鹿太郎・則久は漢学をよく学んでいたが、二十五歳の時病をえて家督を継げなかった。

次男、寛二郎・正矢は岡家を継ぎ、朝鮮京城電気の役員として在職中に死亡した。

三男の信三郎・好古《よしふる》は陸軍大将となり、日露戦争で大功をたてた。日本騎兵の父といわれ、真之と共に銅像となっている。

四男の善四郎・通一は西原家の養子となったが若くして死亡。

五男が淳五郎・真之。

末っ子がただひとりの女の子、ゑい子。

母親の貞は、松山藩士山口正貞の二女で夫の久敬より五歳年下であった。夫は背の高いガッチリした体だったが、貞は小がらな体でかしこく、働きものであった。女の子には炊事、裁縫、糸つむぎなど家事一切を仕込んだ。学問もあって男の子には四書五経の素読を教える良妻賢母であった。

真之が生まれたのは鳥羽伏見の戦いの年である。秋山家はいよいよ窮乏していた。

途方に暮れた夫婦は、

「生まれた赤ん坊は、とても養えないからお寺へやってしまおう」

と話していた。それをすでに十歳になっていた信三郎・好古が耳にした。

「赤ん坊をな、お寺にやっちゃ、そら、いけんぞな。おっつけウチが勉強してな、お豆腐ほどの（厚さの）お金をこしらえてあげるぞな」

この言葉で両親が思いとどまったと聞かされた真之は、

「信兄さんのためなら命もいらん」

と子供心に思っていた。


兄の信三郎・好古は父親似で背が高く、体つきが大きくて陸軍では、「日本のヒンデンブルグ将軍」といわれた。ところが好古将軍は幼少時代は大の泣き虫で、十四、五歳まで母親の乳をいじりながら寝たほどであった。その兄とはまるで反対に、弟淳五郎・真之の方は、母親似の小がらながら、色が黒く、走るのが速い腕白、餓鬼《がき》大将であった。


十二歳の頃、子分のようにしていた桜井という子の家で、花火の火薬調合書を見つけ出した。

「花火をやろうか」「やろう、やろう」ということになり、花火つくりにとりかかった。真之は子供たちにそれぞれ分担を命じた。

「お前は木炭と硫黄をすりつぶせ」

「そっちは硝石をあつめておいで」

「あんたらは紙を切ってお貼り」

「もし、おまわりに追われたら、火薬箱を、ごぼう畑にほうり込んでお逃げ」

などと十人余りに指示して、何発かの打ち上げ花火をつくり上げた。

「ひゅう、どかあん、お星様だ」

と花火をあげて町の人々をおどろかせた。花火は大人がやるにしても警察に届け出て、人家から離れた場所であげなければ出来ないことになっていた。

「巡査を相手に勇気をきたえるのだ」と真之は言い、巡査に追っかけられて逃げまわった。結局親たちが謝罪してこのいたずらの始末をつけたが、やることがなみの餓鬼大将ではなかった。

好古は師範学校に入って小学校の教師になっていたが、同郷の先輩のすすめにより、将来性の大きいと思われる陸軍士官学校へ入った。

士官学校では騎兵を選んだ。騎兵は年限が砲兵、工兵に比べて一年短い。早く少尉になれて給料をとれるという理由からだった。さらに、馬の胴を締めるには脚の長い者が必要だが、そういう体格の者があまり見当たらず有利だと考えたということもあるらしい。

「淳が小学校を出るまでにあしは少尉になります。そうすれば金を送りますけん、淳を中学に入れてやってくだされ」

と好古は十歳のときの約束をまもろうとした。好古は小学校にも中学校にもいけなかったが、真之は兄のおかげで、県立松山中学校へ入学した。後年夏目漱石が教師として赴任し、『坊っちゃん』の舞台となっている学校である。いまの松山東高校の前身である。中学では正岡子規と一緒であった。

子規の家へ遊びに行くと子規の妹、律がいた。律は小さい時、子規がいじめられて逃げ帰ってくると、

「お兄ちゃんの仇だ」

と言って石を投げて悪童連を追い返すほど勝気な子だった。子規より三歳年下だが、あでやかな女の子らしい着物の律を見て、真之は眼を見張った。母親が、

「ようおいでなさったなもし」

ととけるような笑顔で迎えてくれた。

子規の部屋は三畳ほどの、本屋《ほんおく》の屋根からそのまま葺《ふ》きおろした軒の低い建物で、床は一段低く壁は赤土の一度ぬりのいかにも粗末なものだが、真之にはうらやましいばかりの玉樓にみえた。

やがて律が盆を持って入ってきた。入口でつまずいて、盆の中の煎豆《いりまめ》をあたり一面にまきちらしてしまった。

真之が拾って口に入れようとすると、律が、

「淳さん、お口をおあけ」

と言って、拾った煎豆を口にほうりこんでくれた。

「猿のようじゃな、もし」

といわれながら、真之はもぐもぐとすぐにのみこむ。

手汗のついた煎豆を律は、きゃあきゃあとはしゃいで口にぱっとほうりこむ。たもとのうちの赤い色がはなやいでみえた。

口に入れてくれる煎豆は、だんだん少しずつになるが、あとになるほどうまく感じた。

煎豆はたまらなくうまかった。忘れられぬ味となって、真之はのち煎豆を軍艦の中にも持ち込むようになる。

「東京へあしは出る」

子規は中学を中退して行くという。子規の家には経済的余裕がある。

「春や昔十五万石の城下かな」

と詠んだ松山の街を離れて明治十六年、子規は上京してしまった。とり残された真之は、さびしさとうらやましさで懊悩《おうのう》した。

真之は何とかして自分も上京する手だてはないかと考えた。家の貧しさを考えると、生活に疲れた母親に甘えて望みを話す気にもなれなかった。

そんな時、

「常盤《ときわ》会」

というものがあるということを聞いた。常盤会というのは、旧松山藩主久松家がつくっている育英団体である。松山の名を中央においてあげるために、秀才を支援する学資給与の団体で、給費生になれば上京できる。県の学務係で担当していた。

真之は早速出頭した。

受付で、

「係のお方へ」

と言うと、気むずかしい顔をして、紋服姿の父親が出てきた。

給費生の選考に情実をきかせるとすればこれほど有利なことはない。

「給費生に入れて欲しい」

と真之が言うと、

「あしの立場としてそういうことができるか。あしが常盤会のことをしている以上、お前は入るわけにはいかぬ」

久敬は早口に言うと奥へ入って行った。

ところがまもなく真之が飛び上がって喜ぶような手紙がとどいた。

兄の好古が出てこいという。好古は中尉で陸軍大学校の学生になっていた。貧乏生活には変りがなかったがそれを覚悟で真之は上京した。

「番町」——今は千代田区の高級住宅地、麹町三番町の佐久間という旧旗本の邸に、好古は下宿をしていた。家具など何もない部屋で待っていると、兄が帰ってきた。

麦飯にたくあんだけの夕食を兄弟は、一つ茶わんですませた。好古は酒だけはよく飲んだ。好古は質実、豪快で真之にも自分の流儀を強いた。

真之が、ちりめんの帯をしめていると、

「れっきとした男子は華美を排するものだ。縄《なわ》でも巻いておけ」

と叱られた。

上等の兵児帯は行李にしまわねばならなかった。

出かける時に下駄のはなおがきれた。それをなおそうとしていると、好古が、

「なにをぐずぐずしとる」

とどなった。

「下駄をなおしとるんです」

すると、

「はだしで行け」

はきものは一足だけの下駄でまにあわせていたから、代わりはない。

真之ははだしで駆けださねばならなかった。

まして、母の送ってきた綿入れの足袋など、

「そんなもん、ぜいたくだ、はかんでいい」

極貧の中、雲水の修行にも似た硬教育である。

真之と子規は共に神田の共立《きょうりゅう》学校で学んでいる。大学予備門のいわば予備校のようなものであった。

ここに教え方のうまい英語の教師がいた。

「まるい顔のだるまさん」

と呼ばれていたその男の名は、高橋是清といった。

後、日露戦争の時、日銀副総裁であった是清は、イギリスにおいて苦心奔走し、八億二千万円の外債募集をなしとげて戦費を調達した。大蔵大臣、総理大臣などを歴任し、財政危機のきり抜けに腕をふるった。

昭和九年八十一歳で何度目かの大蔵大臣となったが、昭和十一年の二・二六事件で惜しくも凶弾に倒れた。

東京港区赤坂の邸あとは現在、高橋是清公園になり、奥の小高い所に翁が帳面を持って座っている銅像が建てられている。

真之も子規も大学予備門に合格した。それを機に真之は好古の承諾を得て、子規が住んでいる神田猿楽町の下宿に移った。貧しい好古の給料袋におんぶしたままである。

子規と共鳴して、文学の道を二人で究めようではないかと誓いあったりした。しかし自由、快適な予備門の生活の中で真之は考える。

「大学卒業まで、どうみても四年間、兄の安い給料に甘えて、学資と生活の面倒をみてもらっていいのか。……それは無理だ。

――文学という遊民のやる遊惰なことが、できるような余裕はないではないか」

解決する方法は、授業料免除、官費支給の学校へ転校するしかない。

兄好古にあらたまって相談した。

「文学をやるよりも軍人になるほうが、淳にはむいているかもしれんな。お前はカンがよくて要領がよいから、いろんな場合に応用が利くだろうな」

「――よし、築地の海軍兵学校を受けてみよ」

好古に言われて、受験したら合格した。

「文学の道と訣別《けつべつ》しなければならない」

金に余裕があれば、帝大を出て文学の道を進むのだろうが、ここで転身することになった。

子規に対しては、何か裏切るような後ろめたい気分である。

そして文学を捨てることは子規の妹、律に感じる、しっとりとしたうるおいのようなもの、あるいは女のあでやかな着物に感じる、はなやぎとあこがれ、そういった情念をきっぱり捨てることに通じるように思われた。いちまつの淋しさはあった。

子規には手紙を書き残した。

「予は都合あり、予備門を中退せり。志を変じ、海軍において身を立てんとす。愧《は》ずらくは兄《けい》との約束を反故《ほご》にせしことにして、今より海上へ去る上は再び兄と相会うことなかるべし。自愛を祈る」

真之は食うために文学の道を捨てた。だが、詩心まで捨てたわけではなかった。真之の詩心は、伏流水のように体内を流れ、理詰めの合理的思考を推し進めていく中で、いつしか壁につきあたったようなとき、新たな構想のひらめきを与えてくれた。

好古は真之をはげました。

「海軍の洋食はうまいぞ」

「おやじ様はあまり話さんが、秋山家の先祖は伊予の水軍、河野氏の出ぞ」

伊予の河野水軍は、神武天皇東征以来の古い歴史をもつ。平安の末、瀬戸内海は平家の勢力下にあり、河野水軍もそれに属していたが、源平の争いがおこると、時の河野通信は源氏に属したために、源氏は壇の浦に平家をほろぼすことができた。

河野水軍の名を歴史に轟かせたのは、元寇の時の河野通有である。博多の浜で築地《ついじ》を後背に決死の布陣をしいて、敵味方の度胆を抜き、夕闇せまると、小舟に乗って元軍の旗艦を求め、帆柱倒して渡し木として、通有以下がのりこんで斬り込みをかけた。

通有は石弓を肩に受けたが、敵将を捕らえて帰り、この日本軍の勇猛な戦いぶりに恐れをなして元軍は上陸をとりやめ、江南軍の来着を待つことにした。そのため折柄吹き荒れた神風に元の大軍は覆滅するのである。

「秋山氏はこの栄誉ある河野氏の出で、戦国期から江戸初期まで讃岐や伊賀を転々とし、我々から七代前の秋山久信という者が、伊予松山にもどってきて、松山藩主久松家につかえた」

「そうでしたか」

「伊予人の祖先は皆、瀬戸内海に舟をつらねて東に西に漕ぎまわった水軍の一族だ。

水軍の末裔の中から、真之がはじめて日本海軍の士官になる。先祖のためにも誇り高いことぞ」

好古は茶わん酒をあおり、うるんだ目で熱っぽく話した。

真之は明治十九年十月、築地の海軍兵学校に入校した。

幕末、薩英戦争と馬関戦争を経験した我が国は、近代海軍の必要性を痛感し、戊辰の海戦を経た後、明治元年日本海軍を発足した。

明治元年三月、大阪の天保山沖で日本最初の観艦式が行われた。この時参加した艦船は六隻である。明治海軍は六隻から出発した。その合計トン数は二千四百五十トンでしかなく、祝賀のために参加したフランス艦より少なかった。海軍力充実のために、外国から軍艦を買入れようとした。

そのために士官の養成が急がれた。

明治二年、東京築地に海軍操練所の教育が再開され、翌年海軍兵学寮、さらに明治九年海軍兵学校と呼称がかわった。

兵学校の基礎をつくったのは、明治八年に日本を去ったイギリスの傭教師ダグラス少佐であった。日本海軍はイギリスを手本にした。

「イギリスに留学しているのと同じや」

といわれるほど、校内は英語を使っての、英国式教育であった。

築地に入校して最初の一年間、真之はやはり気持がおちつかなかった。

(この道でよいのか――)、子規と自由放縦に暮らしていた生活が忘れられず、調子が出なかった。

しかし好古の言った水軍の血が、じょじょに体内に目覚めてきたのか、二年目には、心気が透明になった。勉学の成績も、するするとあがって学年で一番になった。

真之らの在学中、学校が江田島に移転することになった。

「東京は華美になってきたから質実剛健を旨とする士官教育にはふさわしくないんじゃ」

と言う者もいた。

真之ら入校の三年目の夏（明治二十一年）移転した。学校の練習船東京丸に乗って江田島へ行き、そのまま東京丸で起居することになった。

江田島の偉容を誇る生徒館はまだできていなかった。この建物は英国産の赤レンガで造られたが、その何万個もの赤レンガは一個ずつ大事に包んで、軍艦にのせ英国から運んできた。

この貴重品で造った生徒館は一世紀を経た今日も、昔とかわらぬたたずまいを残している。現在は海上自衛隊幹部候補生学校として使用されている。

なお江田島の学校内には、教育参考館があって東郷元帥の遺髪がおさめられている。

東郷平八郎は、真之の兵学校入校当時、軍艦「浅間」の艦長兼横須賀鎮守府の兵器部長であった。明治二十一年大佐に進級し、真之たちが卒業する時は、呉鎮守府の参謀長であった。

東郷は薩摩のサムライの子として、薩英戦争に十七歳で参加した。母益子の「負くるな」という声にはげまされて持ち場についた。

ついで、藩の軍艦「春日」の三等士官として戊辰戦争において、阿波沖海戦、宮古湾海戦にのぞんだ。

旧幕軍艦「回天」をもって斬り込みをかけてきた新撰組副長・土方歳三《ひじかたとしぞう》らの海上突撃隊と戦い、艦尾にあった機関砲を撃ち続けてこれを撃退した。

東郷は戦後英国に留学した。ダートマスの海軍兵学校へ留学をのぞんだが、英国側は入校を拒否した。そこでテムズ河畔の海員養成の商船学校へ入った。練習艦ウースター号で東郷に海軍学を教えたヘンダーソン・スミス海軍大佐は語っている。

「……東郷はつねに努力する人であった。コツコツと積み重ね、ひとつのことをマスターするのに時間をかける。そのかわり一度学んだことはすべて自分のものにしてしまう。平素は静かで性格も温和であるが、心底には獅子の如き勇気と決断力を秘めていた。……」

東郷は実際の年齢二十六歳より、十歳も若く登録して、品行、行儀などの規律の評価で最高点をとるような人知れぬ努力をかさねていた。

真之らの先輩は苦労の履歴であった。日本に居ながらにして、本場英国の海軍教育を受けられることは幸せであった。

夏休暇で帰省することになった。広島と愛媛は瀬戸内海をはさんでむかいあわせである。

今では「瀬戸内しまなみ海道」(西瀬戸自動車道)と呼ばれる本州と四国を結ぶ七つの橋がかかり、尾道から今治に通じて芸予の島々が数珠つなぎとなった。

真之は島まわりの小さな蒸気船で松山の港、三津浜へ入った。

立派な桟橋が出来上っている。

ここは七世紀、百済を救援して新羅、唐の大軍と戦うためにわが国はじめての大規模遠征軍が出陣して行ったところとされる。

松山道後温泉の仮宮から筑紫の博多に本営を前進させるため、斉明女帝をたすけて中大兄皇子（のちの天智天皇）、大海人皇子（のちの天武天皇）の率いる軍勢が海路出陣していった。その時女帝にしたがっていた「額田女王」が出陣の歌を捧げた。

熟田津《にぎたつ》に　舟乗りせむと
　月待てば　潮もかないぬ
今は漕ぎ出でな

その熟田津はこの三津浜であるという。

真之は海軍兵学校の制服を着ている。白の短い上衣に白のズボンであるが、腰に短剣を黒いベルトで吊っている。この当時はみなが和服であり、洋服を着ているのはごく限られた官員さんだけである。道行く人々がみな、びっくりして足を止めて真之を見詰めた。

大黒頭巾をかぶった背の高い老人が、あわててむきをかえ、横道に入って行った。

「おやじ様ではないか」

照れくさいのであろう。照れくさいのは自分も同じだと真之は思った。

この時、真之の兵学校姿をまじまじと畏敬の念をもって見詰めている少年があった。秋山家の遠縁にあたる者で、水野広徳《ひろのり》といった。

松山という土地柄は、藩侯加藤嘉明が朝鮮戦役の水軍指揮官だったことから、古来水練がさかんであった。

徒士侍の子弟は、みな神伝流の水練をやらされた。

「お囲池《かこい》」という藩政時代から使われている水練用のプールがあった。松山市中の河童が集まった。松山の水泳は群を抜いて水準が高かった。

真之はお囲池に来て泳ぎまわっていた。

そこへ師団司令部のある広島からやってきた、工兵隊の兵隊が二人顔を出した。演習場の地ならし作業をしている連中である。二人は注意がきを守らず、褌をしめないで素裸のまま池の中へ入っていった。

「お囲池の神さまを侮辱するけしからぬ振舞」

と子供たちが非難した。

池の中程に筏《いかだ》がうかべてある。真之はそこまで泳いで行って、その上にあがり頭の手拭をとった。そこへ二人の兵隊が泳ぎつき、二人同時に筏の上へあがろうとした。その横っ面を真之はぬれ手拭で、ぴしっぴしっとひっぱたき、水中に突きとばしてやった。

「おどりゃ、おぼえとけ」

兵隊はそのまま逃げてしまった。

翌日もお囲池に真之はいた。筏の上で寝そべっているところへ、

「あんないつじゃ、あんないつじゃ」

と言いながら七、八人の兵隊がやってきた。

真之は筏の上に立ち上ってにらみつけた。

「なんじゃ」

凄みを利かした。相手はひるんだ。

「おれは中徒士町の秋山じゃが、何か用か」

「きのう仲間をたたいたのはあんたじゃろうが」

「あしは、住所《ところ》と名を名乗った。それが武士の作法じゃ。鎮台はそれを心得んか。官姓名を名乗ってから、ものを言え」

全身に闘志をみなぎらせている。

「かっこいい」

近くで見ていた水野少年は感に堪えなかった。真之の颯爽《さっそう》とした姿にひかれて、水野広徳は海軍兵学校に入り、日露戦争では水雷艇の艇長として活躍する。のち軍人作家として有名になり、同じ松山中学の同窓、桜井忠温《ただよし》と並んで、日露戦争後、世に知らぬ者はいないベストセラー作家となる。

お囲池の鎮台兵との騒動は、水練の先生が仲裁に入ったが、鎮台兵が侮辱されたと警察に訴えたので、科料を父親が内緒で納めて落着した。

「親があまり偉くなると子供が偉くならない」

といってこの父親久敬は、八十九《やそく》と号して、剽《ひょう》げた味わいが好きであったらしいが、篤実に徒行《かち》目付から県の学務係などの仕事をこなし、六十九歳で亡くなった。

「秋山はあまり勉強している気配はないのに、いつも首席だ」

真之は二年のとき一人だけの学術優等章、卒業時、八十八名中の首席。

海軍では首席の姓をもってその年次のクラスを呼ぶ。第十七期は秋山クラスとなった。

真之は俊敏、大胆、機略縦横、素朴で飾らず異色の生徒であった。

しかも試験問題の山かけの名人であった。このことについて同郷の後輩竹内重利（のち中将）は次のように言っている。

当時、兵学校周辺の篤志家の協力を得て、休日に生徒が集まって、酒食懇親する借り上げクラブがあった。

小用《こよう》という今、フェリーの桟橋のある集落に、伊予出身者のクラブとして借りた部屋があった。秋山に連れられて行くと、

「松山藩の山路」「宇和島藩の酒井」

という先輩がいて、四人で小魚の料理を食べた。

真之は酒徳利を持って、少しならいいぞ、といってすすめてくれた。

秋山先輩は卒業間近になって、

「もっていけ」

と言って過去五年間の試験問題の書類の束をどんとくれた。

「過去の問題をみて、教官の癖《へき》をみているとヤマは当たる。教官というものは、癖から離れられないものだ。必要な問題はたいていくりかえして出す。平素から教官の講義態度を——顔つきや説明ぶりを注意深くみていると、何が出るかわかる」

「しかしそれは卑怯《ひきょう》というものではないですか」

竹内が言うと、

「試験は戦いと同じだ。戦いには戦術が要る。戦術は道徳から解放されたものであり、卑怯もなにもない」

その問題集には解答の要点が書いてあった。それが実に簡潔で要領をえていた。

「物事の要点はなにかをつかむ、要点をつかむことが大事だ」

「要点をつかむには、過去のあらゆる型を調べる。

——多くの事例をひとわたり調べ、そしてその重要度の度合を考え、あまり重要でないか、または不必要と思われることは大胆に切り捨てる。

――時間と精力を、つかんだ要点に集中する」

酒くさい息をふきかけ、秋山先輩はひとしきり発想法を話してくれる。

「要点をつかむという能力と、それに集中して不要不急のものは、思い切って切り捨てるということが、何よりの〝秘訣〟だ」

秋山先輩はだいぶ飲んだようだったが、帰校点検のときにはすっきり平然としていた。

真之は手先が器用であった。学校の食事時間のヒマつぶしにパンの屑で、人間の顔をつくった。

食事時間中はみんなの食事が終るまで、食卓についていなくてはならなかった。真之は食事がとても速かったので、いつも相当の時間すわっていなければならない。

そこでその間にパン屑細工をはじめた。食い残しのパン屑をまるめたり、こねたりして人の顔をつくり、楊枝で眼鼻をきざんだ。傑作は豊太閤とかナポレオン、ビスマルクなどであった。つくっては次々と生徒の間をまわしたが、

「ナポレオンだ、ビスマルクだ」

ということが一見してみんなにわかったから、不思議である。

器用な芸当だが、ビスマルクは真之がいつも好んでつくった。真之は特にビスマルクが好きだったらしい。


卒業が近くなった頃、休暇を利用して、真之は西隣りに位置する日本三景の一つ、安芸の宮島へ渡った。

厳島《いつくしま》神社は弥山《みせん》という山と島そのものを神体としたが、洲浜に祀る市杵島《いちきしま》姫、田心《たごり》姫、湍津《たぎつ》姫の社を、平清盛が海の寝殿造りといわれる壮麗な回廊つきの社殿につくりあげた。

海中に朱塗りの鳥居を立て、社殿は回廊をめぐらせて、潮が満ちれば、朱塗りの竜宮城があたかも海中に浮かんだようになる。

丹《に》色は静かに海面に映《は》え、山の翠にかがやく。天然の美と人工の美との調和と対照の妙は、まことに美事であった。

——しかし、この名勝厳島は毛利元就と陶晴賢《すえはるかた》の有名な古戦場であった。

弘治元年（一五五五年）十月一日、毛利元就は、大内義隆を自刃させて防長を支配する陶晴賢の二万をこえる大軍に対して、僅か四千の兵をもって奇襲をかける。

包ヶ浦《つつみがうら》から博奕尾《ばくちお》に登った本隊は、夜明けとともに陶の本陣へ逆落としに攻めかけ、大混乱におとしいれてしまう。

狭い場所で、雑卒や小者を含めて大軍の雪崩《なだれ》現象がおきて、陶勢は争って浜に舟を求める。毛利方の水軍の活躍もめざましかった。

社殿の前の海中に立つ大鳥居の周辺に、船筏を組んで、山のように陣取った陶方の軍船の間を、小早川隆景の水軍は、闇にまぎれて、

「われらは九州の軍勢なり、陶殿にまかり越すゆえ、この船をあけ候え」

とよばわって、大胆にも押し通ってしまった。

元就に加勢した能島の村上武吉は、村上水軍を率いて夜明けとともに、陶方船団に襲いかかった。導火《みちび》のついた焙烙玉《ほうろく》（火薬つぼ）を敵船に打ち込んで、縦横に攻めたてた。こうして五倍の兵力を有していた陶晴賢は、海陸で完敗して自害する。

真之は戦場の模様を頭に描きながら、宮島を歩きまわり、両軍の戦いぶりを分析する。

「合戦物語は面白いものだ」

戦術が実地に描き出されて、真之は非常に興深いものをおぼえた。

厳島参詣を機に真之は、戦の研究にいよいよ熱中していくようになった。戦国時代をはじめ、合戦物語を手あたりしだい読みあさった。

真之は抜群の大勉強家となり、自発奮励これ努めた。

真之は新聞、雑誌、本などを読んでいて、これはと思うところは、破って差し支えないものは、引きさいて洗濯用の袋に入れておき、時々整理して、不要の物は捨て、大切な物は切り抜き帳に貼る。

遊んだり、飲んでいても、随時随所にポケットから、メモや本をとり出して猛烈に勉強するというやり方であった。

真之は負けず嫌いで、意志の強い、器用な、そして無頓着な非凡人であった。

「秋山文学」といわれる真之の報告文は一世に鳴りひびいた。日本海海戦の「皇国の興廃この一戦にあり——」や「天気晴朗なれども波高し」などである。

また戦い終ったあとの、勝って兜の緒を締めよ、で結ぶ「連合艦隊解散の辞」も玉の如き美辞麗句がつらなった名文である。この文章はさまざまの形式で各国語に翻訳された。

凱旋上奏文もこれまた非常に名文であった。こうした名文がたちどころに、極めて無造作にすらすらと書き上げられるので、

「どうして、こんな名文が何の考慮も費さないで、書けるのだろう」

とみんなが不思議がった。

あるとき山本英輔（大将）が、

「提督はたちどころに名文をすらすらお書きになりますが、どんな秘訣がおありですか」とたずねた。すると真之は事もなげに答えた。

「なあに、秘訣なんていうものはないよ。ただ、平常、人の名文によく注意し、新聞や雑誌にあるものでも、ていねいに切り抜いておいて、時々それを読んでみるというような事はやったね」

真之の没後、書類を整理していると、雑記帳の中などにも、いろいろな熟語や成語の抜き書きなどがあったという。

第二章　波濤

明治二十三年七月十七日、兵学校の卒業式があった。首席卒業の真之は、恒例によってなみいる高官の前で講演を行った。

準備しておいた水雷に関する演題を、臆することもなく話しおわった。

きらびやかな高官の中に一風変った人がいた。厚手の外とうを着て、青白い顔をしていた。呉鎮守府の参謀長東郷大佐ということだった。東郷はこの頃病気がちだった。

卒業して少尉候補生となった真之ら第十七期の八十八人は、練習艦隊に乗り組んで、航海訓練をうけることになった。

明治十一年に英国から買い入れた「比叡《ひえい》」と「金剛《こんごう》」の姉妹艦で、二千二百八十四トン。この時期わが国の有力艦であったが、帆でも蒸気機関でも走る機帆船であった。

江田島を出航して各種の練習を行いながら、真之の乗った比叡は紀州沖を通過した。

分隊長が、

「ここは海難事故の多いところだ。諸君らが入校した明治十九年十月、ここでノルマントン号事件がおきた」

と海域を示しながら説明した。

「イギリス船ノルマントン号が沈没した時、イギリス人二十六人はボートで逃げて助かったが、日本人は一人も救助されず、二十三人が遭難した。船長の非人道的行為に対する非難を契機に、領事裁判権の撤廃、不平等条約改正を要求する世論が高まった」

白人優越、黄色人蔑視《べっし》の風潮は、今日では想像できぬほどひどいものであった。

比叡艦は帆を操作して、たくみに風を受け帆走していた。

遠州灘で外国軍艦とすれ違った。

トルコ軍艦「エルトグロール」で、日本に親善使節を送ってきての帰りであった。

トルコでは英雄ケマル・アタチュルクが、明治維新にあやかって、イスラム社会の近代化につとめていた。

練習艦隊は横須賀に入港した。

台風の季節に入っていた。九月十六日の台風でトルコ軍艦エルトグロールは、紀州沖で沈没していた。使節のオスマン・パシャ少将は溺死し、艦長以下五百八十一人が死に、六十九人が救助されていた。

明治天皇の思召により、この生存者を、「練習艦でトルコへ送りとどける」ことになった。

真之たちは、めずらしいところへ行ける遠洋航海をよろこんだ。

ロシアは黒海に艦隊をもっている。トルコは、ロシアという熊の脅威に苦しんでいた。日露戦争での日本の勝利を、衷心《ちゅうしん》からよろこんでくれた。トーゴー通りとか、トーゴーの名を子供につけるなどして、日本の勝利をたたえた。

今日でもトルコは、最も親日的な国の一つである。

比叡と金剛は神戸で六十九人を乗せ、シンガポール、コロンボからスエズをとおって、地中海へ出た。

かつて、地中海にトルコ艦隊は覇をとなえ、アジア人の意気をヨーロッパに示したこともあったが、当時トルコは、エジプトをイギリスにとられ、チュニスをフランスにうばわれて落勢にあえいでいた。

ダーダネルス海峡をぬけると、イスタンブールの大都市が目の前にひろがった。そこにはヨーロッパとオリエントの接点、二千年の歴史があった。

トルコの王室はたいへん歓待してくれた。

王宮で柔道の御前試合を披露することになった。スダレ越しに深窓のトルコの宮女が、じっと日本の若い候補生を見詰めているのがとても印象的な光景だった。

明治二十四年五月十日、比叡、金剛は練習をかさねながら、七カ月ぶりに品川へ帰ってきた。

真之は「高千穂」に乗艦を命じられる。

二十五年五月、海軍少尉に任官、「龍驤《りゆうじよう》」分隊士となる。

日本海軍では当時鋼鉄でつくられている軍艦は「高千穂」「扶桑」「浪速」「高雄」「筑紫」ぐらいで、それも千トンから三千トンの小さい艦であった。そのほかは老朽艦や鉄骨木皮の軍艦が多く、甚だ見劣りがした。

小型軍艦の国産を急いだが、一朝一夕にはすすまなかった。横須賀造船所（幕末、小栗上野介の裁決、慶応元年着工、明治四年完成）で、明治九年六月、八百九十七トンの「清輝」が木造だが出来上った。翌年「清輝」は世界一周の遠洋航海に、一年がかりでいどみ成功した。

大、中の軍艦は外国から買い入れる。

「厳島」「松島」「橋立」という、いわゆる三景艦が主力艦として購入されることになった。

この間《かん》、隣の清帝国では、李鴻章《りこうしよう》が宰相になり、艦隊を急激に整備しはじめた。李鴻章は北洋艦隊に世界最強の大艦を二隻持った。のちの日本の「大和」「武蔵」に匹敵する存在であった。

「定遠《ていえん》」

「鎮遠《ちんえん》」

という巨艦である。

ドイツのフルカン造船所に発注し、排水量は七千四百トン、速力十五ノット、主砲は口径三〇サンチ（十二インチ）という当時としては途方もない巨砲を四門そなえ、そのほか一五サンチ副砲二門、七・五サンチ砲四門をそなえる。しかも舷側の装甲は、厚さ三十サンチの鋼板という不沈艦というべき巨艦である。

真之たちがトルコから帰国したばかりの明治二十四年七月、清国北洋艦隊の「提督丁汝昌《ていじよしよう》」はこの両艦のほか、「経遠」「来遠」「致遠」「靖遠」のあわせて六隻を率いて、「親善のため」と称し長崎、神戸、横浜、呉に寄港した。

入港するたびに大勢の日本人を招待し、艦内を自由に参観させた。

――いたずらに機密を保持するよりも、艦隊の威力をみせつける方がはるかに威圧効果がある。丁汝昌はそう計算した。

来艦した人々の眼を奪ったのは、前後甲板にそれぞれ二門ずつ装備されている三〇サンチ半の巨砲である。しかも、定遠の主砲は厚さ三十サンチの鋼板でおおわれている。このような重武装の砲塔内で、自由自在に砲が操作される光景を見て、日本の海軍士官は驚嘆して息をのむばかりであった。

当時日本の軍艦には砲塔はなかった。しかも定遠、鎮遠の要所要所は厚さ一尺二寸の甲鉄に覆われている。攻撃防御の両面において、これ程の威力を持つ軍艦は、日本には当時一隻もなかった。港にうかぶ貧弱な日本軍艦に対して、日本にはないどえらい巨艦を持っているだろうという、一大デモンストレーションであった。新聞は書きたて、日本人で定遠、鎮遠の名を知らぬ者はないほどになった。

清国軍艦には黄竜旗がひるがえっている。しかし清国水兵のみなりは変っていた。

――麦わら帽をかぶり、水色の服に赤い帯をしめていた。

東京での日程をおえた北洋艦隊は、七月十二日、安芸の宮島に入港し、六隻の艨艟《もうどう》（軍艦）が舳先《へさき》をそろえて錨《いかり》をおろした。

丁汝昌はここでも陸海軍人、名士を招いて示威レセプションを開いた。

呉鎮守府の中牟田長官、東郷参謀長がランチに乗って定遠にやってきた。

丁汝昌と丁の信頼厚い定遠艦長林泰曹は、両将を迎えた。

林泰曹と東郷は無言のまま、はげしい火花を散らして互いに視線をかわした。

北洋艦隊は「平遠」を、呉軍港のドックに入れて修理をすることにした。林泰曹が呉軍港の地形や、日本の艦船修理技術をさぐるためであった。

呉は海が深く天然の要害であり、軍港としてこれほど有利な地形をもった港は、佐世保に勝るとも劣らない。呉軍港は当時としては最新式の設備をほこり、ドックも付属工場も完成したばかりで、横須賀に負けぬ立派なものであった。

「平遠」は二千百トンの装甲砲艦、北洋艦隊の中核をなす軍艦である。修理中も全乗組員は艦内に起居している。

東郷は毎日朝晩、平遠の様子をじっと注意深く見守っていた。

東郷はある日、鎮守府長官と話していた。中牟田長官は、長崎の海軍伝習所で勝海舟から教わった十歳年長の先輩である。函館戦争で「回天」「蟠竜」と闘った官軍の「朝陽」の艦長をしていた。佐賀出身の葉隠れ武士である。

「長官、李鴻章が巨艦を買うことに熱中しても、それを動かす人間は恐れるに足りませんな」

「そうか、そうみたか」

二人は声には出さずに眼で笑った。

軍艦は闘う兵器であり、乗組員にとっては生命である。神聖であるべき大砲に、汚れた洗濯物をぶらさげ、甲板にゴミを散乱させている清国海軍の士気軍紀のゆるみを、東郷は見逃さなかったのである。

騎兵を学ぶためにフランスに留学していた兄の好古が、明治二十五年の暮帰ってきた。正月にかけて真之は兄と一緒に揃《そろ》って、松山へ帰った。

前の年の暮、パリの兄へ父死亡のことを知らせたら、めずらしく長い手紙がきた。

ふだん感情を表にあらわさない兄が、心から悲しみを書きあらわしてきているのに、心を打たれた。こうして二人揃って帰る家に、父がいないのは何ともさびしいことだった。母はどんなにしているのだろう。

「ただいま」

二人同時に戸をあけて入った。

「お母さん、お父さんが亡くなったそうじゃな」

好古はただ一言、母にそういっただけだった。

真之は母の顔を見ると、ただ胸がいっぱいになって一言も口に出せなかった。

髪に白いものが目につく母を見て、自然と頬《ほお》をしずくが伝わってくるのだった。奥の間へ黙って入って、そっと襖《ふすま》をしめた。

明治二十六年、真之は「松島」の分隊士に任ぜられたが、まもなく六月になると、

「イギリスにおいて建造中の『吉野』の回航委員を命ず」

という辞令を受けた。

この頃は戦艦や巡洋艦という区別はまだなかった。明治三十一年に、戦艦、巡洋艦、海防艦、砲艦といった種別ができるが、吉野はのち二等巡洋艦という種別に入れられる。

軍艦吉野は、当時中型艦として世界最高の性能をもっていた。四千二百トンの排水量で、速射砲を十二門もち、驚きの快速力を有した。二二・五ノットと公称

したが、試運転では二十四ノットで疾航し、イギリスの新聞に大きく報道された。

このような快速艦は造れるはずがない、といわれた時代に吉野が出来たのは、著名なイギリスの造船技師ペレットの力による。

ペレットは親日の英国人であったが、貧しい日本国民が二百万円の大金を拠出して建艦するという心意気に感動し、日本流に言うなら斎戒沐浴《さいかいもくよく》、魂を打ち込んで、神と対話しながら経験と創作力を動員して造り上げたものである。

定遠、鎮遠を追う速射砲を備える、猟犬のような軍艦が欲しいという国民の声が日本中にみなぎった。しかし建艦の財布はすでに底をついていた。

明治帝はいたく心配され、身辺を節倹せられて、三十万円の寄付を賜った。この聖旨が伝わると、国民各層から広く建艦寄付金が集まった。巡査や教師の月給が三円〜五円という時、二百三万八千円という金である。新聞は三十銭、五十銭という寄付者の名を連日掲載した。今日では想像もできぬ。新興国家の熱気あふれる国民のもりあがりがあった。

「定遠」「鎮遠」が来邦したとき丁汝昌は、瀬戸内海の風景をみて〝山の中腹高く耕す貧しい小国が、沃野の広い大国、清と事を構えるなど笑止なり〟と報告したといわれるが、そのとおりの貧しさの中で骨を削って、軍艦を造ったのであった。当時の日本には輸出して外貨を得られるものは生糸ぐらいしかなく、細々とした農業国家であった。

すでに「浪速」「高千穂」「秋津洲」「千代田」の四艦が十八ノットの速力をもつ巡洋艦であるところへ、吉野が加わると「遊撃艦隊」として定遠、鎮遠に熊を追う猟犬のように食いさがるであろう。快速と速射砲で巨艦の艦上を掃射しようというものであった。巨大艦は対等に造れない。量においても及ばない。

——とすれば敵と戦って、危うければ圏外に離脱し、集中によって利を得れば肉薄して行く戦法をとるために、機動力の優った軍艦をもつのが賢明という結論になる。

これは日露戦争時の、六隻の大巡洋艦政策に引き継がれていく。

「吉野」の回航委員は十五人で、委員長はこの艦の艦長予定者、河原要一大佐であった。

外国に注文した軍艦ができあがった場合、その造船会社の要員によって回航されていた。しかし、経費の節約と、回航する航海技術が向上したために、後には日本側の手で回航されるようになった。

明治十九年「浪速」が最初で、この時の回航委員長は伊東祐亨《すけゆき》大佐であり、委員に山本権兵衛《ごんのひょうえ》大尉がいた。

吉野回航委員一行の案内役には、英国に駐在して吉野の造船監督をしている加藤友三郎大尉があたった。加藤大尉は回航委員でもあり、のち吉野の砲術長になる。

――加藤友三郎。

真之とは因縁深い。加藤は真之より十期上の島村速雄クラスであるが、日露戦争における連合艦隊の参謀長は、最初が島村速雄、後任が加藤友三郎であった。三笠艦上の東郷長官と幕僚たちの群像を描いた、有名な絵に描かれているのは加藤友三郎である。

加藤友三郎は芸州広島藩士の子で、兄は上野の彰義隊攻めのとき藩兵の小隊長をつとめた。友三郎は勝海舟が海軍卿《きょう》のとき、築地の海軍兵学寮で学んだ。

物事の分析能力があり、事柄を総合的にとらえる能力にすぐれていた。のちワシントン軍縮条約の全権となり、良識ある軍人政治家として首相をつとめた。広島の比治山に軍服姿の銅像が建てられている。

「みるからに速そうだ」

真之らが「吉野」を見たとき、反《そ》ったようにやや後ろに傾いた二本の長い煙突と、二本マストの軽快な姿は、これこそ猟犬だと思った。

この艦には帆はなく、エンジンだけが推進力である。世界最高速力の軍艦である。

英国は、日本や南米諸国などから軍艦の注文を受けた時、造艦についてのあらゆる冒険をそれによって試み、もし実際に使ってみて結果がよければ、自国のものに正式採用する。そういうテスト艦でもあったので、当時最新、最高の性能であったといっていい。

北英、タイン河の入口からさかのぼると、ニューカッスルの町までひっきりなしに造船所と船台がつづく。ドックがあり起重機が動いている。

アームストロング社の施設の大きいことには驚かされた。引き渡しがすんで、ひき船にひかれて河口を出る。天皇のために礼砲が撃ち放された。

回航員一同爽やかな顔で、快い処女航海をよろこんだ。

途中、注文していた魚形水雷を受け取って、水雷実験をした。

大海に出て最初の高波に遭ったときは緊張した。あとからあとから寄せてくる高波は、日本近海ではみたこともない不気味なものであった。

吉野は右舷四五度まで傾いた。ギシギシ音がして備品はころげ落ちる、艦はゆれにゆれた。

「浪速」と「高千穂」は英国でつくられたが、同じ時期にフランスに注文してつくられた類似艦、「畝傍《うねび》」があった。畝傍はフランス人によって回航された。明治十九年、シンガポールを出たまではたしかであったが、その後杳《よう》として行方がわからない。煙のように消えてしまって、今日にいたるまで謎《なぞ》になっている。

「吉野」は地中海ののど首、ジブラルタルの岬にさしかかった。真冬の海と空に黒々とつきさすように絶壁が見えた。その絶壁のいたるところに砲台がかくされていて、海を通る船をにらんでいた。イギリスが世界に誇る海の関所である。

地中海を抜けてスエズ運河を通り、ポートサイドからアデンまで暑い「紅海」。ボンベイからコロンボ、そしてマラッカ海峡をぬけてシンガポール。イギリスの東洋支配の重要軍港だ。そして香港。

「吉野」には分隊士として秋山少尉の他に、井出少尉と田所少尉が乗艦している。三人は長い航海中、艦橋でいろいろ語り合った。

「徳川時代、日本が鎖国をしている間に、欧米列強は世界中に植民地をつくってしまった。よくぞ日本は植民地にならずにすんだものよなあ」

「アヘン戦争で清国が敗れたことが衝撃となって、日本は明治維新を成立させた。欧米列強の武力脅威を受けながら、日本は有色人種の中で奇跡的に自主独立を貫くことができた。徳川慶喜が大政を奉還し、大乗的見地から恭順謹慎を貫いたおかげで皇土を夷敵に荒らされることなくすんだ」

「内乱にあけくれていたら、英仏の植民地か、主要なところは租借地にされて独立国ではなかったな」

真之はあくびをひとつ、屁《へ》をひとつ勢いよくぶっぱなして言う。

「それにしても、この吉野が寄港するところはすべてユニオンジャックのひるがえるところだ。南半球はオーストラリアもニュージーランドも英国領だ。英国はその国土こそ狭いが、その強大な艦隊と商船隊で世界を支配した」

当時はポンドが世界の通貨であり、イギリス領は世界に広く、太陽の沈まぬ国であった。

「極東の島国、日本の地理的環境ははなはだ英国に酷似している。日本は英国を範とせよと、海軍兵学校に招いた英国人のダグラス少佐は言ったそうだが、イギリスに君らは何を見たか」

真之の詰問するような強い調子に、他の二人は黙ってしまった。

「あしはニューカッスルに渡るときに見たイギリス人の船長を忘れない。灯台の光の明滅する暗い海をみつめて直立していた姿を。

あいつらは力強い植物だ。深く根をはっている。機械が規則正しくゴトンゴトンとひびく、鋼鉄のにぶいひびき、船体の共鳴。その船を動かしているイギリス人の意志の力。いや良心に支えられ、職務に打ち込んでいるあの生き方。まわりは冷たい鋼鉄ばかり、その中につっ立ってイギリス人は職務にわれを捧げて少しも悔いない。己を知り、己を抑える。あいつらは体ががっしりしている。目はすわっている。口数は少ない。あいつらは自分を抑えることを知っている。禁欲によって、義務を果たすことによって、他人を押さえられるのだ。

今のイギリス人が七つの海を征服したのも、そういう根性のおかげなのだろう。

義務と努力の人間が、服従と訓練のおきてに身を捧げた生き方がある」

「そうだな。ヴィクトリア女王のイギリスは、地球第一位の国民にのぼりつめた。七つの海を押さえる強力な艦隊によって、豊かな生活を保障され、巨富をもたらしてイギリスの最盛期をむかえた」

真之は大きな屁をもういっぱつぶっ放して言った。

「旗艦『ヴィクトリー』上で戦死したネルソンは、末期《まつご》に、『余は余の義務を果たせり、神に感謝す』と言ったというぞ」

月がのぼって海面を黄金色に照らしている。静かな海原がひろがっていた。

「吉野」ははるかな潮路をのりこえて、明治二十七年三月、瀬戸内海に入った。

おだやかな海、翠をうつす静かな海面、眼にしみる島の樹木の色。

「瀬戸の海はいいなあ。世界で一番いい海だなあ」

真之らは口々に言い、心底からそう思う。やがて、平清盛が扇で太陽を呼び返して掘削したといわれる、音戸の瀬戸を通り過ぎると、なつかしい呉の港が見えてきた。

人々は「吉野」の威容に接すると狂喜してこれを迎えた。

「吉野」は日清戦争の黄海海戦で、遊撃部隊の先頭艦として大蛙をねらう蛇のようにかけまわり戦功をあげるが、日露戦争では霧の中、「春日」と衝突して沈むという悲運に見舞われる。

その頃、日本海軍は空前絶後の大改革を断行した。これを計画実行したのは、海軍省主事の海軍大佐、

山本権兵衛。

「権兵衛《ごんべえ》」ともいう。権兵衛は薩英戦争では砲弾運びを手伝ったが、戊辰《ぼしん》戦争では薩摩の陸兵として従軍した。

あと西郷隆盛の紹介で、勝海舟のもとへ行って海軍を習おうとした。

「海軍なんてぇものは、金ばかりかかる。今日の技術、兵器は、明日は新しいも

のに変っている。あんなものにはいるのは、お前サン、およしよ」と権兵衛は海舟に言われたが、熱心に海舟の門を叩いた。築地の海軍兵学寮に入って、マスト登りに得意になっていた。

のち高雄や高千穂の艦長などをつとめたが、明治二十四年、大臣官房主事になって軍政を担当した。この時から軍政家として政治的手腕をふるうことになった。

若い明治の海軍は、一大佐に辣腕《らつわん》をふるわせるところが特異であるが、上に西郷従道《つぐみち》という大物大臣をいただいたことがそれを可能にした。西郷従道は隆盛の弟で、慎吾とも言っていた。隆盛は「敬天愛人」無私の人であった。無とか空とかいうものは天の神に通じる。

上に立った場合、みずから考えて走りまわるより、有能な下僚をみつけて言う、

「おはん、頼む」

大方針をその人に言い聞かせた以上、こまごましたことは口出ししない。もしその人が失敗すれば、上に立つ自分がひっかぶる。

自分自身を空にしてしまえば、知力あり学問のある人が寄ってきて自分をたすけてくれる。真空状態にしておけば、有益な人知、人力が吸い寄せられてきて、大事を成しとげることに力を貸してくれる。

こういう隆盛の薩摩は物事の本質をおさえておおづかみに事をおこなう、政治家や総司令官のタイプを多く出した。

西郷従道はいとこの大山巌《いわお》と同様、陸軍に属していたが、陸軍中将の身分のまま海軍大臣になった。

――海軍のことは何も知らなかった。

権兵衛は海軍軍政の現状と課題を冊子にまとめ、大臣の教科書用に提出した。

数日後、

「大臣、先日の書類見て下さいましたか」

「イイエ」

また数日後、問うた。

「イイエ」

権兵衛は虎のような眼をしているという。けわしい眼付でいると、西郷が品の

いい声で、

「山本サン、私が海軍のことがわかるようになると、ミナサンおこまりになるのではないかな。私は海軍のことがわからない。ミナサンはわかる。ミナサンのよいときめたことを私が内閣でとおしてくる。それでよいのではありませんか」

西郷従道というのは、そういう大人物だった。

そのころの海軍は、薩の海軍といわれるように、藩の維新における功績により、将官や佐官の階級にあって高給を食んで重要な職を占めている者が多かった。日進月歩の海軍の新技術に、ついてゆけない頭のかたい者も多い。

陸上よりも年功序列を重んじる舟乗りの世界では、オランダ流の帆船の操法しか知らない将官も大きな顔をしていた。

権兵衛にとっては、すべて上官もしくは先輩である。

「諭旨退職対象者の名簿」

を作ると、その数はなんと将官佐官あわせて九十七人となった。

薩摩出身者が多い。

さすがにこれを見た西郷大臣は、

と絶句した。秋霜烈日《しゅうそうれつじつ》のきびしさで海軍部内の刷新をはかろうというのである。権兵衛は言う。

「兵学校の新しい教育を受けた若い士官をあとに充当します」

「功労者には勲章を与えて去ってもらいます。要職にいると百害を生じます」

「戦が近づいています。国がつぶれます」

西郷は権兵衛を全面的に支援した。

権兵衛は海軍積年の弊風と刺しちがえる覚悟で、該当者をよび、みずから宣告した。

薩の海軍は、権兵衛の手で日本の海軍になった。そして薩の権兵衛は海軍の権兵衛に変貌した。

後年ロシアのバルチック艦隊が東洋に回航された時、ロシアの艦隊幹部の中には風帆船の操法しか知らない老朽士官が多かったといわれるが、日本海軍はすでに日清戦争の直前にそれらを一掃した。そして新進の若い士官達が、日清戦争で要職を経験し、日露戦争にむかうことができたのである。

「ウーン」

アルゼンチンの観戦武官ガルシア大佐の報告書では、日露戦争における日本海軍幹部の年齢の若さに驚きの目をむけ、他国と比較してこの若さが勝利の一因と述べている。

このことは従道や権兵衛の力であるが、同時に日本海軍が若かったからできたことである。

草創期の構成員は、旧幕府海軍から入った者、陸軍から転じた者など様々であった。

これが兵学校、海大の卒業年次、卒業成績など、がんじがらめに古い習慣や因襲に縛られた官僚的組織であったならば、実行できなかったであろう。組織が若々しいということが、理想的な海軍の姿を具現できた。

ところでこの明治二十六年の山本権兵衛の大幅な人員整理のとき、

「海軍大佐東郷平八郎」

の名前も整理されるべき名簿にのぼっていた。

「これはどうかね」

西郷大臣は言った。西郷も山本も東郷と同じ鹿児島の加治屋町の出身である。

東郷の方が権兵衛より五つ年上であった。同じ軍艦で勤務しているとき議論になった。激したまま決着がつかなくなった。若い時ならなぐりあいで始末をつけるところだが、

「マストのぼりで勝負をつけよう」

ということになり、東郷も応じた。

東郷が半分ものぼりきらないうちに、権兵衛はマストの上にのぼってしまった。

「おいの勝ちじゃ」

と権兵衛は言ったが、東郷はそのままマストの上までのぼってから、

「おいのまけじゃ」

と認めてから降りはじめた。

勝負がついたから途中で降りてもいいのだが、最後まで勝負を捨てなかった。

「将にはああいうしぶとさが必要だ」

と権兵衛は言っていた。

しかし当時、東郷は病気がちであった。健康は大丈夫か。

「健康ばすぐれんちゅじゃ。いっそ休ませっと」

西郷が休ませっと、というのは首切りである。

「東郷もよか男ですが、……ま、もうちょっと様子ばみるつもりで、横須賀につないである『浪速』に乗せてみますか」

一瞬の運命で東郷の首がつながったが、東郷の健康が艦上勤務に耐えられなければ、すぐに退職させるつもりだったろう。

東郷は、

「ひさしぶりに艦に乗れる。おいは陸《おか》より海の上が性にあっているわい」

とよろこんだ。

時に、西郷は五十歳、山本は四十一歳、東郷は四十六歳であった。

第三章　日清戦争

明治初年当時の世界の情勢は、弱肉強食、帝国主義の時代であった。イギリス、フランス、ロシア、アメリカ、ドイツすべて帝国主義で、帝国主義でない国は帝国主義国の属国にされ、餌食にされるほかなかった。この頃の世界地図を見ると、強国の取り合いの様子がよくわかる。

大陸に接する半島は、古来大陸勢力と海洋勢力の角逐《かくちく》の場となりやすく、戦火にまきこまれることが多い。

「朝鮮半島」

という地理的特性は、中国大陸の勢力が強大化すれば半島の南端まで大陸勢力の支配下におかれ、沖合の海洋国日本の力が増大すれば、この半島の南部を勢力下におこうとして進攻した。

朝鮮半島をめぐる日本とシナの抗争は、この図式の繰り返しであり、その歴史は神話時代にまでさかのぼる。

日本は朝鮮が大国の属領になってしまうことをおそれた。朝鮮が他の強国にとられた場合、日本の防衛は成立しない。

「朝鮮の自主性を認め、これを完全独立国にせよ」

ということを、日本は清国そのほかの国に主張し、念仏のように言いつづけてきた。

明治二十七年（一八九四年）、朝鮮に内乱がおこり、清国が朝鮮に出兵して、朝鮮が清国の属国になるおそれが生じてきた。

東学党の乱がおこっている。東学とは、キリスト教の西学に対することばである。

儒教、仏教、道教の三教に、現世利益をくわえた新興宗教で、朝鮮の全羅《ぜんら》道、忠清道の農民のあいだにひろまり、それが農民一揆《いっき》の形をとってきた。

東学党の勢力はしだいに強大になり、五月末には全羅道の道府全州市を占領し、ついで京城《けいじょう》がある京畿道に入ろうとする勢いとなった。おどろいた朝鮮政府

は、みずからの手で国内の治安を維持できなくなったので、清国に、

「大軍を派遣してもらおう」

という議がおこり、京城に駐在する清国代表「袁世凱《えんせいがい》」という実力者に申し入れた。

袁は朝鮮に清国の支配力を強化する好機とみて、本国に申し送った。

一方、朝鮮駐在の杉村代理大使は、この動きを外務省に急報した。

「日本はいつでも出兵できる支度をすべきである。もし清国に先手をうたれれば、朝鮮における日本の発言権は失われるであろう」

この上申に、外務大臣陸奥宗光《むつむねみつ》も同意見であった。

六月二日の閣議で、

「朝鮮に対する日清両国の勢力均衡をはかるため」

出兵が決定した。

出兵は済物浦《さいもっぽ》条約による、

「日本公使館に兵員若干をおき、護衛する」

という条文を根拠としていた。

首相の伊藤博文は、清国と戦争をおこすことを極力さけようとした。

伊藤は陸軍の実力者、参謀本部次長の川上操六にたずねた。

「出兵の兵力はどれだけを考えているのか」

「一個旅団です」

「日清両国が戦えば、西欧の列強が漁夫の利を占める。兵数を少なくせよ」

川上は頭をさげた。

「閣下お言葉ですが、出兵については閣議で閣下ご自身がご裁断なさいました。しかし出兵となったら、あとは参謀総長の責任です。出兵の兵数はおまかせいただきたいと思います」

「憲法か……」

伊藤博文自身がつくった明治憲法では、天皇が陸海軍を統率するという一項があり、首相に統帥権は属していない。作戦行動は首相の権限外になっている。

川上は一個旅団を派兵するといったが、一個旅団の兵数は二千である。しかしこれは平時の編制で、騎、砲、工、輜重《しちょう》の各兵科の混成一個旅団の兵数は七千となる。

出動部隊は広島の第五師団であった。大島義昌《おおしまよしまさ》少将を指揮官とする七千の兵が、十隻の輸送船に分乗して、宇品港を出港していった。

統帥権には、

「帷幄《いあく》上奏」

という特権が参謀本部、軍令部にあたえられていた。

統帥に関する作戦上の秘密は、陸軍の場合参謀総長が首相などを経ず、じかに天皇に上奏するというのである。

作戦は機密を要する。いちいち政府や議会に漏らすわけにはいかないから、これはこれで妥当な権能といっていい。しかし、統帥権の独立の権能は昭和になると平時の軍備についても適用されるという拡大解釈がなされるようになった。

参謀本部制は元来ドイツの制度である。ドイツは遅れて帝国主義の仲間入りをした。

「プロシヤは国家が軍隊をもっているのではなくて、軍隊が国家をもっている」

といわれた。

参謀本部は前へ前へと出て、国家をひきずろうとしていた。

昭和に入ると、国際紛争や戦争をおこすことについても、他の国政機関に対し、帷幄上奏権があるために秘密にそれをおこすことができた。しかも参謀総長は首相ならびに国務大臣と同様、天皇に対して輔弼《ほひつ》の責任をもつ。天皇は、憲法上無答責である。従って統帥機関は思うままに国をひきずっていった。満州事変、日華事変、ノモンハン事件など、すべて統帥権の発動であり、首相以下はあとで知っておどろくだけのばかげたことになった。

伊藤博文首相は、戦争の勃発をふせごうとしたが〝東洋のモルトケ〟といわれる参謀本部の川上操六は、陸奥外務大臣と肚《はら》をあわせ、手ぎわよく事をすすめた。

京城駐在の大鳥圭介公使は、強引に清国兵の駆逐を要請する朝鮮の公文書を手に入れた。大島旅団はただちに牙山《がざん》の清国軍にむかって戦闘行軍を開始した。

真之は「吉野」回航後、明治二十七年四月、「筑紫」の航海士に転じた。

当時はまだ戦艦、巡洋艦という種別はなかったが、筑紫はのちに一等砲艦という艦種に入れられる。排水量千三百七十トン、二六サンチ砲二門を積む。明治十六年、英国で竣工した。弱艦なので決戦のときには足手まといとなるであろう。

日本ははじめての外国艦隊との決戦に対して、連合艦隊を編成し、伊東祐亨《すけゆき》中将を司令長官とした。その主な内容は次のとおりであった(八月十六日編成)。

本隊――松島、厳島、橋立、千代田、扶桑、比叡。
第一遊撃隊――吉野、高千穂、浪速、秋津洲。
第二遊撃隊――葛城、金剛、大和、武蔵、高雄、天竜。
第三遊撃隊――筑紫、愛宕、摩耶、鳥海、大島、赤城。
本隊付属――八重山、磐城、天城、近江丸。
水雷艇母艦――山城丸。

連合艦隊の総兵力は三百二十一トンの「鳳翔《ほうしょう》」までの軍艦が二十八隻、水雷艇が二十四隻、合計トン数は五万九千余トンである。

これに対する清国北洋艦隊の総兵力は、七千四百トンの「定遠」「鎮遠」以下軍艦二十五隻、水雷艇十三隻、合計トン数は約五万トンである。世界最大、最強といわれる「定遠」「鎮遠」は、速力十五ノットに対し、「吉野」は二二・五ノット、

「秋津洲」「千代田」は十九ノット、「浪速」は十八ノットと優速であり、本隊とあわせ九隻は鋼鉄製の四千トン前後で、主力決戦にむかうことができる。しかし他は老朽艦が多く、葛城、磐城、天城、天竜などは木造であった。

「筑紫」が泊地の水深測量のため出港した翌日、連合艦隊は佐世保を「予定順序にしたがい出港せよ」との伊東長官の最初の信号により、煤煙を斜めにひいて各艦は動き出した。

樺山資紀《かばやますけのり》軍令部長は、「高砂丸」に乗って、港外の帆揚岩《ほあげいわ》近くまで送りに出ていた。

数旒《りゅう》の色あざやかな信号旗をあげた。

「帝国海軍の名誉をあげよ」

先頭艦の吉野がこたえた。

「全くする」

つぎに旗艦松島の艦橋に立った伊東長官は、

「たしかに名誉をあげん」

とこたえ、第二遊撃隊旗艦葛城は、

「凱旋《がいせん》を待て」

と答信した。

晴天の下、明治の武人らしい、壮行を送るやりとりであった。

出港した艦隊は群山沖に仮泊し、第一遊撃隊の吉野、秋津洲、浪速の三艦が前進した。

七月二十五日の早朝牙山付近に達した。

この日は快晴、海面に淡い霧がたちこめ、頬をなでるような微風があった。このとき、豊島方面の沖あいに二条の黒煙がたちのぼるのを発見した。

清国軍艦済遠《さいえん》と広乙《こうおつ》であると確認された。

宣戦布告はまだなされていなかったが、済遠は砲口を一閃して、吉野の前に巨大な水柱をあげた。ただちに三艦は応射した。済遠は逃げ出し、広乙は艦首を港にむけて離脱をはかった。

吉野と浪速は済遠を追い、秋津洲は広乙を追った。

広乙は陸岸に乗りあげ座礁した。

そこへ清国軍艦操江とそれに護衛された商船があらわれた。

操江は秋津洲に追われ捕獲された。

浪速は英国の国旗をかかげた商船を遠眼鏡で監視したところ、多数の清国兵を乗せていることがわかった。

艦長東郷平八郎大佐は、

「ただちに停止、錨《いかり》をいれよ」

と信号を発した。

英語のできる人見大尉がボートで移乗し、臨検した。この英国船高陞《こうしょう》号は、清国が英国のジャーディン・マディソン・カンパニーからやとい入れたもので、千百名の陸兵と、大砲十四門を積んで牙山へむかう途中であった。

英人船長に対し、

「その船を見捨てよ」

と信号を送ったが、清国兵は船長以下をおどし、離船させなかった。東郷はこの間の交渉に二時間半もかけている。

危険信号の赤旗をかかげ、浪速は水雷と砲撃を加えた。

「高陞号」は三十分後に船影を没した。船長をふくむ船員は全員救助した。早速、英国の朝野は騒然となった。英外相が駐英大使青木周蔵を通じて抗議してきた。おりしも日英通商航海条約がむすばれた直後のことであった。

伊藤博文首相も陸奥宗光外相も難題に頭をかかえた。

ところがやがて詳細がわかるにつれて、東郷の処置は国際法にのっとっているという弁護の論説があらわれ、英国の世論も鎮静した。

陸上では大島旅団が牙山、成歓《せいかん》の清国兵を攻撃し、四千の清兵は敗れて平壌へ逃走した。

明治天皇は九月十五日から、広島城内に設けられた大本営に移られた。

その同じ日、野津道貫《のづみちつら》中将は第五師団と第三師団をもって、平壌にたてこもる清国軍一万二千を総攻撃した。

わが軍の猛攻に清軍は戦意とぼしく、城外へ逃げ去った。逃げて行く清兵は、朝鮮の民家に乱入し、掠奪の限りを尽くした。清兵の残忍さに朝鮮の民衆はこれを疫病神よりも恐れ、嫌った。

筑紫は水雷艇三隻とともに八月下旬から、仁川南方の牙山沖で警戒にあたっていたが、真之はいらいらと落ち着かなかった。

「高千穂」は第一遊撃隊に属しているが、一艦だけ離れて漢江沖で警戒にあたっていた。

真之は高千穂の同期生に手紙を書いた。

――陸軍の動きからすると、清国艦隊が大挙して姿をあらわすかもしれない。ところが高千穂も筑紫もばらばらにされている。兵力を分離することは、戦略上もっとも戒めるところなのにそれをわが長官はやっている。各個撃破されたら大変なことになる。心配なことです。

泰山も蟻穴《ぎけつ》から崩れるといいます。各位は死地にいるつもりで十分警戒されたい。もし外洋で砲声を聞いたら、筑紫は水雷艇とともに高千穂の応援にかけつけます。

という趣旨の手紙であるが、わずか袖章一本の少尉でありながら、得意の諺《ことわざ》を連発して、司令長官になったような気持で同僚に命令したり、艦隊指揮官の兵力分離の作戦計画を批判している。

平壌が陥落した九月十六日、伊東司令長官の率いる決戦艦隊は北洋艦隊を求めて、朝鮮半島北方のチョッペキ岬の仮泊地を出撃した。

第二遊撃隊など足手まといになる老朽艦は伴わない。真之の乗る筑紫は牙山沖の警戒にあたったままで参加しない。

伊東の直率する本隊は、旗艦松島、厳島、橋立、千代田、比叡、扶桑の六隻。先陣は坪井少将の指揮する旗艦吉野、高千穂、秋津洲、浪速の四隻。六四艦隊である。それに今回は偵察・連絡のために赤城（六百二十二トン）と、軍令部長樺山資紀が戦況視察のために乗っている武装貨客船西京丸（四千百トン）がついていく。

樺山軍令部長の戦場巡察は、陸軍の長老山県有朋があえて第一軍司令官をひきうけて前線へ出たことに対して、海軍も最高指導者が決戦場へのぞむという含みもあったのであろう。西京丸には、一二サンチ砲二門と機銃三挺を装備した。樺山はこの西京丸で、近代海軍最初の大海戦に、のこのことついていくのである。剛胆でもあるが無謀でもあった。

——あけて九月十七日。

この日は快晴、歌にあるように、雲なく、風もおこらず波たたず、黄海は鏡のようであった。先頭をいく吉野の見張員は、はるか水平線上に一条の煙を発見した。

「煤煙見ユ」

やがて黒煙のかずは三すじにふえた。

吉野は信号旗をあげた。

「敵艦隊東方ニ見ユ」

正午頃には、十隻の清国軍艦がのぞまれるようになった。

伊東長官は隊形を単縦陣とし、西京丸と赤城を左側後方の非戦闘側においた。

各艦大軍艦旗をマストにかかげ、兵員は戦闘配置についた。

その間全員が十分な腹ごしらえをして決戦準備をした。

「人生を今日で終るなら、みな食ってしまえ」と、大満足で決戦準備ができた。

大東亜戦争のフィリッピン沖海戦の最中、昭和十九年十月二十四日では敵機の空襲がたえまなく続いて昼食をとることができず、夕刻前には全員が疲労困憊《こんぱい》したという状況とは大きな違いである。

清国北洋艦隊は、全艦が横陣になり、ノコギリ歯のような形で進んできた。

名将とうたわれる丁汝昌の乗る旗艦「定遠」と、関羽《かんう》のような闘将といわれる林泰曹艦長の「鎮遠」を中心にして、左翼に「来遠」「致遠」「広甲」「済遠」を据え、右翼に「経遠」「靖遠」「超勇」「揚威」をならべていた。

同型の姉妹艦が、二艦ずつ一つの単位を組み行動をともにするようにした。そしてはるか右方に「平遠」「広丙」および二隻の水雷艇が追っていた。

清軍の丁汝昌提督が横陣を選んだのは、二つの理由があった。

一つは、前甲板に装備されている「定遠」などの三〇サンチ主砲を全幅に使うことができる。

二つは、砲戦を主とするも、状況に応じて、艦首をもって敵艦の横腹に体当りする、「衝角《しょうかく》戦法」をとるためには横陣が有利とする。

一八六六年のオーストリアとイタリアのリッサ海戦に適例があった。

これに対して日本艦隊は蜿々《えんえん》長蛇の単縦陣で進む。

日本艦隊が単縦陣を選んだのは——。

当時佐世保には沢山の軍艦が集合していたが、艦隊運動については熟練していなかったので、信号どおりそろって指揮官の意の如く運動ができなかった。そこで開戦前どういう陣形が有利か、訓練を行うと同時に対抗演習をやってみた。すると、巧妙なことをやった側はいつも負け、

「先頭艦の後につづけ」

と信号しなくても行動するなんでもかんでも単縦陣という方がいつも勝った。そこで「指揮官先頭の単縦陣」でいくことに決定されていたのである。

吉野を先頭とする第一遊撃隊の四隻は、

「厳正に単縦陣を守れ、速力十四ノット」

の信号に従って敵陣に突進して行った。

伊東長官は「右方の敵（敵の左翼）を攻撃すべし」と吉野の坪井少将に命じたが、坪井少将は北洋艦隊の右翼を攻撃せよと受け取った。

吉野は敵の右翼端の「揚威」「超勇」にむかった。

距離五千八百メートルに達したとき、「定遠」が三〇サンチ主砲弾を発射した。

吉野の近辺に大水柱があがり、つづいて前後左右にすさまじい水煙があがりはじめた。

「三千メートルに迫ってのち、発砲せよ」

と信号し、吉野はすぐには撃たなかった。

零時五十五分、三千メートルになった。右舷の砲門をことごとくひらき発射した。高千穂、秋津洲もこれにつづいた。

「揚威」と「超勇」はたちまち大火災をおこした。超勇は三十分後に沈み、揚威は遁走《とんそう》したが浅瀬にのりあげて擱座《かくざ》した。

経遠は衝角をもって吉野の右腹を突きやぶろうと大胆にも猛進してきた。しかし、かわされた。

第一遊撃隊につづく松島以下の本隊は、右舷正横に敵が位置すると、三千五百メートルでいっせいに砲撃をはじめた。

これに対し凸横陣の中央にある定遠、鎮遠が猛然と突っかけてきた。

橋立の後につづいていた五番艦の比叡は、定遠と直角の位置にはいった。定遠と左にいた来遠は艦首の衝角で、比叡の右舷に激突せんと突き進んできた。

比叡はとっさにその二艦の真中に割りこみ単独で列をはなれた。

来遠は小艦とあなどり、前甲板に襲撃隊をならべて比叡に乗り移る準備をしていた。比叡は舷側の機関砲で急射撃してなぎ倒した。怒った来遠は、魚雷を発射してとどめを刺そうとしたが、比叡は艦尾すれすれで危うくこれをかわした。

つぎの瞬間、定遠の三〇サンチ砲弾が炸裂し、比叡は艦尾の内部をえぐりとられ大火災につつまれた。

比叡は戦列外に退避した。

比叡につづく扶桑は、近くまで迫ってきた定遠を左に転じて痛撃しながら、巧妙に運用して本隊に合した。

本隊より遅れた砲艦赤城と西京丸は敵の前面に孤立した。

「西京、赤城避ケヨ」の命令が出ていたが、随進したため二隻はさらしもののように集中砲火を受けた。

赤城はめった撃ちにあい、坂元艦長は戦死し、佐藤鉄太郎大尉が指揮をとったが「来遠」「済遠」「広甲」に追いつめられ窮地におちいった。

そのとき、赤城死にもの狂いの一弾が、来遠に命中して大火災をおこさせたために、かろうじて重囲から脱した。

西京丸は赤城が袋だたきにされているのを見て、

「比叡、赤城危うし」

の信号を発した。

(のち、真之はこの信号は決戦最中に、全軍の士気を顧みないもので、たとえ二艦を失っても戦術原則として決戦中になすべき信号ではないという)

まもなく西京丸もこんどは定遠ら四隻に追跡され、十一発の砲弾をぶちこまれた。速力が激減し、人力による舵機でかろうじて航行する状態となった。

そこへ「平遠」「広丙」が水雷艇「福竜」を連れて襲いかかってきた。

命中した敵弾で発生した火災の消火につとめていると、

——白い航跡を一線にひきつつ魚雷が、西京丸のどてっ腹めざして突進してくる。

「轟然たる大爆発。いよいよ、おだぶつ」

と乗組員はおもわず目をとじた。

ところが西京丸は軍艦とちがい吃水《きっすい》が浅い。魚雷は船底をくぐりぬけ、反対側の海面へ走りぬけていった。

——奇跡的ないのち拾いであった。

しかしこんどは定遠、鎮遠、致遠が西京丸に集中砲火を浴びせてきた。

この時第一遊撃隊の四番艦浪速は、西京丸の逃げ口をあけるために敵弾の中に自艦を停止させ盾となった。

西京丸は航進を停めた浪速の前をゆっくり通り過ぎた。

こんどは孤立した「浪速」が集中砲火を受けて水線下に被弾したが、まことに幸運にも敵弾は石炭庫にとまって浸水をまぬがれた。


北洋艦隊のノコギリ形の横陣はバラバラに崩れ、ダンゴのようになっていた。

「艦首をつねに敵にむけよ」

「同型艦はたがいに協同せよ」

「戦闘中は旗艦の運動をよくみよ」

という指示を丁汝昌は発していたが、火災のため信号が通ぜず、右往左往しがちであった。平遠、来遠は大火災をおこし、広甲、済遠は遁走し、日本艦隊に肉薄してきた「致遠」も沈没した。

日本側は比叡が脱落したがあとはすべて単縦陣で転回していた。

日本艦隊がとった二つの単縦陣の転回運動のために、清国艦隊はその円周の中で緩慢に方向を左右に移動するだけで、動きを封じられてしまった。

「まるで、定遠、鎮遠という二匹の大蛙を二匹の蛇がまわりを回って攻める」というような状態となった。

済遠、広丙が遁走すると、広甲、経遠、靖遠が大連湾方向へ逸走をはかった。

第一遊撃隊はこれを追った。

松島以下本隊が手負いの二匹の大蛙を包囲攻撃することにした。

だが鎮遠の三〇サンチ巨砲の威力は、恐るべきものがあった。

千七百メートルの近距離から放った巨弾は、松島の艦腹をつらぬき備砲を粉砕した。

大音響とともに付近にいた九十六人を死傷せしめ、艦の舷側に張ってある鋼板をめくりあげ、艦骨まであらわにした。

「本艦大破し、戦闘力を失えり、ゆえに指揮をとるに適せず、各艦は本艦にかか

**明治27年9月17日
黄海海戦**

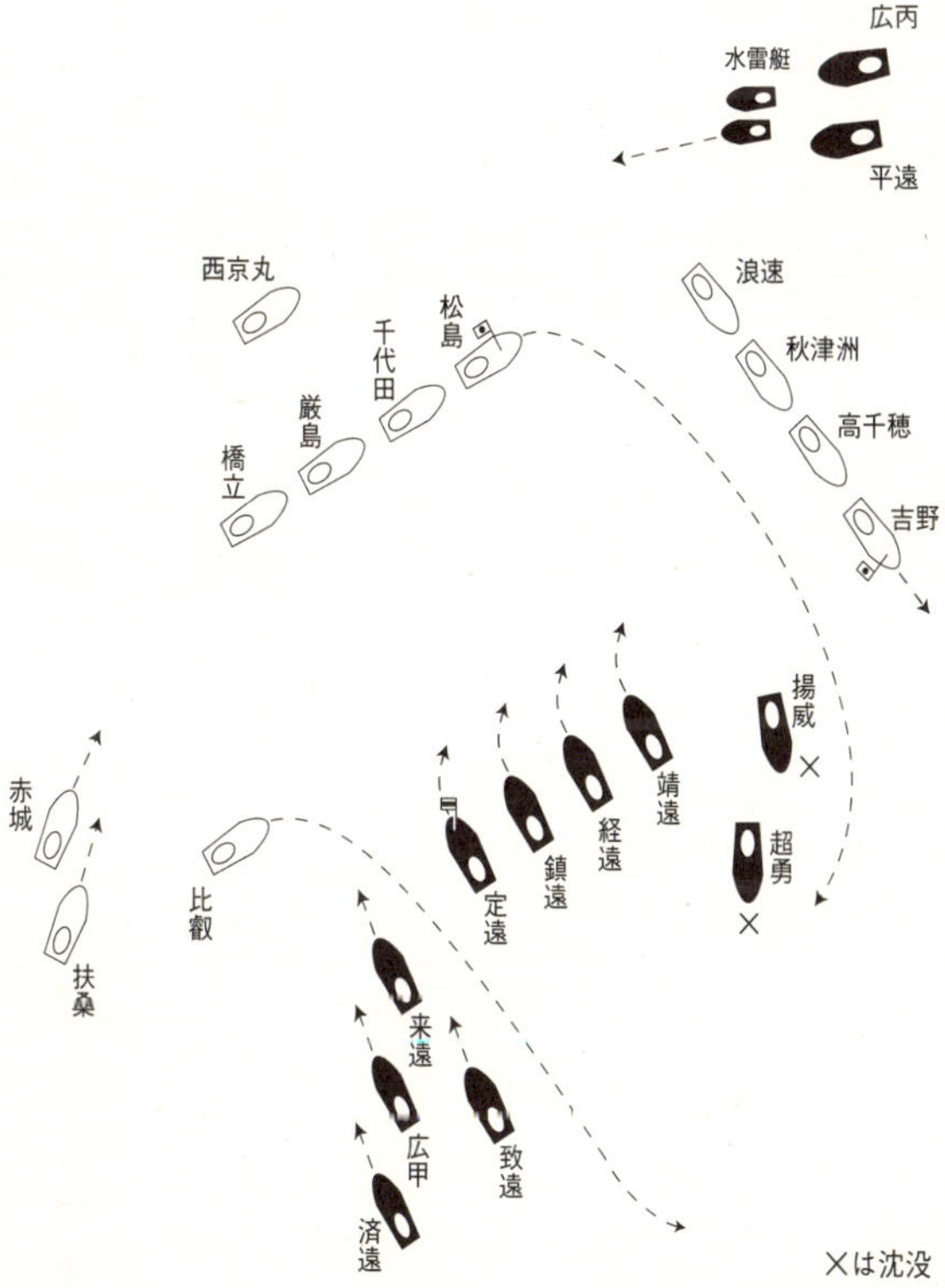

わることなく随意に戦うべし」

伊東長官はついに「不管旗」(われの運動にならう必要なし)をあげさせた。旗艦「松島」が大破されたとき、悲壮な光景が歌になった。

「勇敢なる水兵」三浦虎太郎は、副長向山少佐をみとめて問いかけた。この話を伝え聞いた歌人佐佐木信綱は書きあげた。

五、間近く立てる副長を
痛むまなこに見とめけん
声を絞《しぼ》りて彼は問う
「まだ沈まずや定遠は」

六、副長の眼はうるおえり
されども声は勇ましく
「心安《こころやす》かれ　定遠は、
戦いがたくなし果てき」

七、聞き得《え》し彼は嬉しげに

最後のえみを洩らしつつ
「いかでかたきを　打ちてよ」と
言う程もなく息たえぬ
八、「まだ沈まずや定遠は」
此の言《こと》の葉《は》は短きも
み国を思う国民《くにたみ》の
胸にぞ長く　しるされん

この歌は小学校唱歌として国民が愛唱した名文句である。感激の文字は永く国民の心にしるされた。

「まだ沈まずや定遠は――」

しかし定遠は沈まなかった。火災が鎮火せず、戦闘力を失ったが、定遠、鎮遠の両巨艦は威海衛方面へ逃走した。

日本艦隊は定遠に百五十九発、鎮遠に二百二十発の命中弾を与えた。しかし両艦の装甲鈑は厚くついに貫通させることができなかった。命中した日本の砲の多くは、速射砲の榴弾で、敵の甲板を脅かし火災を頻発させ、猛煙が乗組員の発砲力を減殺した。

世界一の防御力をもつ定遠、鎮遠を轟沈させるというのぞみは捨てて、日本側は作戦をたてていた。

艦が小さく、砲も小さく、そのかわり速力の速い日本艦隊は、その特性をうまく生かして勝利をつかんだ。

日清両艦隊の持つ大口径砲は、日本は清国の半分以下であったが、小さな砲の数においては、清国の百四十一門に対して日本は二百九門であり、速射砲については日本が七十六門であったのに対し北洋艦隊には新式の速射砲は全く装備していなかった。

世界の快速艦といわれた吉野には速射砲十二門をそなえていた。

日本は快速力と運動性を活用して、小さい砲を数多く命中させて、敵の艦上施設や戦闘力を無力化させた。

重装甲、巨砲をそなえる艦隊に対し、快速の軽艦隊はその運用よろしきを得れば、これをやぶることができる——という戦例がこの海戦によって確立された。

北洋艦隊の損害は、

「経遠」「致遠」「超勇」が沈没、

「広甲」「揚威」座礁再起不能、

「定遠」「鎮遠」「来遠」「靖遠」大破であった。

連合艦隊の損害は、

「松島」「比叡」「赤城」が大破、「西京丸」中破であった。

戦闘四時間半で清国艦隊は十二隻のうち五隻が沈没または擱座したが、のこる七隻は旅順方面へむかって逃げた。

日本艦隊はこれを追撃しなかった。夕刻、艦隊をひきあげてしまった。

これに対し「鎮遠」に乗っていたアメリカ人参謀マクギフィン少佐は、

「逃げる清国艦隊は砲弾をほとんど撃ちつくし、弾薬庫はカラに近かったのに、余力のあった日本の主力はどう考えたのか引き揚げてしまった」

と言っている。

浪速の東郷艦長は、後日、大本営のある広島で山本権兵衛に対し、

「水雷艇隊を随行させていれば、大破していた『定遠』『鎮遠』にとどめを刺すこ

とができたであろう。また西京丸は海戦の邪魔になって有害であった」

と言った。

真之は黄海海戦をどう批評したか。

海軍大学校教官山屋少佐へ書いた手紙は、要旨次のようである。

——伊東長官がとった戦隊区分、戦闘隊形、翼撃旋回の戦法など、戦略戦術上の計画、指揮において、非難すべき隙はなく、近代戦術のよい手本である。

また諸隊の陣形が整然としていたのは、佐世保出撃の前の訓練のたまもので、めずらしいほど立派でした。

しかし、赤城、西京丸は「避けよ」の命令に反して本隊に従って進んだ行動には同意できません。

赤城は孤立し、西京丸は無茶をやり、その奮戦ぶりは、話のタネとして花を添えたといっても戦術上の失態です。

第一遊撃隊は追撃戦の段階になっても、勢力集合の一原則に固執して、敵艦が孤立しているのに、あいかわらず四艦で「経遠」を追ったようなことは同意できません。

本隊の先導艦「松島」は敵との距離に注意しなかったため、後方艦に苦戦をさせました。

「比叡」の敵前突貫は、危機に当たっての艦長独断専行の原則にかない適切でした。

松島は鎮遠の巨弾を受けて、戦闘力を失い、長官は〝不管旗〟をかかげて、各艦の独断専行をうながしたが、各艦は進撃をためらい敵を討ちもらしました――。


この戦いは日本の勝利ではあったが、完勝ではない。

それは追撃戦術がまずかったことと、本隊各艦艦長の独断専行の自信が不十分だったことによる。

真之には『孫子』の〝善《よ》く戦う者の勝つや、知名もなく勇功もなし〟という理想の戦術観があった。

「比叡」の突貫とか、「赤城」の苦戦とか、「西京丸」の猛進とか、ハナシとして面白いことのおきるのは、みな戦術上の失態で、完全無欠に実施される戦術は、無味無臭で戦談の種子もなく、戦況に光彩もなく、また誰に功績があるのかわからず、しかも全軍一様に最大の戦闘力を発揮するチームワークである。そして大言壮語する豪傑よりも、マジメに義務を果たす者が信頼できる。

――また〝天佑〟は両軍に公平にあたえられたと算定するほかありません。天佑というものは、多くは人事を尽くしたのちの真正の天佑ではなくて、双方の過失、欠点から起きた天佑が多いように思われます。

われわれ後進はこの戦争の結果について、原因をただし、後日国家に事があるときは、あやまちを再びしないよう研究自得しておくべきです――。

清国艦隊もよく戦った。しかし、英国海軍のフリーマンター中将はこうみていた。

――日清両艦隊とも兵力に大差はない。

「日本が強かったのは軍人の士気の差であろう。清国では由来、軍役に従事する者をいやしむ風があり、軍人をもって賎業とし、戦争は大人君子のなすべき事業にあらずとし、軍人などは粗暴狂癖の者をやとっておけばすむとしている。軍規の退廃を国家が容認しているふうがある」

黄海海戦では清国艦隊は十二隻のうち五隻が沈没または擱座したのに対し、日本側は一隻も沈んでいない。

たしかに日本の勝利であった。しかし決して完勝ではなかった。

定遠、鎮遠をはじめ七隻は戦場を離脱し、旅順方面へ逃走した。

大山巌大将を軍司令官とする第二軍が遼東半島に上陸すると、北洋艦隊の残存艦は威海衛に移った。

軍港旅順に対する攻撃は、十一月二十一日に開始された。

乃木希典《まれすけ》少将の歩兵第一旅団と真之の兄、秋山好古少佐の騎兵第一大隊をふくむ第一師団はこれに参加している。

第二軍の攻撃は秋山好古少佐の、

「旅順の分析と弱点の考察、攻撃法の案出の的確さという点ですぐれた偵察報告」

をもとにして計画された。

秋山少佐の独立捜索騎兵部隊は、乃木旅団の右側において遊撃戦をおこなった。

海軍も協同するため旅順の東岸に近づいた。戦争中に中尉に任官した真之の乗る「筑紫」は「赤城」「大島」「鳥海」（三艦とも六百トンの砲艦）をひきいて進んだ。

敵の砲台がさきに砲弾を撃ってきた。

秋山航海士はだんだん弾が近づいてくると、のどがカラカラにかわいて水が欲しくなった。

六千メートルぐらいで筑紫は、敵砲台にむけて発砲した。海上からの砲撃に呼応して、陸軍部隊の攻撃がはじまった。

山の下から撃ちかける大砲や小銃の音が激しくなった。肺腑をつらぬくような突貫の叫び声が聞こえた。

軍港のまわりの山はすべて鉄の要塞となっていて、

「これを攻略するには、五十隻以上の艦隊と十万の陸軍部隊をもっても、六カ月はかかるであろう」

といわれた旅順はなんと一日で落ちてしまった。

作戦、用兵、士気の面においてあざやかな勝利であった。

日本軍の戦死は二百三十名にすぎないのに対し、清国兵は四千五百名の戦死者と六百五十名の捕虜を出した。

日本の勝因は、清国兵の戦意のなさにあった。

しかし、

「いかに鉄壁の大要塞であっても、日本将兵の勇猛さのまえにはなにほどのこともあらん」

——旅順要塞おそるるにたらず。

勝ちいくさに軍首脳は相手を軽視した、

——「驕《おご》り」

におちこんでいった。

この驕りが、十年後の日露戦争でロシア軍を相手にしたとき、手痛いしっぺがえしをくう原因となる。

「威海衛」

三面を山でかこまれ、東に港口をひらく。山東半島の北東端にあって要害の地である。清国はここを軍港として整備し、北洋艦隊第一の根拠地とした。

陸には多数の砲台をきずき、海には機雷と防材によって鉄壁の防御陣をはった。

威海衛攻略にむかう第二軍は東方四十キロの栄城湾に上陸した。

連合艦隊は北洋艦隊を港外にひき出して決戦をいどもうとしたが、

「一意専心威海衛を防守し、残余の艦隊を保全せよ」

との北京政府の訓令によって、丁汝昌は港外への出撃を放棄した。

艦隊の行動をむやみに拘束する清国政府への不信と、部下の戦意のなさに対して絶望した鎮遠艦長林泰曹は、鎮遠が暗礁にのりあげた事故の責任をとるかたちで、服毒自殺を遂げた。

東口砲台を日本軍は激闘のすえ占領した。

伊東長官は「天城」「大島」「磐城」の各艦から、五十四名の砲術下士官と兵を選抜し砲台に配置した。湾内の丁艦隊をねらい撃とうとする。

ついで一月三十一日、「筑紫」「赤城」「大島」「鳥海」から選抜した二百余名の決死隊をもって、敵の日島砲台を夜襲し、奪取しようという作戦がたてられた。

筑紫の真之は指揮官の一人として、これに参加することになった。兵員は白鉢巻、白だすきといういでたちで、赤城に乗り、日島にのしあげて砲台に突入する。

めざす日島に近づいたが、この日は午後から強風が吹き、海が荒れ狂って接岸ができず、転覆しそうになった。荒天のため決死隊の計画は中止になり、真之は失ったかもしれない運を得る。

北洋艦隊は巣ごもりした鳥のように港内から出ようとしない。そこで伊東長官はこちらから港内に突入して攻撃することとした。

「軍港内の敵巨艦を水雷艇で魚雷攻撃する」

これは今迄誰も考えなかった壮挙であった。

当時の水雷艇はまことにチャチなしろものだった。五十トン内外で水雷艇には便所の設備すらなかった。速力は十八ノット（時速約三十五キロ）、十六人が乗り組む。

唯一の攻撃兵器魚雷が問題であった。

その頃の魚雷は、速力は二十二〜二十四ノットで、「百メートルぐらいはまっすぐ走るが、あとはあなたまかせ」というものだが、ドイツ製のこの魚雷は銅製で非常に高価であった。だから砲弾のようにポンポンぶっ放した訓練はされていない。

水雷艇隊をもって、敵軍港内の軍艦を攻撃するのは日本海軍が最初であった。計画は無謀にみえた。攻撃隊員は生還を期す者は一人もいなかった。

「松島」で伊東長官から命を受けた各司令は、

「死に場所をあたえてくださったことをありがたく思います。ちかって敵艦を覆滅します」

と答えた。

港内突入のためには、港口水道の防材をあらかじめ破壊して突入口を作っておく必要があった。

二月三日、水雷六号艇長・鈴木貫太郎大尉（のち大将、昭和二十年、太平洋戦争における最後の首相として、昭和天皇の聖断によって終戦にもちこんだ）は港口に突入した。そこには敵の哨戒艇《しょうかいてい》七隻が待ち受けていた。六号艇はそれらとよく戦い、爆薬を投げこみ防材の一部を破壊することに成功する。この果敢な行為によって鈴木は「鬼貫太郎」というあだ名がつけられた。

二月五日未明、薄氷の張る海面をエンジンの音をしぼり、粛々と水雷艇はすすんだ。爆破した防材のわずかな通路をとおって出撃する。鈴木艇が先陣をきって、十隻は魚がゆくように縦隊ですすむ。気温は零下二〇度以下である。波をかぶると艇にはすぐ氷が張った。浮遊原を突破したあと、暗闇の中、各艇はそれぞれの目標を求めてバラバラになった。全速をかけて敵艦に接近していく。敵は火箭《かせん》を合図に打ち上げ、サーチライトで海面をあかあかと追いかけ速射砲、機関砲、小銃を乱射しはじめた。

狭い港内の暗夜の乱戦であった。どの艇の魚雷がどの敵艦に命中したのかわからない。だが「定遠」にとどめを刺したのは真野艇長の九号艇であった。

九号艇も機関部に命中弾をうけ、機関員はなぎ倒された。

後続の一九号艇が接舷して、乗組員を救助しようとした。

――艇長の姿がみえない。

捜してみたところが艇長室で真野大尉はまっかな顔をしてウイスキーをがぶ飲みしていた。

「おお、いいところへ来た。まっ、いっぱいやれ。でっかい奴をやっつけた祝杯だ。おれは愉快に死ねるぞ」

といって動こうとしない。

「艇長、死ぬのは早すぎます。一九号艇がむかえにきました」

ケタはずれの豪傑水雷屋は三人がかりでやっとかつぎ出された。

放胆な真野艇長がいう「でっかい奴」に乗って、これをみていた丁汝昌の参謀の英国人テーラーはこう書きのこしている。

「――海面は暗く何も見えない。各艦は大小の砲を矢鱈《やたら》に射ちまくっている。

ふと見ると、くろぐろとした影が二つ、みるみる近づいてきた。

『定遠』の砲員は、大小の砲をその方角にむけて猛烈に射ちだした。

水雷艇の一隻は三百メートル位まで接近して、魚雷を発射し左へ旋回しようとした。その刹那、定遠の発した一弾がみごと命中。その機関を破壊したとみえ、火の塊が闇の中にあがるのが見えた。

『定遠』の兵員は思わず快哉《かいさい》を叫んだが、その瞬間、魚雷が命中爆発した。すさまじい震動がおこり、渦巻く海水は昇降口から艦内にほとばしり、艦体は傾斜しはじめた。

定遠はいそぎ錨を切ってすて、艦を付近の浅瀬に乗りあげた。定遠はみすてられ、将旗は鎮遠に移された。

翌朝、日本の水雷艇が破壊され捨てられているのが発見された。

丁汝昌はこれを点検し、三体の屍を見つけた。洗濯した衣服に、ほほえんでいるような死に顔だった。丁は遺体に敬礼し、三勇士の屍を劉公島の樹影に手厚く葬るように命じた」

翌六日、第二次水雷艇攻撃が行われた。

四隻で七本の魚雷を発射し「来遠」と「威遠」、水雷敷設船を撃沈した。

どの艇も二百メートル以内に肉薄して発射した。

威海衛の攻撃で清国艦隊にとどめを刺したのは、決死の水雷艇攻撃であった。

太平洋戦争では真珠湾《パールハーバー》の米戦艦を、特殊潜航艇で特攻攻撃をし九軍神が散った。

ついでオーストラリアのシドニー港などにも、特殊潜航艇による特攻攻撃が行われ、戦争末期には人間魚雷回天が出現した。

これら短刀で相手を刺すような決死の攻撃の最初のものが、この威海衛の水雷艇攻撃であったといえよう。

二月七日、連合艦隊は劉公島砲台と日島砲台を砲撃した。

一弾が日島砲台の火薬庫に命中、大爆発がおこった。

しばらくすると敵の水雷艇十隻あまりが出てきた。

「敵水雷艇出現」

ところが水雷艇は快速を利して芝罘《チーフー》方面へ逃走しはじめた。

「吉野」「高千穂」「浪速」「秋津洲」が全速でこれを追った。

二隻を撃沈、二隻を撃破炎上、のこりは浅瀬にのりあげた。

この時「筑紫」は逃げる水雷艇の一隻を発見、これを追跡した。

追われた水雷艇はみずから浅瀬にのりあげると乗組員は陸づたいに逃亡してし

まった。

「筑紫」は水雷艇をとらえて艦尾に曳航して帰路についた。艦長の三善少佐はごきげんだった。艦橋で秋山航海士も鯨をとったような気分でいた。そこへ日本の水雷艇がやってきて、

「そのひっぱっている水雷艇を自分にくれ」

と今井大尉が叫んだ。

すると真之の隣にいた三善艦長は、

「ただではやれない」

という。真之は何を言うのかと思っていると、

「これと交換してくれ」

と今井大尉は一羽の白鳥をかざしてみせた。

「よかろう」

水雷艇と白鳥の交換話が成立した。

三善艦長は酒豪であった。白鳥の肉をさかなにごきげんがつづいた。

「水雷艇より、これがよっぽどましだ」

真之も愉快に笑った。

筑紫も二月三日には、威海衛の港内を砲撃していたとき巨弾をくらった。

真之は肝をつぶした。

艦砲か砲台砲かわからないが、巨弾は爆発しないまま左舷から中甲板を貫いて、右舷側へとびだし、いわば串刺しにあった。

このため三人が即死し五人が負傷した。

「肉や骨がとび散って血だらけだった」

黒ずんだ血痕がべったり甲板について、つい先程まで談笑していた仲間が、もうこの世の人ではなくなった。

真之は闘争心旺盛な軍人であるが、人の死から受ける衝撃が人一倍深刻であることを、この時知った。

二月九日、連合艦隊は劉公島砲台と港内の残存艦にたいして砲撃を加えた。健在だった「靖遠」は火薬庫に命中弾を受け轟沈した。

丁汝昌は残存艦をあげて港外に撃って出て最後の一戦に死のうと決意した。

しかしどの艦長もどの水兵も降伏を丁に迫った。北洋艦隊司令長官丁汝昌提督は万策つきて降伏することとした。

二月十二日、白旗をかかげた清国砲艦鎮北が陰山口湾に停泊する旗艦松島に近づいてきた。

「――艦船および劉公島砲台、兵器を貴軍に献ずる。よって停戦した兵士および人民が郷里に帰ることを許されよ……」

と丁汝昌の「乞降書」を使者は伊東長官に渡した。

伊東祐亨はこれを許すことにした。

翌十三日、代って砲艦鎮中がふたたび松島にやってきた。

程軍使は胸に喪章をつけ、鎮中のマストには半旗がかかげられていた。

「丁提督は北京の方角を拝してのち、毒をあおいで自決されました」

伊東祐亨は全艦隊に対して丁汝昌の死を知らせるとともに、奏楽を禁じて弔意を表わした。

二月十七日、丁汝昌の柩と三千五百人の降伏した清兵を乗せた商船康済号は、小雨の降る中を威海衛から出て行った。

当時「千代田」に従軍記者として乗り込んでいた国木田独歩は『国民新聞』に報じた。

「——ああ丁汝昌死せり、かれは国のため殉じたるなり。すでに丁汝昌死す。北洋艦隊は全滅したるなり。威海衛は陥落したるなり。……大日本帝国万歳」

鎮遠以下十隻の艦艇の受け渡しが終った。艦隊の総員は甲板に整列して万歳を三唱した。

真之は、

「……十七日、艦隊が威海衛に入港し、『鎮遠』『済遠』『平遠』『広甲』ほかの数隻の小艦を受け取り、これらに日章旗をかかげ、一同で万歳をした時は、小生終生の最大快事でありました。ああここに至るまで敵の逃走を封鎖するために、わが海軍の連日の苦勤はどれだけでしたでしょうか……」

という手紙を書いた。

陸軍は山県有朋の第一軍が氷のゆるむのを待っていた。二月末から行動をおこし、一気に首都北京に攻め入ろうとした。

戦場の勝利を拡大しようと勢いづいていた。文官の伊藤博文首相はこれを止めて、早期講和を求めた。

朝鮮半島をめぐる日本と大陸の歴史を顧みるならば、伊藤の政略は美事である。

思えば遠く千二百三十四年前の六六一年、天智天皇の時代、日本は百済を救援するため新羅、唐の大軍と戦った。朝鮮半島に送った日本各地からこぞった大軍は、白村江《はくすきのえ》の海戦に敗れて国防の危機におちいった。

その後元寇があったが、一五九二年と一五九七年の文禄、慶長の役で、豊臣秀吉は朝鮮半島に出兵し、雲霞の如き明の大軍と戦った。

そして、このたびの日清の戦役である。

伊藤はどうしてもこの戦いが泥沼化することだけは避けねばならぬと思った。

伊藤は天皇のゆるしを受けて、最高統帥機関である大本営の会議に正式に参加している。大本営の作戦に反対し、北京へ攻め込もうとしている山県を帰国させ、陸軍大臣に据えた。軍事の独走を抑えて、伊藤は自分の筋書きで下関の講和交渉にもっていく。

伊藤の見識と力はすばらしかった。昭和に入って、南京を占領し、底なしの泥沼に入っていく大陸政策と比べたとき、両者の間には、雲泥の差があった。

日清間の講和交渉が下関の春帆楼《しゅんぱんろう》ではじまった。

日本は首相伊藤博文と外相陸奥宗光が当たり、清国は禿頭の宰相李鴻章であった。

講和条約は明治二十八年四月十七日に調印され、九カ月にわたった日清戦争は終った。

日本は二億両《テール》の賠償金と、台湾および澎湖島そして大連、旅順のある遼東半島の租借権を得た。日本中が勝利の美酒に酔い、小学生の旗行列が市中を行進した。

その時である。

——条約調印の六日後。

ロシアがフランスとドイツと語らって、

「遼東半島の領有は許されぬ。清国に返せ」

という横やりを日本に入れてきた。

日露戦争の遠因となる「三国干渉」である。この三国の強硬な勧告の背後には強大な軍事力がひかえていた。

極東水域にあるロシア艦隊は、弾庫に砲弾を満載し、戦闘色に塗り変えていつでも東京湾に突入して、東京を火の海にするだけの態勢をととのえていた。

芝罘沖にはロシア、ドイツ、フランス三国の連合艦隊三十余隻が集結していた。

「極東の小国、文句を言ったらいつでもすぐに叩きつぶすぞ」

とばかりに、恫喝《どうかつ》的な示威航進を行っていた。力の威圧の前にはいかんともしがたい。

『国民新聞』の徳富蘇峰《そほう》は、

「涙さえも出ないほどくやしい」

と書いた。日本が戦争に勝って東亜の一角に頭を出したとたん、帝国主義列強の実力による威圧にあって、たちまち頭を叩かれたのである。時は世界中が弱肉強食の帝国主義の真っ只中である。

清国は眠れる獅子ではなく、禿鷹の群れる生ける屍であった。

獲物をくわえようとする日本をおどしたあと、ロシアは清に恩誼を売ることによって、シベリア鉄道が北満を通過する権益を得ようとした。ドイツは膠州湾《こうしゅう》に目をつけた。ちょうどその時、山東半島で二人のドイツ人宣教師が殺された。これを絶好の口実にさっそくドイツ艦隊は膠州湾を占領し、九十九年間の租借を承認させた。

だれの目にも無理難題である。独清談判中、ロシア艦隊は旅順に入って居すわり、旅順、大連の長期租借を強奪する。

イギリスはこれに反対するより、ロシアとの利権均衡上、日本軍の撤退したあとの威海衛の租借に成功する。

フランスも黙っていなかった。すでに勢力下においていたベトナムの隣接地、雲南と南部三省における利権を清国からむしりとった。

するとイギリスは更に香港対岸の九龍地区の租借をかちとった。

一波は万波をよび、清国はつぎつぎにむしり取られ、喰いあらされるばかりで何もできなかった。

日本はこうしたむしり取りに対して、「無力の沈黙」をつづけるよりなかった。力にたいするには力をもってしなければならない時代である。

「十年一剣を磨《みが》く」

「臥薪嘗胆《がしんしょうたん》」

ということが口々に言われた。中国の昔、呉と越が争ったとき、呉王夫差《ふさ》が越王勾践《こうせん》を討って父のうらみを報じようとして、そのうらみを忘れないために薪《たきぎ》の上に寝て身をくるしめた。

その復讐が成ると、こんどは越王勾践がその恥をそそごうとして、つねに熊のにがい胆をなめてうらみを忘れまいとした。という故事が広く思い出された。

第四章　留学

真之は「筑紫」乗組から二十八年七月、「和泉」分隊士に転勤となり、さらに四カ月後には「大島」へ配置が変わった。

それから水雷術練習所学生などを経て、二十九年七月には「八重山」に移り、十月に大尉に進級した。

めまぐるしい人事である。海軍は鉄のハコの中で四六時中、生活を共にする勤務である。そりの合わない上司や、気に喰わない同僚と一緒になっても、転勤が早いから、我慢するうちにどちらかが変わっていく。

めまぐるしい人事はそういう救いがあった。しかし反対に一緒にいたい者とも早くわかれてしまう。

真之は兵学校時代、教官の八代六郎にひきあわされて、二期上だが同じ年齢の広瀬武夫と気が合って親しくつき合うようになっていた。

東京は秋葉原の神田須田町の一角に、終戦まで広瀬武夫中佐の銅像があった。大きな銅像で、上体を斜めにした杉野兵曹長に対し、広瀬中佐は立ったまま腕をひろげ天の一角をにらんでいた。市電の窓からも眺められ、東京の観光名所にもなっていた。

広瀬中佐は旅順閉塞隊で勇名を馳せ、小学校の教科書にのり、唱歌に唄われて、戦前は誰知らぬ者はないほど有名であった。

広瀬は柔道に熱中し、大きな体で素朴な味をもつ風変りな男だった。同時に燃えるような情熱があり、漢詩をよくした。広瀬と真之は気が合い、意気投合した。二人は強い友情をもって海軍生活を送る。横須賀の第二水雷艇隊では二カ月だけ一緒だったが、明治二十九年二月、真之が「軍令部諜報課」勤務となると、やや遅れて広瀬も軍令部出仕となった。二人が軍令部へかよっている時期、麻布霞町に下宿屋をみつけ、いっしょに借りて住んだ。二人で住みはしたものの横着者同士なので、めしはつくらず、何日分ものパンをカゴの中に入れたままで、パンと水ですます毎日だった。

下宿のむかいに住んでいた女の人が、出会えばあいさつをして世間話をするぐらいになっていた。彼女はのち、人に聞かれてこう言った。

「広瀬さんは顔がいかつくて武張《ぶば》った人だけれど、話をしてみるとやさしくて近づきやすい人でした。秋山さんという殿御は顔はそんなにこわくない。お背《せい》も低いお方だけど、なんとなくおそろしくて、近づきにくい人でした」

真之の母お貞は七十歳だったが、

「家を一軒おもち」

と言って芝高輪の車町にさがしてきた。真之は一緒にすむことを念願している母親のために、広瀬とわかれてともに住むことにした。

広瀬はお貞と真之の家へよく遊びにきて、餅や雉子《きじ》鍋をごちそうになった。

「広瀬さんは体も大きいが、ようおあがりなしたなァもし」

とお貞は笑いながら言った。お貞は真之を子供のときと同じ態度でとても可愛がった。真之の友達とも自分の子供のように接していた。

「ロシア研究はすすんでいるかい」

広瀬はウラジオストックでロシア語を学んだ八代六郎の手ほどきを受けて、ロシア研究に没頭していた。

「うん、ロシアとはそのうち事をかまえることになるだろうからな」

真之は、腹いっぱい食って満足そうな広瀬に言った。

「日清戦争で休止になっていた外国留学が再開されるそうだ」

「発令はいつだろう」

明治三十年六月二十六日付で海軍留学生の発令があった。五名。
アメリカ　秋山真之（十七期）
ロシア　広瀬武夫（十五期）
イギリス　財部《たからべ》　彪《たけし》（十五期）
フランス　村上格一（十一期）
ドイツ　林　三子雄《みねお》（十二期）

成績優秀のとびきりの秀才が人選された。ただ、ロシアには兵学校の卒業成績八十人中六十四番の広瀬がえらばれていた。これは広瀬の平素におけるロシア語の学習と、ロシアの国情研究が認められた結果であった。

出発が近づいて五人は築地の水交社に集まった。当時の築地は西欧文化の匂いのするモダンな新開埋立地だった。海軍士官の利用する水交社は、すべて洋式でダンス練習室やビリヤード室まであって、外国に行ったような雰囲気があった。

一同はナイフとフォークをとって会食した。真之ははじめて外国へ行くことになった時のことを思い出した。

練習艦「比叡」でトルコへ遠洋航海へ行く前、休暇で松山へ帰った時、父の平五郎が大層よろこんで真之を激励してくれた。平五郎は得意の桃太郎の話をした。この話は何度も聞かされた内容だったが、父親の熱をこめた教訓であった。

「桃太郎」は「百太郎」だ。「百」はたくさんの意味で、太郎は日本の男の総称だから百太郎《ももたろう》とは日本のたくさんの男の子ということだ。

「日本一のきび団子」とは、日本一は日本の第一ではなくて「日本が一つ」すなわち挙国一致という意味だ。団子はまるく団結するということ。国民全部が団結を保てという意味に解する。

犬、猿、雉子は人間の心を表わしたもので、犬は忠実、勇敢。猿は知恵があり敏捷《びんしょう》だ。雉子は我慢強く、情け深い。

犬は大地を走れるが木に登れない。猿は木に登れるが空をとべない。そんなふうに犬、猿、雉子はそれぞれ独特な才能を持っている。「鬼ヶ島」とは海外の赤いひげの鬼どもが住む所だ。鬼の持つ「宝物」とはただ金銀珊瑚《さんご》をさすのではなく、有形、無形、鬼の持つ長所や利点と考えていいだろう。

つまるところ、桃太郎の話は、日本国のたくさんの男の子は、故郷にぐずぐずせず、海を越えて外国に渡れ、一人一人がばらばらにならないで国中が一致団結して、持って生れた心の力――知、仁、勇をいかして、外国人の持つ長所や利点を取ってこいという意味を裏に含めた昔話なんだ。

今の日本国の桃太郎たちは、この昔話の意義を心に深くきざみ込んで、天子様と日本のお国のために力を尽くさなければいけない。

頭巾をかぶってよくコタツにもぐり込んでいた父平五郎は、

「親が偉くなると子供が偉くならないからなあ」

とも言っていた。

真之は平五郎から聞いた桃太郎の話を思い出して、いきなり立ち上ると一席ぶった。

「わが海軍は今までにたくさんの留学生を海外に送った。その先輩たちはその国の術技を身につけて帰ってきた。しかし術技を習うだけではだめだと思います。海軍も始めの頃はそれが必要だったし、それで十分だったが、いまや日本海軍の草創期は過ぎた。ワシたちは外国から学び、それを超えて外国から学んだエッセンスを、自分が思うように使いこなせるところまで、ぬけださねばいけないと思います。

日本海軍は一騎武者としては優秀であっても、一軍を進退させる用兵は大変劣っていると思う。

ワシはアメリカへ行くから、戦略、戦術といった方面でそれをやってみるつもりです」

広瀬は「言いおったな」という顔でうなずき、あとの三人は毒気を抜かれたような顔をした。

「諸君もしっかりやってくれたまえ」

真之はたかぶった気持をおさえながら、コップの水を飲んだ。

真之は、上野の不忍池《しのばずのいけ》のほとりを通って、正岡子規の根岸の宅へわかれを告げに行った。子規は再起不能に病んでいた。

真之は文学の道を捨てた身を思った。妹のお律は、

「アメリカにいらっしゃるのですか……」

と言って目をいっぱい見ひらいてじっと見詰めていた。

これより前、兄の好古は結婚していた。母のお貞を松山から東京へよんだ時、独身主義を捨てた。

あによめは好古が少尉のとき下宿していた、麹町三番町の佐久間家の娘多美であった。真之がはじめて上京して兄の下宿に行ったとき見た少女である。兄より十一歳年下であった。

真之は海軍戦術を確立することに生涯をささげると心に決めている。

「これは一生の大道楽でもある」

という言い方もしている。

た。真之はそのため独身に徹していて、結婚ということはかけらも胸中になかった。きれいさっぱりしたものである。

最愛の息子がアメリカへ行くことについて、母のお貞はさびしくてたまらなかった。しかし、武士の妻であるお貞は、真之に対してさびしげな顔は片鱗《へんりん》も見せなかった。まことにきっぱりとした母の態度であった。

海軍大尉秋山真之は、ワシントンの日本公使館に着いた。武官室で成田勝郎海軍中佐のもとで研究をする。公使は星亨《ほしとおる》であった。公使の部屋には図書が沢山あった。真之は勝手に入りこんで、手当たり次第に眼をとおした。語学については、三十過ぎては急に上達しないから、一通り片言ができるようになったら、すぐ本来の兵学の研究にすすむことにした。

兵書は価値のあるものにしぼって、多読よりも熟読することとし、いちいちその本の所説を信じず、自分で判断工夫するように心掛けた。

当時、フランスとプロイセンという天敵のような国の同世代の軍人として、ジョミニとクラウゼヴィッツが対照的な戦略論を編み出していた。

また真之は「兵力をいかに用いるか」をよく書いたブルーメの『戦略論』をくりかえし読んでいた。しかしアメリカには世界的水準を抜いた研究家「アルフレッド・セイヤー・マハン」がいた。予備役ながら元海軍大学校長のマハン大佐を知らぬ海軍士官は、世界のどの国にもいないであろうといわれた。『海上権力史論』という大著があった。

マハンは歴史が好きであった。戦略戦術の研究に歴史研究の思考をとり入れた。古代から最近の戦争まで、戦史から実例をひき出して徹底的にしらべた。

マハンは過去のおびただしい戦例をくわしく検討し、数多くの原理を発見することに努めた。そして次にはそういう原理原則にもとづいて、戦史を再評価し実戦例を論評した。マハンは歴史哲学ないし歴史学的な戦争の見方に、画期的な新しさをもたらした。

いち早くマハンを高く評価したのはイギリスであった。フランス、ドイツでも翻訳され、日本でも日本語版が出た。

「けっして艦隊を分離するな」と強調するマハンの訳書を真之も熟読していた。

真之はマハンをニューヨークにたずねることにした。芝生や池の美しいセントラルパークのそばの住宅街に行った。通された部屋には多くの書物があり、大学教授のような雰囲気であった。

あいさつのあと真之はたずねた。

「アメリカの海軍大学校は外国人の入学はできないのでしょうか」

秋山は日本公使を通じて、国務省の関係に入校を運動していた。

「合衆国の国防の機密上からむずかしいと思いますね」

「そうすると自分で勉強ということになりますが、よいご忠告をお聞かせ下さい」

「海軍大学校の課程では、せいぜい六カ月ぐらいしか講義はありません。その程度では海軍戦術を十分学ぶことはできない。戦史を徹底的にしらべることです。どうして勝ったか。どうして負けたか。古代も近代も、海戦も陸戦も。そして大家の著書を読むことです」

「どんな書物をご推薦されますか」

「フランス人ジョミニの『兵術要論』、イギリス人ハムレーの『作戦研究』、それとネルソンの伝記でしょうね。それらの本や戦史、記録はワシントンの海軍省の文庫にいくらでもあるから、情報部に閲覧できるよう連絡しておいてあげよう。――戦争の原理がわかると、戦術を研究する道はしぜんに立ちます。戦略戦術というものの原則は、自分で自分なりの原理原則をうちたてることです。自分でたてた原理原則のみが応用がきくもので、自分の研究で会得したものでなければ実戦に役立ちません」

マハンは言った。

真之はワシントンの海軍省の文庫に足繁く通うようになった。

しばらくたって真之は再びマハンの宅を訪問した。マハンからじかに話を聞き、その人柄にふれると、前よりも著書を読んでよくわかるような気がする。

マハンは眼の生き生きした凜々《りり》しい東洋の海軍士官が、自分の著書に感銘してくれることが嬉しかった。

マハンはペリー来航の後、日米修好通商条約が結ばれた安政五午（一八五八年）、アナポリスの海軍兵学校を卒業したが、その十年後（一八六八年）日本へ来た。

長崎へ入り瀬戸内海をとおって神戸、大坂へ錨をおろした。

瀬戸内海伊予の生まれである真之に、マハンは昔の思い出話をした。

「帆掛舟が点々と浮かび、松の緑が美しい内海の風景は忘れません」

「乗っていた艦は何といいましたか」

「アジア艦隊のイロクオイ号の副長でした。オナイダ号と一緒にアメリカ居留民の保護のためにいました。その時日本は戦争の最中でした」

「それでは日本の将軍を乗せたのではないですか」

「そうです。日本の大君を一夜、艦にお乗せして幕府軍艦へ送ったことがありました」

この年正月、鳥羽伏見の戦いが始まった。

敗れた幕府の兵は続々と大坂城へ帰ってきた。徳川慶喜前将軍を押し立てて、再び京へ攻めのぼろうと城内は殺気立っていた。将軍慶喜は、ただちに打って出ると言っておいて、京都守護職松平容保《かたもり》、所司代松平定敬《さだあき》の兄弟を伴って城の後門からしのび出た。

城の衛兵が、

「――何者か」

と誰何《すいか》すると、

「――お小姓の交代……」

とこたえて一同は通りすぎた。

それから川舟にのり川口の天保山まで出た。しかしめざす開陽丸が見当たらない。慶喜は望遠鏡を借り海上を見渡した。

「あの船は何だ」

「アメリカ国の軍艦でございます」

「ではあの米艦に頼んで帰東しよう」

外国方の者が交渉にやってきた。

米艦イロクオイ号艦長と副長は、日本の大君の来訪だというので快く迎え入れ、赤いブドウ酒とごちそうを並べてもてなした。将軍慶喜は大変疲れているようにみえた。そのうち夜が白み、幕府軍艦開陽丸の姿が見えてきたので、イロクオイ号はボートを出して開陽丸に知らせ、一行を送りとどけた。マハンは将軍慶喜の大坂脱出という歴史的な出来事にかかわっていたのである。

真之のマハン宅の二度目の訪問は雑談だけで終った。真之はマハンから海軍戦術を学ぼうとしたが、マハンの理論は本人の意図をはなれ、その後の世界史に大きな影響を与えた。それを追ってみたい。

マハンはのちに地政学の大先達ともみなされるようになった。マハンは別に地政学を志したのではなかったが、マハンの『海上権力史論』はその後のアメリカの外交戦略の指針となった。米国の世界政策が、あまりにもマハンの教科書どおりに進んでいったことに驚かざるをえない。

マハンはこう言った。

米国はやがて英国にかわって世界の海軍国になる。そのためには次のことをなさねばならない。

1　大海軍の建設
2　海外海軍基地の獲得
3　パナマ運河の建設
4　ハワイ王国の併合

この四つの目標にむかって、米国は行動をおこした。

ハワイでクーデターをおこし、ハワイ王国を倒して共和制をしいたのち、明治三十一年（一八九八年）ハワイを併合してアメリカ領とした。

ついで、同じ年、米国船「メイン号」が、スペイン領の港でおこした原因不明の爆沈事件を口実に、スペインに対し無理やり戦争をしかけた。弱り目のスペインを、アメリカはキューバのサンチャゴ海戦で破る。

この時真之は観戦武官としてつぶさに観察し報告した。

この米西戦争の研究がのちの日露戦争にどれだけ役立ったか、はかりしれないものがあり、戦術家秋山を海軍中央に認めさせる絶好の機会になった。

このことはまたのちにみることにして、ここでは、

――マハンの『海上権力史論』が日米の海洋戦略にどのような影響をあたえたか、

を追ってみることにしたい。

アメリカは米西戦争に勝つと、キューバ島の東側に海軍基地を獲得、プエルトリコを米領とし、太平洋上のミッドウェー、ウェーキ、グァム島、フィリピンを割譲させた。こうしてグァム島、マニラ湾という海軍基地を獲得し、ハワイの真

珠湾をふくめて太平洋を横断する道を手中におさめた。

つづいて明治三十六年(一九〇三年)秘密工作によって、コロンビアからパナマが分離独立すると、米国はパナマ運河を建設し、一九一四年これを完成。

マハンの意図はどうであったにしろ、マハンの著書はその後の世界の地政学に一つの方向をあたえた。

日本も、一八九五年から一九一五年までの二十年間に千島から台湾、さらにミクロネシア群島にいたる海洋国家としての布陣を行った。

日本とアメリカの海洋戦略がこうして激突することになる。

一九一五年から一九四五年までの三十年間が日米対立の時代である。

海上権力を日米が争奪しあうこととなる。アメリカは日本を叩くための戦略として、つぎの政策を巧妙にすすめた。

まず日本の海軍力を削減させるため、ワシントン会議(一九二一年)とロンドン会議(一九三〇年)で日英米の海軍力の比率を定め、これを抑えた。ついで中国と結んで日本を米中ではさみうちにする政策をすすめ、日本をアジア大陸内部の紛争に介入させるように仕向け、海軍力拡充にむけるべき予算、力を大陸での紛争に費消させた。

マハンは、

――海を制する者は世界を制す。

――いかなる国も大海軍国と大陸軍国を同時に兼ねることはできない。

というテーゼをかかげている。

日本が大陸政策にのめりこんで、国家の大方針を誤ったのは、

「陸軍がドイツ型大陸地政学にかぶれ、大陸政策にのめりこんだこと」

「日本の目を大陸に向けさせ、海軍力の充実にまわす予算を少なくさせようというアメリカの陰謀が裏にあったこと」

に大きな原因があったといえよう。

もし、一九一五年から一九四五年の三十年間、マハンのテーゼに思いを致し、もっぱら日本が海軍力の拡充に力を入れ、大陸に手を広げることなく、石油の備蓄や新技術の開発に力を入れる余裕をもっていたならば、アメリカは西太平洋の海上権力を日本から奪取するために、日本に無理難題をふきかけ、経済封鎖をし、ＡＢＣＤ包囲網によって、日本をして無理やり対米戦に踏みきらざるをえな

い窮地に追いこむことは避けたであろう。

日本の指導者は海洋国家としての日本の立場を忘れ、大陸帝国への幻想に溺れて、大陸で無用の戦闘行為に入り、しかもそれを短期に終結することに失敗して泥沼化させた。

日本と中華民国との、意味のない戦争をできるだけ長期化させ、日本が疲労したところを叩くというのがマハンの理論をすすめたアメリカの対日政策であった。

日本を仮想敵国としてオレンジ作戦をすすめたアメリカも、真之が留学しているこの頃はまだおおらかだった。

日本は余りにも小さな弱国で、警戒心を抱かれることもなかった。

アメリカ海軍の関係者は真之に対して気さくな態度で、いろんな便宜をあたえてくれた。

アメリカとスペインの戦争がはじまった。

明治三十一年（一八九八年）六月から七月にかけて、キューバ島サンチャゴ港内外でくりひろげられた米西艦隊の戦いを、真之は各国の観戦武官とともに、米輸送船、仮装巡洋艦を乗り継いで、つぶさに観戦した。

明治の戦争は軍人が行うもので、第三国は戦闘の模様を、試合を観客が見るようにして、戦訓をとり入れようとした。

航空機が出現するまでは、戦闘員と非戦闘員の区別があった。

といっても観戦武官は現場にのりこんでいくのだから身の危険は大いにあった。

アメリカのキューバ攻略に対して、本国からかけつけたスペイン艦隊は、キューバ島サンチャゴ軍港にこもり、要塞砲に守られている。のちの日露戦争における旅順艦隊の艦隊保全と同じである。

アメリカ艦隊はこれを封鎖し、陸上から要塞をとるべく攻めた。

そのうち本国からの指令にもとづき、六隻のスペイン艦隊は脱出をはかり、アメリカ艦隊はカリブ海においてこれを破った。完勝であった。

戦いがおわって真之は公使館にもどってきた。菊の御紋章のついた扉のあるレンガ造りの建物にかえった。

海軍武官の成田中佐が無事をよろこんでくれた。武官室でくつろぐ。

「擱座したスペイン艦隊の残骸をくわしく見たそうだが、どうだった」

他の観戦武官がひきあげた後で、真之一人がつぶさに弾痕調査をした。

「旗艦のマリア・テレサ号の惨憺《さんたん》たる艦上によじのぼって弾痕を見ました。二十三ありました。もっと多いかと思いましたが意外に少ない。他の三艦も同様で、スペイン艦隊の被弾は、戦闘力を失うほどの数ではありませんでした。致命的な打撃は火災と思われます。そして多分、戦意喪失してみずから岸へのり上げたのでしょう」

「この海戦の勝敗をわけたのは何とみるか」

成田中佐は葉桜になった庭の八重桜を見おろしながら言った。

「アメリカ艦隊の砲数の優越です。両軍の砲数と砲の機能からみて、砲弾量の差はスペインに対してアメリカは三倍ありました。砲の距離測定器の照準においても、アメリカはすぐれていて、命中率はアメリカ百発に二発、スペイン百発に一発と概算してみました」

真之は作成した表を示しながらこたえた。

「両軍とも黄海海戦の戦訓として、火災に対する配慮はしていたと思うが、どうだったか」

「海戦にのぞむ前に、木製の家具や可燃物は両軍とも十分に捨て去りました。しかし、スペイン艦隊は旧式のため、構造上の木材が多かったのでどうすることもできなかったようです。

アメリカは黄海海戦後の新式の艦が多かったので、木材の部分が少なかったため、小火災のおこったのはアイオワだけでした」

「日本が今、アメリカで建造している最新鋭の『笠置』『千歳』もだいぶすすんだぞ」

成田中佐はこの二艦の建造に奔走していた。

アメリカはサンチャゴ軍港封鎖中、港口に船を沈めて出られないようにする「閉塞」をこころみた。ホブソンという機関中尉が申し出て自ら決行した。

「メリマック号」（二千五百トン）という石炭船を自沈させることにした。

六月三日の未明、メリマックは全速力で港口にむかった。

やがて哨戒の砲艦と砲台から、激しく砲弾を撃ち込まれた。舵機《だき》をこわされ思うように進まなくなった。

ホブソンは自沈した。閉塞船は港の入口に対して横に沈まず、タテに沈んだため、港の出入りの邪魔にならないことになった。

ホブソンは自沈したとき、用意の筏にとりつきやがて捕虜になった。

閉塞は失敗したが、ホブソンの勇気と冒険心は高く評価された。

港口閉塞という戦術は、のち旅順の閉塞にとり入れられる。貴重な戦例であった。

秋山真之大尉は「サンチャゴ・ジュ・クバの役」という報告書を海軍省に送った。

現実の海戦を実見したこの報告書は、その着眼、考察、表現ともに日本海軍はじまって以来、あとにも先にもこれほど評価の高いものはあらわれなかった。

――戦局の全面が把握され、両軍の戦力が解剖され、戦術が検討され、批評される。戦務が実地に即して調査される。現実に見たものを根幹に、詳密に黄海海戦をひきあいに出しながら、未来に対する展望までひき出す……マハンに教えられて、秋山流の兵学思想の上に立つ、正確な事実分析と創見に満ちた報告書であった。

「その観察の鋭きこと、識見の高きこと、文章の簡潔巧妙なこと――」

島村速雄（のちの参謀長）は驚嘆した。

真之の報告書は海軍中央の注目するところとなった。

この月の下旬、海軍大学校教頭の坂本俊篤《としあつ》大佐がニューヨークに来た。国際会議の帰途寄ったもので、坂本大佐は、マハンを海軍大学校の教官に招くことを考えていた。

真之は坂本大佐と会い意見を述べた。

「サムソン長官と海軍大学校を参観したときのことです。キューバ島の封鎖やカリブ海の戦術的研究が図面になって壁にかかっていました。

長官は今度の戦争を研究したのだな、そっくりだなと思いながら近寄ってみると、どうでしょう。日付が一年、二年前のものです。海軍大学校では有事を見込んでこのように事前研究に励んでいたのです」

話をしていて、ものごとの本末軽重のみきわめが確かで、見識が並はずれている。坂本大佐は兵術教官には秋山大尉をおいて他にないことを痛感した。

マハンの教官招聘《しょうへい》は実現しなかったが、坂本は真之の海大教官就任を心に期して帰国して行った。

日本は日清戦争後、軍艦の増強に力を入れていた。イギリスに八割方注文した。あとの一割をフランスとドイツ。残りをアメリカとわずかに国内でつくる。アメリカに注文するのは外交上の配慮であった。ロシアとの関係で、アメリカを友好国にしておくためであった。

「千歳」――サンフランシスコのユニオン造船所、

「笠置」――フィラデルフィアのクランプ造船所、

へ発注された。

二隻はそれぞれ排水量四千八百トン、速力二二・五ノット、速射砲三十門搭載という最新鋭艦であった。

明治三十一年十月二十四日、笠置は完成して引き渡された。

翌二十五日、フィラデルフィアでは湾内で、スペインとの戦争が終って平和が回復した記念の観艦式が行われた。

ずらりと並んだ凱旋艦隊の艦列をぬって、海軍卿の乗艇がまわり、礼砲が殷々《いんいん》と放たれた。

旭日の軍艦旗を新しくかかげた「笠置」もこの観艦式に加わっていた。

二十八日、「笠置」は、海軍卿以下各国大公使他来賓多数を招いて、艦上で盛大な祝賀式を行った。

秋山大尉もこの招宴に出席していた。真之は正月の進水式の午餐会《ごさんかい》にも、接待者のひとりとして出ていた。この時は海軍卿の令嬢ヘレンが進水の斧《おの》をふるった。マハン夫妻も出席していた。

ところがそのとき、ロシアの旅順艦隊の主力艦としておそれられる、ロシア戦艦「レトウィザン」と、巡洋艦「ワリャーグ」がやはりアメリカで建造されていた。

ペリーの黒船により、太平の眠りからさめて国際社会に日本は顔を出した。ところが欧米列強の国際社会は、植民地を奪い合う弱肉強食の帝国主義のまっただ中にある。

朝鮮半島を防衛の生命線とする日本に対して、ロシアが恐るべき南下膨張政策を強行して、「三国干渉」をもって日本に還付させた遼東半島を、ロシアが自ら奪い取ってしまった。ロシア艦隊の威喝の一ほえによって、日本は屈辱と忍従にたえなければならない。

日清戦争時の日露の比較は、七千トン以上の戦艦がロシアには十八隻もあるが日本にはない。六千トン以上の装甲巡洋艦がロシアには十隻もあるが日本にはゼロ。二等巡洋艦以下のものしか日本にはなかった。

明治二十九年から十カ年計画で、大海軍をつくる六六艦隊の構想がすすんだ。

これは戦艦六隻を主体とし、これに第一級の装甲巡洋艦を六隻そろえる。そして補助艦艇として軽巡、駆逐艦を増強するものである。計画をつくった山本権兵

衛は、

「本計画の戦艦は、排水量実に一万五千トンの上に出て、他国にいまだみざる強大無比の大艦であります。

このような大戦艦は、スエズ運河を通過することが出来ません。ゆえに一朝有事の際、わが戦艦に匹敵する艦を送ろうとすれば、必ず喜望峰をまわらざるをえません。喜望峰をまわろうとすれば、日時がかかる上、イギリスが中立を守るときは、この航路において石炭の補給に困難を極めることになりましょう。このことにおいても彼らの意気を沮喪《そそう》させうるものと思います」

と西郷海相に説明した。

大建艦計画はさしたる産業のない農業主体の明治日本にとって、飲まず食わずの踏んばりであった。明治二十九年の国家予算の軍事費の比率は四八パーセントであり、翌三十年は五五パーセントの比率であった。

しかし、それでも国民から不満の声はあがらなかった。国民は熱狂的に軍艦を求めたのである。維新によって封建体制から脱却し国民国家をつくって、国際社会へ顔を出したとたん頭を叩かれた。

――日清戦争から日露戦争にかけての十年間の日本は、平成の今日、我々が想像を絶する国民的高まりの中で建艦をすすめていた。「十年一剣を磨く」は時代のエネルギーであった。主力艦の建造はほとんど、イギリスに発注してつくられる。

真之は明治三十二年十二月二十七日付で、

「米国駐在被免《めんぜられ》、英国駐在被仰付《おおせつけらる》」

という辞令を受けた。

真之は小村寿太郎公使に別れを告げてロンドンに赴任した。

小村はのち外務大臣時代、海軍の知識を必要とする時は必ず真之を招いて説明や意見を聞いた。二人は碁敵でもあった。

「秋山と碁をうつと、いつも百目をとるか、とられるかで面白い」

と言っていた。相当のザル碁であったろう。

この時イギリスで建造中の戦艦は、「敷島」（テムズ鉄工所）、「朝日」（グラスゴー、ブラウン造船所）、「初瀬」（アームストロング造船所）、「三笠」（ヴィッカース造船所）であった。

兵器製作の大会社、アームストロング会社は、巡洋艦「高砂」、装甲巡洋艦「浅間」「常磐」を受注完成させて日本に送り出しただけでなく、「浅間」「常磐」より、もう一段と新式の「出雲」「磐手」を建造中である。さらにフランスで造っている装甲巡洋艦「吾妻」の大口径砲も、この会社の製品をのせることになっていた。

イギリスの会社はずいぶんと利益をあげているのにちがいない。

日本から派遣されている監督官や駐在員、回航関係の将兵などたくさんの日本人がいた。

イギリスにきている日本の将校は妙に目につく存在であった。

真之がみるところ、

（日本の海軍将校は昔ながらのサムライだ。しかも決して独特の威厳を忘れない、誰もいい意味のジェントルマンである。その人柄も立派だ。

これは海軍兵学校の教育のたまものと、日本海軍の伝統であろう）

と思った。

ところが真之自身は、ハイドパークの遊歩道を歩きながら、着飾った紳士、淑

女が行きかう中で、何かポケットからとり出してぼそぼそほおばっている。一緒に歩いている三期上の佐藤鉄太郎少佐が、

「何です」

と聞いた。真之は、

「煎豆です。好物でね。どうです、ひとつやりませんか」

とひとにぎりの煎豆を佐藤の掌の上にのせた。

佐藤少佐はへきえきして、それを食べずにそのままポケットにしまいこんだが、秋山はぼりぼり音をたてて食べながら、ゆうゆうと歩いていた。

真之はかねて願い出ていたポーツマスの軍港を視察した。案内されて一巡する。全くものすごい規模のものだった。横須賀なんか大人に対する赤ん坊にも及ばない。造船所はとてつもない規模だ。艤装も修理も思うままにできる大工場、大砲や弾薬を山のようにたくわえている大砲波止場、大造船台の偉容……。

――自国で建造できないために、大金を払って軍艦を造ってもらっている小国日本の姿と比べて、そのあまりの違いに真之は悲しくなった。開国以来、西欧文

明をとり入れるのに躍起になっている日本だが、まだまだ道は遠い。真之は皇国のため戦術を究めるという、おのれの職分に、一層精進することを心に期するのであった。

明治三十三年（一九〇〇年）という年は有力艦が、続々完成に近づいていた年であった。

戦艦「敷島」はすでに年明け早々日本に回航した。戦艦「朝日」は引渡しが間近い。「初瀬」は前年六月進水式があって艤装がすすんでいる。前年一月着工した「三笠」だけがまだ進水していなかった。

この「三笠」をヴィッカース社に注文したのは前々年の明治三十一年だったが、この時すでに海軍の予算は尽きてしまっていて、前渡金を捻出することができなくて海軍大臣になっていた山本権兵衛は困った。

そこで内務大臣をやっていた西郷従道のところへ知恵を借りに行った。西郷は言った。

「それは買わなければいけません。とにかく予算を流用するのです。それは違憲です。しかし議会がどうしても許してくれなかったら、あなたと私と二人で、宮城の前で腹を切りましょう。二人が死んで三笠ができればそれで結構です」

遅れた三笠はこうしてできることになった。

一等巡洋艦「出雲」は進水式を終って艤装中。「磐手」は三月に進水式。

駆逐艦はテムズ河畔のヤーロー造船所で「雷《いかずち》」「電《いなずま》」「曙《あけぼの》」「漣《さざなみ》」「朧《おぼろ》」「霓《にじ》」が造られ、ソーニークロフト造船所で「叢雲《むらくも》」「東雲《しののめ》」「夕霧」「不知火《しらぬい》」「陽炎《かげろう》」「薄雲」がそれぞれ完成し、二月中旬までに全部回航ずみであった。

なかでも「霓」は同時期に留学生として出た財部《たからべ》彪《たけし》少佐（山本権兵衛の女婿、のち海相）が回航委員長として帰国した。

二月、ポーツマスに入ってきた新戦艦「朝日」を訪ねていた秋山は、折よく入ってきた「霓」に乗艦した。財部はよろこんで真之と一緒に上陸して、旧交を温めた。財部はのち（昭和四年）ロンドン軍縮会議の全権となる。

真之に見送られてポーツマスを出港した「霓」は、途中荒天の中を大変苦労して長途の航海をおえた。

真之はイギリス海軍の状況を知るために、演習の公表記事をもとにいろいろ推論をしてみた。

AとBの対抗艦隊の状況を分析してみると、無線電信の有無が成否をわかっているとみられた。無電の有効距離は六十マイル、その距離内ならば無電授受はできるとイギリス海軍省は認定していた。

ただ敵方も同時に通信していて、こちら側を傍受しているかもしれぬ。こうなると暗号を使わなければならぬ。その暗号をたえず変えていかなければならぬ。そういう弱点はあるにせよ、ある限界内で無電は非常な価値をもっていると真之は結論した。

真之にはアメリカ滞在中から、たえず無電のことが頭にひっかかっていた。無電採用について、秋山は本省軍事課長宛に三回にわたって意見具申をしている。

――目下欧州で建造中の新式艦には、ロンドンにある欧州無線電信会社と交渉して、電信機一台ずつ据えつけられるのが将来海軍に益するところ大である。

真之の進言にもとづき、日本海軍は明治三十四年、三四式無線電信機、さらには三十六年、三六式無線電信機を完成。使用要員の養成をはかって、日露開戦までに列国海軍の水準以上に、無線通信力整備ができ、日本海海戦勝利の一因とすることができた。

しかし、真之の認めていた無線通信の弱点は、その後、日本海軍を滅ぼす一因となった。

太平洋戦争において、日本海軍の暗号はアメリカ軍に解読され、作戦行動は手に取るように読まれていた。

ミッドウェー海戦も日本側は奇襲のつもりであったが、企図を読まれて待ち構えていた米軍に、日本が大敗したし、山本五十六連合艦隊司令長官機も待ち伏せしていた戦闘機隊に落とされた。

沖縄の学童疎開船対馬丸も船舶暗号を読まれていて沈められたし、ドイツにおもむいた伊号潜水艦は、大西洋の海底を潜航中でさえ捕捉されて撃沈された。

すべて詳細に暗号を読まれていて、アメリカからみれば面白いゲームのように、日本はつぎつぎと討ちとられていった。

戦後長らくたって、徐々に明らかにされる真相を知るとき、まことに愚かなことと瞑目《めいもく》せざるをえないものがある。

真之はアメリカからロンドンへ渡る船中で詐欺賭博にひっかかっていた。相手はアメリカ人だった。紳士らしい男がたくみに誘ってきたので、退屈まぎれについ乗ってしまった。相手はそれぞれ他人同士にみえたが、ギャングの仲間だった。

この頃の日本の海軍士官は軍艦の買いつけに行く者が多く、豊富な出張旅費を持っているということで、よくカモにされた。

怪しい札の切り方をするポーカーだった。

最初はもちろん真之が勝ちつづけた。勝ち逃げはできないから続けているうちどんどん負けた。負けじ魂が裏目に出て、金が底をついた。

「おかしいな」

ついに一文なしになるまで捲きあげられてから、真之は、

「おい君、ちょっと話がある」

アメリカギャングの頭目を一室に連れ込むと、真之は、手早く「カチン」とカ

ギをかけた。

「知らないと思っているのか、見そこなうな」

真之はどなった。

「トリックぐらい先刻見やぶっていたが、黙ってやるだけやらせて見ていたのだ。詐欺賭博にだまされて、金を捲きあげられたとあれば、サムライ秋山の名折れだ。金は返せ。いやだと言えばこれだぞ」

と白鞘《しらざや》の短刀をぬきとり、キラリと鞘をはらった。すさまじい殺気である。

頭目はすっかりおびえて、この種の稼業をしているギャングとしては、めずらしいことに、真之から欺し取った金をぜんぶそこへ投げ出した。

ロシアに留学していた広瀬武夫大尉が、四月六日ロンドンにやってきて日本公使館に顔を出した。英仏独三国軍事視察旅行のためであった。

「一緒に視察できる。よかったなあ」

「二年九カ月ぶりだなあ」

秋山と広瀬は不思議にうまがあって仲がよい。二人の視察旅行は、生涯の中で忘れ難い楽しいものであった。

春五月の朝、二人は汽車に乗ってポーツマスの「朝日」にむかった。なだらかな丘のつづく野を汽車はひた走る。親しい友達同士の遠慮のない話がつづく。

「ところで、ロシアの不凍港を求めて南下する政策は、随分と露骨なものだな」

「ウン、ロシアで暮らしてみると、氷雨の降る長い冬がつづく。朝鮮や日本の凍らない港が、のどから手が出るほど、生理的に欲しくなるのだ。シベリア鉄道の起工以来、極東侵略の意図を露骨にした。満州と朝鮮を奪いとるつもりだ」

広瀬は、ロシアは冬ごもりで半年は射撃の演練も十分できぬと言う。

「そうだな、文久元年（一八六一年）、対馬《つしま》がロシア軍艦によって占拠されたことがある。ロシアは対馬の要地を租借したい。ロシア人に貸してくれるなら、朝鮮を奪って対馬藩にさしあげる。対馬藩は大大名になれるぞ、と言って迫ってきた。幕府の交渉はものにならず、結局イギリスが艦隊の力を背景にして抗議し、退去させた」

「ロシアは専制独裁の国だ。皇帝ニコライ二世は公文書にも日本のことを〝猿〟

と書くほど軽侮と憎悪をあらわにしている」

「皇太子のとき日本に来て、大津で巡査津田三蔵に斬り殺されかかったことを忘れないのだろう。あのときの騒ぎは尋常のことではなかった」

「〝猿〟に返還させた旅順と大連に、ロシア艦隊は入り、上陸し占領した。清国人は仰天した。ロシアは李鴻章に賄賂《わいろ》をおくり遼東半島を手に入れた」

「清国では義和団が蜂起し騒ぎが広がっている」

「さあ着いたぞ」

ポーツマス港には東洋第一の巨艦、排水量一万五千四百トンの大戦艦「朝日」の姿があった。二本マスト、二本煙突の見上げるばかりの大艦であった。

一二インチ砲四門の砲塔は、それぞれぶ厚い装甲で防御されている。六インチ速射砲十四門が副砲。襲撃してくる水雷艇を、前後左右自由に撃ちまくれるように、装備されている速射砲が二十門ある。

がっしりした上中下甲板を歩いていると、攻防力のたくましさが心強い。いろいろの点で最新式の装置が取りつけられていて、思わず満足の笑みがこぼれてくる。

「富士」「八島」「敷島」はすでに日本に回航されていたので真之は偉容に接していない。「三笠」はまだ姿ができていないので、日本の主力艦を実見するのは「朝日」がはじめてである。

まるで〝まぶたの母〟というか、〝あこがれの恋人〟とでもいうべきものに会ったような気持であった。

欧米に派遣された若い士官たちは、弱小国日本の将来を案じて、夜も眠れぬ不安をみな、いだいた。

今、こうして世界でも第一級の頼もしい最新式戦艦を持つことができて、やっと春の陽がさしたような思いになった。

(この大戦艦を思うままに使って闘う大海戦はいつか)

「朝日」を案内してくれた竹下砲術長が後甲板に秋山と広瀬を立たせた。

二人の友は大戦艦の上で記念写真におさまった。

「――艦は日本一の大艦、人は日本海軍のホープだな」

真之は笑いながら、はちきれる思いを口に出した。

秋山、広瀬はパリに入り、公使館に出頭した。ここには真之と同期の森山慶三郎大尉がいる。

折から万博が開かれていて、海軍館にはロシア海軍出品部に十九隻のロシア軍艦の模型が展示してあった。

戦艦「ボロジノ」、装甲巡洋艦「リューリック」「ロシア」などが眼をひいた。

参観の一行はエッフェル塔に上ったあと、レストランで話し合った。

「新しい艦には、扇風機というものがあって、空気をきれいにする。製氷機が備わっていて、食品の貯蔵がよくなった。電気の応用がすすんで、電気仕掛はじつに新式だ」

と真之が言うと、広瀬が驚いた。

森山大尉が言う。

「『厳島』と『松島』はフランス製だった。『橋立』だけは日本で七年もかかって造ったが、大砲も機関もみんなフランスから運んだ。日本海軍の武器製造能力を思うと、ぞっと寒気がする。石炭は九州と北海道から出る。でもみんな質が悪い。新式の軍艦の機関にはむかない。黄海海戦のとき、この石炭を使ったために、もうもうと黒煙を吹き上げて、早く発見されてしまった。

鉄は——鋼鉄は全部輸入だ。日本には資源も技術も何にもない。貧しい日本は、血と汗と涙をしぼった国民の金貨を海外に払って、何でも買わなければならない」

真之が、近頃思うことだが、と言い出した。

「日本の海軍将校は心底海軍を愛している。その海軍のためなら生命を捧げる覚悟ももっている、と外人はほめてくれる。しかし考えてみると、これはホメ言葉じゃないんだな。実は日本将校は海軍以外のことは何も知らない。

欧米人からみると、日本人は個性をもつ個人ではないということらしい。

日本人の書く戦史を読むと、一見精密に書いてあるようだけど、意外に実相が浮かんでこない。実感も出てこない。日本人のありようなんだな」

ついで、パリからサン・ナザールへ行き、装甲巡洋艦「吾妻」を視察した。竣工二カ月前だった。排水量九千四百トン、三本煙突で細長い艦である。

「吾妻」という艦名に、日本武尊《やまとたけるのみこと》が弟橘媛《おとたちばなひめ》の入水を悲しんで、「吾妻はや」と言われたという故事を思い合わせて、関係者の間で話がはずんだ。

それから二人はドイツへ入った。

フルカン造船所で、竣工間近い「八雲」を視察する。

途中、広瀬は眼を伏せて真之に言った。

「ロシア駐在はもう二、三年ふみとどまって研究をつづけたいと思っている」

「みんな早く帰りたがるのに、殊勝なことだな、なにかわけありか」

「いいや、ロシア人というのは個人的に親しくなると信用してくれてね」

「へんだ。君は明るくて人に好かれるから婦人にもてるだろう。打ちこんでくる女がいるのではないか」

「ぼくは柔道ばかりやっていて婦人は知らない。独身主義だから心配ない」

「しかし婦人からみれば、君はよほど好感のもたれる男と思う」

このとき、実は広瀬を親しい友人として遇してくれたコヴァレフスキー海軍少将伯爵の娘、アリアズナ・ウラジーミロヴナという美少女が、広瀬をはげしく思慕していた。

アリアズナは詩がすきで文学的教養が高い娘だった。

広瀬の人柄に魅せられ、この美しい娘は広瀬以外の男性を考えることができなくなっていた。しかし広瀬は真之にはアリアズナの恋のことは黙っていた。

「ドイツというのは組織が整然としている。設備もすばらしい、勤勉だ。フランスとも、イギリスとも違うな」

広瀬は話題をかえた。

装甲巡洋艦「八雲」は竣工寸前の偉容をみせていた。排水量九千八百トン、二十ノットの速力。

フルカン造船所には、他に二隻が建造中であった。

ドイツ戦艦「メクレンブルク」とロシア巡洋艦「ボガティール」、広瀬はくわしくメモをした。


清国で義和団の騒動が広がり、連合軍の海軍陸戦隊と激突した。

(帰朝の急命があるかもしれぬ)

「八雲」の後甲板の上で真之は広瀬とわかれ、ロンドンへ帰った。

ロンドンへ着いてみると、一月前の五月二十日付で帰朝命令が届いていた。

八月中に帰朝すればいいという但し書きがついていたので、真之はアメリカ経由で帰ることにした。北太平洋の荒い波にゆられながら日本に帰ってきた。西洋風の艦船に見慣れた真之の目に、和船がなつかしかった。

しかし徳川幕府の規制により、白帆一枚に制限されていた千石船は、梶がこわれやすくて見るからにあぶなっかしい。

外国を旅してみると祖国をなつかしむ気持が強く湧く。祖国を遠く離れると心のふるさとが大きくなる。祖国に対する思いは、本能から湧きあがるものであった。

真之は富士の姿と瀬戸内海の美しさをいつも心に描いていた。

この心に描く日本の美しい姿が、祖国を離れているわびしさや見慣れぬ環境になじめない時の気持を、いつもときほぐしてくれた。

「――わが最愛なる帝国」

と真之は手紙に書いた。祖国に対する真実の実感であった。

真之の海外生活は三年にわたったが、その間、折々の所感を書いた三十カ条の語録が残された。戦術書付図の裏に書きつけたもので、「天剣漫録」と名づけた。

そのなかから拾ってみる。

○細心熟慮は計画の要能にして、虚心平気は実施の原力なり
○敗けぬ気と油断せざる心ある人は、無識なりとも用兵家たるを得
○手は上手なりとも力足らぬ時は敗る。戦術巧妙なりとも兵力少なければ勝つ能わず
○ネルソンは戦術よりも愛国心に富みたるを知るべし
○敗くるも目的を達することあり、勝つも目的を達せざることあり、真正の勝利は目的の達不達に存す
○自啓自発せざる者は、教えたりとも実施すること能わず
○虚心平気ならんと欲せば、静界動界に工夫して、人欲の心雲を払い、無我の妙域に達せざるべからず。兵術の研究は心気鍛錬に伴うを要す
○吾人の一生は帝国の一生に比すれば、万分の一にも足らずといえども、吾人一の安を偸《ぬす》めば帝国の一生危うし
来れば吾人は緊褌《きんこん》一番せざるべからず

第五章　水軍の戦法

帰国した真之は残暑のきびしい中を海軍省に出頭した。海軍省は霞ヶ関に威容をほこる赤レンガ造りの三階建てである。

真之の所属する本拠、わが城である。

延べ坪三千坪、紀州産の砂岩の飾りと赤レンガを使い、イギリス人コンドルの設計で明治二十八年に完成した。隣には大審院など裁判所を含む司法省、外務省があり日比谷の広い原の中に、ルネッサンス式の赤レンガの豪華な建物が並んでいる。

海軍省の建物は二階が大臣室を真中にして、軍務局、人事局、軍医局、経理局が並び、反対の一翼に教育本部と艦政本部があった。

三階は真之自身半年ばかり通った軍令部が占めており、部長次長室、第一局、第二局、第三局がならんでいる。

真之は軍務局第一課に所属する。直属の総務長官斎藤実《まこと》少将に帰国の報告をする。

「しばらく休養するがよい」

と温顔でいたわられた。

ついで長官に連れられて、大臣室に出頭する。久し振りに制服を着た真之は、やや緊張ぎみで姿勢を正し、山本権兵衛大臣に申告をした。

「ご苦労だった」

権兵衛大臣はひとこと言っただけだった。

軍務局第一課は海軍軍政の中枢である。課長は「吉野」回航以来、真之のよく知っている加藤友三郎大佐（のちの三笠艦上の参謀長）である。

ここの課員に真之は補任された。

家は四谷信濃町の兄好古のところにいる。母貞と兄の家族がいた。兄は陸軍騎兵大佐として騎兵学校長をつとめていたが、先月のはじめ第五師団兵站《へいたん》監に補任された、天津に行っているということであった。

兄は四十二歳。十歳違いの兄に真之はいつも頭が上がらなかった。

母は三年ぶりに真之が帰ってきて、嬉しくてしかたがない。兄のことを真之にしきりに語りかける。信さんは、と兄の幼名で呼んで、

「まあ、信さんは騎兵だから馬をとてもかわいがるのよ、きれいに掃除した雨あがりの庭を馬のひずめでふみにじるものだから、まあ今、はいたばかりなのにと言うたら――馬の方がお母さんより大事だからとからかうのじゃよ」

とロをおさえて、お貞はうれしそうに笑った。

「また、いつかは帰ってくるなり、たらいに水をいっぱいくめというから、どうかおしたか、と聞くと、今日馬から落ちて足を傷めました、水で冷やせば治ります、と言うて三日間たらいの中に足を入れとおして治してしまいました。まあ強情というか、我慢強いというか……」

兄は立派な軍人だった。

「軍規を重んじる軍人は不平を言うてはならぬ。不平を言う者は軍人になる資格はないのじゃ」

と言っていた。勤務は無欠勤。

部下に対しても平時は親切である。まず自分が十分なっとくがいってから、言って聞かせ、やってみせて、手段、方法、着眼点を説き、部下のやったことを賞めてやる。

好古はまた、最新式の戦闘技術をとり入れ、機関銃火で騎兵団を強化する案も実現した。

兄は読書もよくした。外国の軍事関係の本を熟読していた。真之も兄の蔵書の世話になった。メッケルやブルーメの本を借り出して、よく読んだ。それが兵学の素養のもとをつくった。

三年間の海外生活は特に意識したことはなかったが、やはり緊張の連続であった。疲労が累積していた。帰国してホッとしたところで気のゆるみが出た。残暑のきびしさも体にこたえた。なんとなく体がだるくて、力が入らない。食欲がなくなり胃部に疼痛を感ずるようになった。

（おかしいな、医師にみてもらわねば）

入院をすすめられて、麹町の長与胃腸病院というところに真之は入院して加療することとなった。しばらくゆっくり休養していると少しずつよくなってきた。

……すると、しぜんに軍学のことを考える。戦史、戦術書をふくめ欧米のものはことごとく読んだ。ロシアの名将といわれるマカロフの『戦略論』もよく読んだ。

兵書の多くは陸軍兵書であった。戦術に陸と海とのちがいはないと確信していた。

古くからの中国の兵書も読んだ。

『孫子』はなかでもくりかえし読んだ。『孫子』の基本は四つであると理解した。

第一は勝ち易きに勝つということ。勝つだけの用意と環境のもとに、勝つべくして勝ったという戦の仕方をすること。しかも滅敵ではなく屈敵である。

第二は情勢をよく把握すること。

〝彼を知り、おのれを知らば百戦してあやうからず〟

何よりも先知である。

第三は、虚実ということ。実をもって虚を突く。相手が充実しているところは避けて、手薄なところを攻める。例えば、百の力を持つ者でも百の力を常に維持することはむずかしいもの――六十とか五十の力に下ったところ、即ちその虚を突く。敵の分力を撃つ。

第四に敗戦の主因は「無精」にあり。

心をこめ、心を潜《ひそ》めて根気よくものごとを考え準備しない無精にある。

――「孫子の兵法」は時代をとわず、あらゆる場合に通じる不滅の哲学である。

病室の窓から百日紅《さるすべり》の花が風にゆれていた。その上に青い空がひろがっていた。どこまでも青い空は海を連想させた。

真之はふと瀬戸内海の海の色を思い出した。江田島から松山まで往復した時に見た、美しい瀬戸内海の風景。

いつか途中で大三島にある大山祇《おおやまずみ》神社に行ったことがある。楠の原生林が空をおおい、神寂びた神々しい雰囲気の伊予一の宮である。

河野、村上水軍の祖神を祀る水軍の社である。ここには幾多の国宝の武具が納められているが、河野通信や通有の鎧もあった。連想して真之は水軍の歴史を追ってみる。

――壇の浦の海戦。

これは世界の海戦史の中でも指折りの注目すべき大海戦である。この時河野通信は義経に味方し「水手、梶取りのない舟は木くずにすぎない」と義経に重要なヒントを与えた。源氏軍は屋島の戦いで阿波民部の子を降伏させていたので、父の阿波民部大夫の水軍を源氏へ裏切らせることに成功した。そして潮の流れのかわるまで平家軍の攻撃によく耐えた。

潮流がかわると義経は一気に潮にのり、平家の軍船を攻めた。その時義経は意表をつく戦法に出た。それは平家方の無防備な水手、梶取りを狙って射殺した。それまでは楯や鎧のない非戦闘員であり技能職人である水手、梶取りにはかまわないというしきたりがあった。

ついで平家の御座船を集中して攻めた。平家方は梶取りを失って漂い、混乱する陣型の中で、御座船を守って戦わなければならないという不利のうちに敗れ去った。

これから後、水軍の戦いでは真先に梶取りが狙われるようになった。

元寇の後、瀬戸内の水軍は、蒙古軍の使った導火《みちび》のついた火薬の手りゅう弾のようなものを改良して、〝炮碌《ほうろく》〟と呼ばれる新兵器を持つようになった。たとえば渋紙を何回も貼って漆でかためたものや、孟宗竹、瓶の類などに火薬と焼薬に鉄玉や小石を混ぜたりして、これに導火線をつけた手りゅう弾である。導火に点火して敵船めがけて投げ込むと、燃え上り船を焼く。炮碌には幾種類もあって、これにより河野、村上水軍は大いに恐れられた。

南北朝のころ、村上義弘は〝海賊〟と称する水軍を征服して支配下におき、瀬戸内海に村上水軍の名を高めた。

その水軍戦法をかれらは「海賊流」と称した。やがて村上氏は三家にわかれ、因島《いんのしま》村上氏、能島《のしま》村上氏、来島《くるしま》村上氏となった。

このうち総領家である能島村上氏が強力な水軍を編成し、村上武吉が毛利元就の厳島合戦に参加する。

伊予大島に接する能島を全島城塞化して、能島村上氏は水軍城として本拠島とした。村上水軍は軍律が殊の外きびしく、一糸乱れぬ舟戦を展開した。海外にまで広く名を知られておそれられた村上水軍の水軍戦法は、「能島流海賊戦法」として伝えられていた。

真之は古書店で和綴じの水軍書を探したが、なかなか入手できなかった。

たまたま三期先輩の小笠原長生《ながなり》少佐が真之を見舞にやってきた。

「あなたのところは大名家だから水軍戦法の本がないだろうか」

真之の依頼に小笠原は心安く応じてくれた。

「探してみよう」

小笠原は、九州の唐津藩主の小笠原壱岐守《いきのかみ》の遺子であった。壱岐守は長州藩の高杉晋作らに小倉で敗れて、将軍慶喜に敗報を伝えた幕府老中である。

小笠原は家に帰って蔵書を探してみると、昔の兵書が何冊かみつかった。それを真之のところへとどけた。「能島流海賊戦法」という写本のほかに「海賊流」「三島流」「甲州流」「全流」などの古書であった。

真之は時間を忘れて読みふけった。

潮のしぶきを顔に浴びながら、西に東に舟を漕ぎすすめた水軍の先祖の血が真之の体をかけめぐるようだった。理屈をこえてじいんと骨身にしみるものがあった。古書には水軍の戦いの歴史がにじんでいるようだった。

――梶をねらえ。

――指揮をとる将船をねらえ。

――火災で攻める。

などが眼にとまった。

「舟を攻めるより、人心を攻める」

というのにも真之は感じ入った。敵艦を沈めたり敵を殺すことは大いなる精力を必要とする。

「敵の〝気〟を奪って勝を制す」

敵の戦意を喪失させ勝利にもっていくことが、

「戦わずして敵を屈するのは善の善」

という孫子の言に通じる。クラウゼヴィッツをはじめとする西洋兵学は、敵を全滅させることを主眼とする殺敵主義である。敵に対しては単兵隻馬といえども余すところなく全滅させる底のものである。東洋と西洋のちがいを感じて、「和魂洋才」の真之は、独創的戦略を編み出し、これを兵学の基調とした。必要以上に憎悪《ぞうお》にかられて殺戮《さつりく》することをとらない。屈敵主義の採用こそ、秋山軍学の重大な特質であった。

水軍の基本戦法として、

「わが全力をあげて、敵の分力を撃つ」

ということにも感銘した。

孫子の「実をもって虚を突く」の実行である。いくさ船の陣型は、いろいろあるが、「長蛇《ちょうだ》の陣がすぐれる」とある。縦一列に艦隊をならべる縦陣である。わが海軍でいう指揮官先頭の単縦陣は、応変がききやすく、敵の分力を包囲するのにも適して便利である。

真之は水軍書からこの陣型の長所について自信を深めた。

水軍には、美人局《つつもたせ》のような戦法もあった。

虎の陣
豹《ひょう》の陣
とあり、昔の海賊たちは豹は虎の女房だと思っていたらしい。

弱々しい豹陣が敵のくる水域をうろつき、やがて敵が姿を見せると逃げるとみせて、本軍の虎陣の方へひきよせていく。やがて時機をみて虎陣がおそいかかり、敵を嚙《か》み殺させるという戦法である。

のち、バルチック艦隊が日本近海にあらわれたとき、日本はこの戦法をとって成功した。

豹陣として旧式艦などの第三〜第六戦隊を出しておき、敵艦隊と接触させつつ、これを沖の島の北にいる虎陣の第一、第二戦隊の方へさそい込んだ。

水軍書には、

「敵船敗れたるときは夜討ちすべし」

というのもあった。

バルチック艦隊が敗れた夜、敵は闇にまぎれて逃げ去ろうとした。これに対し駆逐隊、水雷艇隊が夜討ちをかけて魚雷攻撃をした。

しばらくたって小笠原少佐が真之のところへ来た。

見ると真之がすっきりした顔色で、会心の笑みを浮かべている。

「目からウロコがおちたようだ」

「胃の具合まですっかりよくなった」

日本海軍の秋山の戦術はこの入院中にできたと小笠原はのち、人々に語る。

また日露戦争後小笠原長生は、海戦史の編纂《へんさん》委員を命ぜられた。戦闘詳報の海戦航跡図の作成にあたり、真之とたびたび会って相談したが、あるとき小笠原は、

「これらの戦法にはどことなく、どうも水軍のにおいがするようだね」

と笑いながら言った。

日本古来の水軍戦法が、秋山流軍学をつくりあげていく芯になったようである。

上杉謙信と武田信玄が竜虎相討つ川中島などの、歴史上名高い合戦にも真之は研究の目をむけた。わけても信玄の甲州流軍学から多くのものを得た。

「車がかりの戦法」

というのは、敵の先鋒に対し、車輪がまわるようにつぎつぎ新手をくりだして攻める方法である。

水軍の戦法の、

「常に敵をおおうように展開する」

「水戦のはじめに敵の先頭に立つ舟に、数艘で攻めかかり、やにわにそれを撃ち

破るべし、二、三艘も沈めれば、敵全体の勢いをくじくなり」

とあわせて、「車がかりの戦法」を応用して日本海海戦での「丁字戦法」を理論づけた。

また将棋にたとえて、敵の一部がある海域をおさえようとして出てくるとき、敵の兵力が「銀」とするならば、一枚上の「金」を出してそれをおさえるという戦法もあった。

日露開戦直後の仁川《じんせん》沖の海戦において、敵の二等巡洋艦ワリャーグに対して「浅間」が金として瓜生戦隊に加勢としてつけられた。

秋山真之は、戦術の研究を自分の天職とし、没頭していた。熱心さが度はずれているので、自分ながらややあきれるところがあったのか、「一生の人道楽」といって照れていた。

海軍の日々の任務をつとめていれば、軍人として昇進はできる。そういう研究は日常業務のそとの事であり、道楽といえばいえた。

しかし、日本は飲まず食わずの努力をして軍艦を外国に発注して揃えている。その軍艦をつらねて敵と戦う戦術の研究は、当時未開拓に等しかった。やがてきたるべき日露の大戦に、戦術の研究は緊急重要な大事であるという見通しはあった。

(日本国のために自分が役立つ日がくる)

と自負心の強い真之は予感していた。

真之がネルソン提督とか西欧の戦術だけを学ぶことに終始していたなら、日本海海戦はあのようなかたちにはならなかったであろう。西洋の戦術をそのまま取り入れず、日本の伝統的な戦術をもとにして、西洋の戦術を越えるものをつくり上げたところに真之の独創性があった。

まもなく明治三十三年十月三十一日、秋山大尉は常備艦隊参謀の辞令を受けた。

赴任した真之は旗艦「敷島」の司令部に出頭した。

参謀長は島村速雄大佐である。土佐の下級武士の子として生まれ、苦学ののち兵学校を首席で卒業した。島村は日清戦争で伊東祐亨司令長官の参謀をつとめ、旗艦松島にあって伊東から絶大な信頼を寄せられていた。部下思いの功を誇らぬ、知勇兼備の名将である。

のち日露開戦のとき、東郷、島村、秋山の組み合わせでのぞむ。

六尺近い大きな体格で、ゆったりとものを言う。島村参謀長に連れられて真之は長官公室に申告する。

東郷平八郎中将は、

「ごくろうです」

とていねいな言葉づかいでおだやかに言った。中将は小柄で、ととのった目鼻立ちの顔をしている。真之の方では幾度もよそながら見知っていた。

徳望のある人という印象をもっているが、豊島沖海戦のことを思うと、決断力のある人であろう。

その後真之と東郷は知らぬ人もない参謀と名将の関係になるが、余談ながら真之の知らない東郷のことがある。

それは日本海海戦後の凱旋園遊会で、東郷と固い握手をしていたアメリカの少尉候補生である。東郷のすぐれた戦略、忍耐、名将ぶりに魅入られたチェスター・ニミッツは昭和九年の東郷の国葬にも来日して出席した。

そして三度目、マッカーサーとともに東京湾の日本の降伏調印式にやってきた。ニミッツは東郷から学ぶべきものを多く学んで、日本を破った。

ニミッツは「三笠」が敗戦後荒廃しているのを嘆き、その保存に気を遣う一方で、戦災で焼けたあとの東郷神社の再建に『太平洋海戦史』(自著)の日本版印税を寄付した。

東郷はネルソンのように世界的にたたえられるべき存在だとニミッツは思っていたのである。

筆者は鹿児島に住んでいた時、米、英の軍艦が鹿児島に入港すると、必ず東郷の墓前に花束をささげるのを見て感銘したものである。

島村参謀長は着任まもない真之に細かいひとつの注意をした。

「参謀の不注意のために、司令部と旗艦職員との間に面白くないことが起ることがある。それは参謀が長官の意を受けてすることであっても、ややもすると参謀の考えで旗艦の艦長、副長などの行為に干渉するように見られるからだ。

だから信号の揚げ降ろしでも、長官が艦橋におられたら、前に命ぜられていても、いちいち長官の指示をうかがってやらないといけない。参謀長以下のすることは、長官の命令によるものだから、自分勝手にすると見られないように慎まなければならないのだ」

島村はその後、一カ月余りして教育本部一部長に転任した。

そして十カ月余り後、東郷は新しく出来た舞鶴鎮守府長官に転任した。真之は少佐に進級し常備艦隊参謀をつづけるが、本隊でなく、支隊の幕僚であったため、東郷のもとで直接勤務したわけではなかった。

真之は艦隊勤務の中で心にきざむ。

(——戦術をほんとうに学ぶべきところは航海中の艦隊だ。敵艦の方向転換や、速力変更をみて、敵がどんな陣形をつくろうとするのか素早く予見しなければならぬ。

——たちどころに敵の運動に応じるためには、ふだんから艦隊運動に対する実際的力量を身につけておかなければならぬ。

——訓練を通じて、目前の敵に対する対策が瞬間的に湧くほどの敏察と速断が身についていなければならぬ)

(海の上の現場で、戦術は訓練の場数をふんで生きてくる)

ついで真之は乗艦「千歳」が芝罘にいるとき、「ロシアが建設をすすめる旅順港の実態を探察せよ」という密命を受けた。真之は参謀肩章をはずし、軍服を脱いで洗濯夫に変装して潜入した。

「だまってあとをついていらっしゃい」

という洗濯屋の親方について、真之は旅順のあちこちを四日間歩きまわった。見たもの聞いたものを頭にたたき込んでおいて、「千歳」の幕僚室に帰ってから、真之はメモをつくり報告書を書きあげた。

明治三十四年初め頃は、まだ旅順に入り込める余地があったが、その後はロシア側の防諜が厳重を極める。

また、真之は艦隊勤務を通じて若手将校の勤務日誌を丹念に見た。射撃の距離測定に関する意見をとりあげ、全軍の砲術将校の参考資料とするため、「水交社記事」に紹介したりした。

常備艦隊は広島湾内で訓練をつづけていた。広島湾内は敵襲の不安のない地理地勢で、おだやかな広い湾内は最適の演練の海であった。

厳島と本土の間の大野瀬戸を西にすすんだ玖波《くば》の湾に、常備艦隊はよく集合した。

「敷島」に移った真之はドイツで見た「八雲」や、回航まもない新式艦「出雲」の艦影を見た。

艦橋からは阿多田島と甲島《かぶと》が見える。その形といい、その感じといい兜《かぶと》そっくりの甲島はこの演練場の格好の目標となった。ここで艦砲訓練や水雷発射の演練をつづける。

訓練また訓練がつづく。


ついでながら、この海で、有名な第六潜水艇の事件が明治四十三年四月に起きた。

潜航中浮上できなくなった潜水艇で佐久間勉大尉以下十四名が殉職した。

佐久間艇長は呼吸困難な中にも絶命寸前まで、原因、状況を克明に書きしるした。凄絶肺腑をつく軍人のかがみというべき遺書であった。最後に部下の遺族が生活に窮することのないよう訴えた。

――敗戦後、国のために尽くした人々の栄誉が捨てられ、遺族が顧みられなくなってから、この国は思想が悪化し、道義が地に墜ちた。

日本海軍は国民の総意に支持されて建艦をすすめた。当時は国の能力から大艦はイギリス（「富士」「八島」「敷島」「朝日」「初瀬」「三笠」「浅間」「常磐」「出雲」「磐手」）、ドイツ（「八雲」）、フランス（「吾妻」）に発注した。

わずか三、四年の間に最新式の大艦がひきもきらずに、ヨーロッパから回航されてくる。艦体の構造も、機関の性能も、武器の強化も日進月歩であった。

受け取ってもすぐには使いものにならない。いろいろな難点が出て、改造し、改修して、運用できるまでには数カ月もかかった。

艦の定員は、一等戦艦四隻は各八百四十人、（富士級二隻は七百三十人）、一等巡洋艦六隻は各六百五十人である。

予算の都合で回航順に一年前後就役させて、毎年六隻か四隻一隊を常備艦隊に入れて訓練させる。それ以外は予備艦として軍港につないでおく。常備艦隊の訓練に当たる将兵の熱気は大変高いものがあった。国民の虎の子である新式艦にわが生命を託した将兵は、心からこれを愛護し、敬重し誇りとした。

「初瀬」に移乗した真之は特命検閲など忙しい日々を送っていた。

海面がキラキラ光る初夏の午後、真之のところへ「初瀬」の中板士官水野広徳中尉がやってきた。

「先輩、ごぶさた致しております」

仁王様のような顔つきの水野広徳は、真之の遠縁にあたり、松山中学の後輩でもある。早くから父母を失った水野は伯父の家に厄介になっていたが、その家の伯母が真之といとこの間柄であった。

真之が十四、五歳の頃、さかんに凧《たこ》に牛若天狗や加藤清正などの絵を描いていたので、水野はそれを貰って絵の上手な真之に感心していた。その後、ある正月に真之が水野のいた家へ年賀に来たことがあった。

「玄関に脱いであった海軍兵学校の外套を見て私はびっくりしました。金ボタンのついた暖かそうで艶のある美しい外套を見たのは、初めてでした。こんな服を着る人は余程えらい人に違いないと思いました。

その年の夏でした。『御囲池』で泳いでいると、連隊の兵士がきて無断、反則で水泳をはじめたので、みんながおろおろしていると、先輩が兵士に制裁を加えられました。先輩の勇名はわれわれの間になりひびき、私達は先輩を英雄の如く尊敬しました。

私が海軍を志すに至ったのは、先輩の美しい外套と、先輩に対する英雄崇拝が、大きな原因となっていることは間違いありません」

「おいおい、大形《おおぎょう》に言うな、ところでいくつになった」

「はい、二十七歳です。先輩はお囲池で泳いでおられた時とお変りになりませんな」

水野はこの時の真之の風貌を、のちにこう伝えている。

「背はあまり高くないが、体はガッチリ締っていて、顔は文字通りの烱眼隆鼻《けいがんりゅうび》。眉が濃く、口が締まり、みるからに俊敏精悍《しゅんびんせいかん》の相貌をあらわしていた」

「辺幅を飾らず、細行を顧みず、挙措極めて無頓着で、むしろダラシがないという方が近い」

ずいぶん率直、遠慮のない書き方だが、これが見る人によっては忘れがたい印象で、洋行帰りのハイカラが多い海軍士官の中で、水野中尉としては、畏敬する先輩のぜひとも伝えておきたい特色であったにちがいない。

真之はこの竹を割ったように明朗闊達な若者に好感をもっていた。キビキビした甲板士官の仕事ぶりにも注目していた。

「かた苦しい規則づくめの話を、しちむつかしく話す日本の精神教育は、何とかならぬものでしょうか。あれでは兵員は心にとめない。どうして日本の教育は、あんなにかた苦しくて血がかよっていないのか。兵員をらくな気持にさせておいて、具体的にわかりやすく話さないと、効果がありません」

水野中尉はそんな苦情を話したりした。

この水野広徳は日本海海戦の時は、第一〇艇隊第四一水雷艇長として奮迅の活躍をした。東郷長官から軍功により感状を与えられている。文才のあった広徳は、血湧き肉おどる従軍戦記を書いて出版した。

『此の一戦』は羽が生えて飛ぶように売れた。この時、同じ松山中学の同窓で陸軍大尉の桜井忠温《ただよし》は、旅順攻撃を書いた『肉弾』を発表した。

海の水野、陸の桜井は当時、巷間知らぬ者はないほど有名になり、本は売れに売れた。

「錨《いかり》の水野」

「星の桜井」

はともに松山の誇りになった。

ロシアから帰って「朝日」の水雷長になった広瀬武夫少佐が、真之の幕僚室に姿をあらわした。ドイツの造船所で、「八雲」の甲板で別れてから二年がたっていた。二人の親友は再会を喜び歓談した。

「シベリア鉄道の能力をさぐるため、極寒のシベリアを横断したんだ。イルクーツクからは雪上をソリで走った。十昼夜半走りとおして帰ってきたよ」

「それは超人わざだ。ご苦労様でした。ところでロシア海軍はどうだ」

広瀬はセヴァストーポリの海軍工廠も見たと言う。

「戦艦ペレスウェートの進水式に参列した。一万二千トンで速力は速いが防御力は弱い。バルチック造船所では、戦艦ポベータや装甲巡洋艦グロムボイを見た。

それに比べて、今乗っている『朝日』はいい。戦えば負けぬ」

「そうか、将兵の質はどうみた」

「ロシアの士官は貴族が独占している。だから皇帝への忠誠心は強い。日本では陸海軍の士官は、試験にさえ合格すれば一般庶民でもなれるということが不思議がられた」

「ロシアの国家は貴族の所有物だったな」

「ロシアは海軍建設を盛大にやっているが、庶民は貴族が勝手にやっていると思っている。だから水兵の士気は疑問だ。今、社会不安と革命運動のうごきがあり、これが予断を許さない」

「ロシアはナポレオンとの戦いをみても、あの国民性は堅忍だぞ。退くことが敗れることではない。しぶといことはロシア史が示している」

「そうだな。おれは柔道をやるが、剣術でも相撲でも日本のものは一本勝負で決まる。ところが西欧のものは、ボクシングでもレスリングでも、いっぺんダウンしても、また起《た》ち上って最後に得点をかせいだ方が勝ちだという。勝ち負けの観念がちがうのだ」

「それは重要なちがいだなあ。この一月、日英同盟が調印されたのはよかった。外交史上、イギリスは国際的な盟約を誠実に履行してきているが、ロシアは他国との同盟をしばしば一方的に破棄してきた常習犯だ。日露同盟ということは、伊藤前首相などは考えたようだが危険だった」

日ソ不可侵条約の一方的破棄による満州への侵入、樺太千島、そして北方四島への侵略などの昭和の歴史以前にも、ロシアは信義を重んじない国だった。

「しかし、国力といい、文明の度合といい、世界に超絶した実力をもつイギリスが、世界の片田舎の極東の半開国ともいうべき、黄色人種の国日本とよく同盟を結んだものだ」

「イギリスは日本を東洋の番犬にするつもりなんだろう。イギリス外交は老獪《ろうかい》だ。それにしてもロンドンの林董《ただす》公使はよく頑張った。

私はロンドン駐在のとき林公使から国家というものを考えるうえで、余程教えられた。あの人は軍人になっても最良の将軍か提督になれる人だ」

真之は小村寿太郎と林董から、大きな影響を受けたようである。

「日本のことを〝猿〟というロシアのニコライ二世は、寵臣であるベゾブラゾフという退役騎兵大尉におどらされている。ロシア宮廷を牛耳るいわば右翼の大立《おおだて》者《もの》だ。

〝東亜工業会社〟という会社ができた。

〝満州は軍が奪《と》る、朝鮮は東亜工業会社が奪る〟

という侵略分担が計画されている。朝鮮は日本の植民地ではない。だから朝鮮にこの国策会社が事業をおこして資本を注入すれば、そのうち機会をみて日本を朝鮮から一挙に追い落すことができるとみているようだ。

ニコライ二世とその側近は、日本はロシアと戦争をする能力とその意気は、まるでもちあわせていないから、威圧をすれば引っこませることができると考えている」

広瀬は語気を強めてロシアを語る。

「朝鮮は日本の生命線だ」

二人の話題はだんだん深刻になってきた。

秋山真之少佐は明治三十五年七月十七日付で、海軍大学校教官へ転仕が決まった。

　そのしらせを受けた時、真之は陸奥湾の「初瀬」の幕僚事務室で、各艦の石炭消費量の表を作成していた。艦隊参謀としての最後の事務であった。

　司令長官代理、参謀長、艦長および副長に挨拶して、退艦する直前、真之は水野中尉を自室に呼んだ。

　真之を「気取らざる自然のままの東洋風の豪傑」と畏敬する水野広徳は、先輩の居室の扉をノックした。

「――なんでもいいから、ある科目について専心研究して、その道のオーソリティーにならなくちゃあ……いかんぞい」

　先輩としてのはなむけの言葉であった。国ことばの愛情の言葉を水野は生涯忘れなかった。

　わかれぎわに真之はまた言った。

「――お前たち、若い士官がただぼんやりとその日暮らしでは駄目ぞい」

　郷党の後進に対する耳の痛い訓戒であった。

大正に入って水野広徳は、本が売れたので、欧米へ私費留学を願い出た。帰国して第一次世界大戦が終結すると再度訪欧した。人より一歩先んじて、歴史の観察者であろうとする水野の意気込みであった。

欧州の激戦地の惨状は兵器の発達により眼をおおうものがあった。敗戦の地獄図をベルリン、ウィーンに見た。

インフレは天井知らずで治安の悪い中を市民は乞食同然の暮らしであった。食料が買えず飢餓に苦しんでいる。

ウィーンはあまりにもひどかった。薄い葉汁で露命をつなぎ、栄養不足のために死者が急増し、幼児は骨と皮であった。燃料も灯火もなく、飢えと寒さで暗夜に死を待つも同然の有様。

これほど窮迫しているドイツ国民に、連合国は毎年二十億マルクもの賠償金を課していた。ベルリンには階級章をはぎとられた復員軍人があふれていた。復員兵はほとんど失業者であった。街頭で施しを待つ傷痍《しょうい》軍人はいたいたしかった。体の不自由な戦傷者が、汚れた軍服で痛む傷口をさらしていた。貴族の娘、将軍の娘、大尉の未亡人、女教師、母親に伴われたお下げ髪の少女など身を売る女が町にあふれていた。貧困なドイツ人ではなく外国人を相手にして。

水野広徳の見たドイツの実情は、昭和二十年終戦後の日本の状態とそっくりそのままである。水野は敗戦日本の状況を、人に先んじてドイツに見た。

欧州の惨状を見た水野は避戦の筆をとった。思うことを鋭く書くために、海軍大佐を退役した。

――戦争は日露戦争までは軍人の戦争であった。しかし第一次世界大戦以降、戦争は全国民のものとなった。

非戦闘員の区別がなくなった。次の戦争は東京も大阪も爆弾の火の雨が降る。

軍人は好戦の危険があるゆえに、これを政治の外に隔離しなければならぬ。軍部の帷幄《いあく》上奏権など、もともとあるはずがないというのが水野の持論であった。

水野は統帥の独立や帷幄上奏権が専横な政治に移行していく禍根となることを、予見して憂えていた。

昭和七年、水野広徳は、

――『興亡の此の一戦』という日米戦の予想を書いた。

日本海海戦の後は、軍艦は石油を燃料とするようになった。日本にはこの燃料は産出しない。第一次世界大戦後は国力と国力の総力戦となった。テキサスの油田とデトロイトの工場を見ればアメリカと日本の国力の差は歴然とする。

——軍艦の数の単なる比較ではない。

昭和七年、航空機が戦力としてみられていないこの頃、水野はすでに東京大空襲を予想した。昭和二十年三月の東京大空襲では一晩に少なくとも八万人以上の市民が死に、三十七万棟の建物が焼かれた。無差別爆撃は全国に及んだ。水野広徳は人に先んじて日米戦の結果を見通して予想記を書いた。

九年後の昭和十六年（一九四一年）におきた大戦は水野の予想したとおりの結果となった。

惨禍《さんか》は非人道的な原爆の使用により、さらにはかりしれないものとなった。必要もないのに原爆の使用実験がヒロシマ、ナガサキの非戦闘員に対しなされた。

「——日米戦えば日本は敗れる」

こう書いた本は忽ち発売禁止になった。

水野の身辺は監視され、言論は抑圧された。軍人にとって敗戦を口にすることは卑怯なことであった。「卑怯」といわれれば沈黙してしまわなければならない環境におかれていた。

言論を抑圧する前に、なぜ冷静、科学的にその主張が分析されなかったのであろうか。石油の輸入を閉ざされた日本は、営々築いてきた軍備が、僅かな備蓄を使い切ってしまえばハリコの虎になってしまう。「座して死を待つより打って出るべし」という「ジリ貧論」が主張され、早期開戦に傾いていった。

水野は国を守る軍人が務めを怠り、統帥権を楯に政治を弄んで遂に国を破ることになったことを慨嘆《がいたん》しつづけた。

――狂気の時代に正気の人がいた。

信念をまげずに良心に従って主張した水野広徳の存在は光っている。

松山市の子規堂の坊ちゃん電車の近くに、水野広徳の頌徳碑が建った。

碑文に広徳の歌があった。

世にこびず　人におもねらず
我はわが　正しと思ふ道を進まん

話はさかのぼって明治三十五年のことになる。東京に転任となった真之は、芝高輪の車町に母親のお貞と一緒に住んだ。

横須賀へ出張して家へ帰るとお貞が、

「新俳壇の巨星正岡子規の死去」

という新聞を見せ、葬儀はあす二十一日、午前九時、根岸の自宅でおこなわれると伝えた。

子規の死んだのは明治三十五年九月十九日であった。

「とうとう死んだか」

真之は重い気分になった。

葬儀には間にあわないかもしれないと思って家を出た。

子規の弟子だった高浜虚子と河東碧梧桐《かわひがしへきごとう》が、お棺につきそって根岸の家を出て、しばらくすると、

「袴をすそみじかにつけて大きなステッキを握った、坊主刈りの小柄な男が肩をいからせて、大またでやってくる」

のに出会った。真之は棺のそばに寄ると黙って一礼した。そして路傍に立ちどまったまま立ちつくしていた。

葬列はそのまま過ぎ去って行った。

(幼友達の親友正岡子規は、一人で死の世界へ行ってしまった)

(人はみな死から免《まぬが》れることはできない。おれもいずれは死ぬ)

真之はそんなことをつぶやいた。

人の死ということに感受性の強い真之は、棺を見て衝撃を受けた。

(自分という個体にとって生死ということは重大事である。生死にかかわる科学や宗教をきわめてみたい)

と思う。しかしいずれそういうことのできる時機がくるであろう。今は風雲急を告げる日露の国際情勢の中で、自分の天職である軍務に没頭するのみ——真之は素早く頭をめぐらして歩きはじめた。

歩きながら子規のことを思った。

子規は自由民権で有名な中江兆民が喉頭がんになり、あと一年半のいのちと宣告され、その心境を本にしたものを読んでこう言った。

「兆民はのどに一つの穴だが、自分は腹にも背にも蜂の巣のように穴があいている。自分は一年半ももたないことを知っている。拷問《ごうもん》という生地獄があるそうだが、あしは毎日毎時それを受けている。激痛に苦しむのにくらべたら、兆民はたいそうなことをいうものではない」

子規は鳥かごの鳥のなき声を聞いたり、庭の草花をながめたり、花鳥や俳句の感想をのべたり、あるいは枕もとから見えるわずかな自然を写生して絵にしたりしている。

「美がわかれば楽しみ出来申し候」

と言い、自分の死が刻々迫ってくる中で、子規は美の行者でありつづけた。

(子規はすごい奴だった)

暑い日は　思い出せよ　ふじの山

明治二十六年夏、真之が「吉野」の回航委員として、イギリスへ行くとき、子規の送る句だった。

君を送りて　思うことあり　蚊帳《かや》に泣く

明治三十年夏、アメリカへ留学を命ぜられた秋山大尉を送る子規の句だった。

遠くとて　五十歩百歩　小世界

これは明治三十三年元旦に英国駐在武官であった真之が、子規宛に送った年賀ハガキの句であった。

根岸の子規の家に着いた。

母親のお八重、妹のお律、近所の婦人などが棺の行ってしまった座敷にぼんやりすわっていた。お律は看病のやつれで顔がむくんで黄ばんだようになり、若い娘の表情はなく、見るかげもなかった。

真之は、すべてが遠くへ飛び去って行ったように感じた。うまくくやみの言葉が出てこないので黙ったまま、香炉の前ににじり寄って焼香した。

そのまま去って行った。
子規を土葬する田端の大竜寺の方にも行かなかった。

第六章　秋山軍学

海軍大学校へ着任すると坂本校長が真之を待っていた。自然と留学中の話になった。

「アメリカでは旗艦『ニューヨーク』に乗り組んで、サムソン少将以下司令部の幹部に接したそうだが、よくあれだけふみ込めたものだ」

「アメリカ人からみると、私が子供っぽくみえるらしいのです。年齢を少しサバを読んで若くいいました。私を子供扱いにしてくれまして、ボーイというわけです。かわいい奴だとみたのでしょう。私も警戒されることのないようずい分気をつかいました」

「苦労したろうな。後任者からは入れなくなった」

「あれは決してアメリカ海軍が、公式に日本将校の私に乗艦勤務を許可したわけではないのです。個人的に嘆願して便宜を得たのです」

「よくやったよ、こちらも秋山報告をみんな目を輝かせて読んでおったよ」

「アメリカ海軍は若々しい海軍です。改良進歩ということに非常に積極的です。何でも新しい技術を取り入れようという意欲があります。それでいて、何でも開放主義の国のようにみられていますが、あれはただ表面だけの話です。秘密保持の規定などは、日本よりずっと厳重でした。

ときどき外部に洩れることはありますが、あれは民主国家の建前上、民間の世論を配慮して、わざと機密を流すのです。

ときには新聞、雑誌記者が暴露することもありますが、一般的にいって、どうして、どうして、開放主義とかいっても、根本は厳格な国です」

「大学校は実地の演習をふんだんにやっている小軍令部だといっていたね」

「そうです。ナマの実際問題を討論したり、研究させて、その成果を他日の作戦材料として、秘密にしまっているのです。

仮想敵に対する作戦計画は、いろいろ実演してみて、資料も十分に用意しています」

坂本校長は小肥りで、耳たぶが豊かなのが人目をひいた。

真之は海軍大学校の戦術教官となった。

海軍にあって戦術家といわれた人物は、真之の先輩では、島村速雄、山屋他人《やまやたにん》の二人しかいないといわれた。

信じられないことだが、海軍大学校に「戦術」という講座をもうけ、戦術についての系統だった研究をはじめたのは、明治三十五年七月のことである。

真之がその初代教官にえらばれた。

「――秋山教官、わが海軍の戦法には、まだこれという流儀がない。ぜひ全軍が依るべき、日本艦隊ならこれでいくという基本の戦術を講じてもらいたい」

坂本校長はものやわらかに、ゆっくり言った。

真之は海軍兵術を戦略、戦術、戦務の三大種目に分かち、それを更に基本と応用に区別した。

戦略は、「戦闘の時、戦闘の地、戦闘の兵力を定めるもの」と説明する。軍の配備その他の根本問題を取り扱うものであり、敵に備えてのいわば布石である。戦術は、ずっと局部的で「敵軍との交戦にあたり、いかなる計画によって、いかなる隊形で戦うか」という技術的な、いわば、手筋や定石に類するものである。

日露戦争についていえば、開戦当初、連合艦隊を三つに分けてそれぞれの任務に当てたり、旅順口を封鎖したり、バルチック艦隊迎撃の地点を定めたりしたのは戦略である。バルチック艦隊と接近して、丁字あるいは乙字戦法を用いたり、あるいは夜襲を実行するなど正奇、虚実の術を尽くしてこれを撃破したのは戦術に属する。

戦務は、「戦略、戦術を実施するための事務の総称」であり、情報通信、弾薬、兵器、炭水、兵糧などの補給を包含する。

真之は戦務を独立させ、これを重要視した。これは真之の一見識であった。

築地の海軍大学校は、江田島に移ったあとの兵学校の建物を使っていた。レンガ造りの西洋風の生徒館が当時のままであった。

広い庭に芝生が美しく、木々には野鳥がとびかっていた。

真之は着任すると、図書室に、兵学に関係ありそうな本をどしどし買い入れさせた。馬術や弓術のような武芸書まで買ってきた。

——個人的な武芸でも、その原理を抽出すると兵術に応用できるものがある。

と言った。

和漢洋のあらゆる雑多なものをならべて、そこから、ある原理をみつけ出すということに真之はすぐれていた。

——物事を帰納する力、

が真之の得意とするところであった。

真之は採点にあたって学生の答えが自分と違っていても、論理がとおって一つの説をなしていれば、それ相応の高い点を与えた。

「多くの戦史や各種の兵書をよく読んで、考えに考えた上で、これだ、と思うものが諸君の兵理で、それがたとえ間違っていたとしても、百回の講義で聴いたものを暗記しただけのものに比べれば、はるかにいいものなのだ。

……自分の研究で会得したものでなければ、実戦で役にたたない」

と説明している。

教官が、自分の考えどおりでなければ高い点数を与えないという採点法をすると、学生達は自分で考えようとしなくなる。

教官の考えに従うだけの応用のきかないものになる。

千変万化の実戦に対応して、自主的に適切に判断することができなくなってしまう。

「自分で考えに考え抜いて、これだと思う答えをしぼり出せ」

目的を達する方法は、教官の考えよりむしろいいものもありうる。

真之は学生達をこのように指導した。

教えられたこと、決められたことしか考えられない人間を真之は嫌った。

真之はロシア艦隊を仮想敵とする図上演習や兵棋演習に力を入れた。

海軍が得ているロシアの資料を結集して、演習盤上にロシア艦隊を再現した。

実物そっくりのロシア艦隊が、その持てる性能、砲雷戦の技量、艦隊運動のやりかた、ロシア的作戦の発想をもって動きまわるのに対して、わが艦隊がこれを撃滅する。

砲煙がたちのぼり、弾雨が飛来する実戦にあるような迫真の演習である。

学生たちは目をかがやかせて、実演に熱を入れた。

黄海と日本海の海面で、こういう実戦に近い演習を何回もくりかえした。指揮官に擬せられた学生たちの、戦局をつかむ観察力、判断力は格段に練磨された。ロシア艦隊を敵として具体的な演練をつづけるうちに、

「ロシア海軍に勝てそうだ」

という自信を共有することができるようになった。

この学生たちが日露開戦時には、各戦隊の参謀として配属され、秋山作戦参謀の指示のもとに秋山戦法を実施した。

「散舟その志を一にすべし」

と水軍兵書にあるように、作戦面ではほとんど、以心伝心一糸みだれずに全軍が動いて、総合戦力を発揮することができた。

受講する学生は真之とあまり年齢の違わない少佐、大尉であるが、先輩までが聴講生で入っていた。

八代六郎大佐は、真之が兵学校の生徒だったころの教官であったが、師弟逆に

なって、熱心に真之の講義を聞いていた。

八代は四十二歳。豪傑といわれている。

真之に異論を述べて、けんかのような議論になり双方ゆずらず、真之はつい、

「八代先輩はえらい人かと思っていましたが、意外と頑固ですね」

と口走ったために事態が沸騰した。

しかし、たがいにもう一度よく考えよう、ということになってこの日はおさまった。

翌日、八代は赤い目をしてやってきた。

「秋山、君の方が正しいとわかった」

と昨夜寝ずに考えた結果だとあやまった。

「そうでしょう」

真之は愛想もなく、そっけない。

ふつうなら、上級者に対してべつのものの言いようがあるであろう。真之にすれば戦術の議論は合理性の世界であり、愛嬌など要らぬと思っている。

戊辰戦役のとき、長州の医師あがりの兵法家、村田蔵六（大村益次郎）がそう

だった。

上野の彰義隊を始末し、戦の指導に天才ぶりを示したが、蔵六は、おのれの戦術を理解しない者に対して、木で鼻をくくったような応対をして、まるで愛嬌がなかった。


真之が海軍大学校に通うようになって半年たち、明治三十六年の正月を迎えた。

この時、兄好古は清国駐屯軍司令官として天津にいた。四十六歳、陸軍少将に進んでいた。

好古少将は外国文武官との社交上、妻の多美を任地に呼び寄せることになった。

七十六歳になる母お貞のことが心配である。

――留守は真之に託することになる。そうすると余儀《よぎ》なく嫁をとるだろう。

と好古は手紙に書いた。真之の身辺の変化を兄は希望した。

「嫁をもらって、家を継ぐ子をつくっておかないと、先祖へ申し訳がたちませんぞ」

母のお貞は真之にずっと嫁どりをすすめている。子をつくることが先祖への供養の第一だとかたく思っている。

「――よし、嫁をもたせるぞ」

八代六郎大佐は、真之の才気を誰よりも高く評価していた。のち八代は海軍大臣となってシーメンス事件の処理をするとき、真之を軍務局長の要職にもってきた。

八代と広瀬武夫と真之は、人格、思想、文学性でたがいに共感したものがあったのであろう。この三人は心の通い合う緊密な仲だった。

この年の春四月、折から築地の水交社ではなやかなもよおしがあった。

華族女学校の才媛たちが集まっていた。八代大佐は、青山少佐の妻の妹という令嬢を盗み見ていた。

「清らかですっきりした、気立てのよさそうなお嬢さんだ」

それから何日かたって、八代は彼女の家を訪問した。

愛知県豊田市――(当時は挙母《ころも》といった)の出身で、宮内省に御用掛《がかり》を奉ずる稲《いの》生真履《うまふみ》の宅である。

海軍大佐の袖章をまいた恰幅のよい八代は客間にとおされた。

「ご令嬢とのご良縁を、友人のためにお願いしたい」

と思って訪問したと八代はあいさつした。

「その友人とは海軍大学校教官秋山少佐です。わたしは秋山君の教えを受けている者です」

八代は明るく笑って言った。

「わたしは名古屋ものです。同県のよしみでうかがいました」

父親は娘婿の青山芳得《よしえ》にたずねた。

「秋山ですか。わたしのクラスの首席です。外国にも留学した秀才です。あいつが義弟になるのか、弱ったな。でも、そうなればうれしいですね」

と青山は奇縁をよろこんだ。

稲生は三女の季子《すえこ》を真之に嫁《や》ることに決めた。縁談は順調にすすんで、明治三十六年六月二日、水交社で結婚式をあげた。

真之三十六歳、新婦は二十一歳であった。

兄の好古は三十五歳で結婚した。この兄弟はいずれも独身主義だったため晩婚であった。

「たいていの人は妻子をもつと共に、片足を棺桶につっこんで半死し、進取の気性衰え、退歩を始める」

と「天剣漫録」に書いたようなことを、いつも言っていた。

そのように言ってきた手前、はなはだかっこうがつかない。

七月七日付で「浅間」の艦長に転じた八代大佐から、真之が結婚したことを聞いた、「初瀬」の副長山屋他人は、心からの祝賀の手紙を送ってきた。まじめな真心にみちた祝詞なので返事を書く真之はてれた。

要旨次のような礼状を書き送っている。

「――戦術の神様になろうと思っているこの私が、日露の風雲急なこの時節に、にわかに素志をまげて妻帯したことが、早くも筑紫の果の大兄の耳に達して、祝詞をいただき恐縮至極であります。

しかしこの入道（戦術に没頭する自分を仏門にでも入ったように言っている）が女房を持つ気になったのは、べつに平和とみせかけて、敵に油断させるような大計略というものではありません。

これはただ、一生の大道楽の中途における、ほんのうさ晴らしであります。したがって、誰にも知らせたり披露はしませんでした。

いまは、広大無辺の宇宙を考え、永遠の万世を思い、粟つぶのような地球の表面での人類の嚙《か》み合いを自笑しながら、(政府指導者がなかなか日露開戦にふみきらないから)高輪の仮寓《かぐう》で昼寝をむさぼっています」

二十一歳の新婦は、白無垢《むく》の姿そのままに、清楚で白梅のようなふくいくたる香りがあった。胸のふくらみはすべすべとして、ときめきを感じた。乳房をふくむと幼児のような気持に戻って、安らかな至福に満ち満ちた。そこには母性へのあこがれと、ゆるぎない安らぎがあった。

真之は、海がはじめて白く泡立った、はるかなる天地創造の神代のことを思い描いた。

……天地のおぼろなる時、伊弉諾《いざなぎ》、伊弉冉《いざなみ》の二柱の男女の神が、天《あめ》の浮橋《うきはし》に立ち、アメノヌボコという槍のようなものを握って、下を見ると海中のくらげのようなドロドロしたものが見えるばかり。

そこでその矛《ほこ》を持ってそこをかきまわし、それから矛をかきあげた。すると矛のさきから、しずくのようなものがポトポトと落ちた。

したたり落ちたしずくから、オノコロ島ができた。

伊弉諾尊は伊弉冉尊にむかって、

「あなたは、なんと美しいおとめだ」

とたたえたという。


真之が勤務を終えて帰ってくるのを、新妻は心待ちに待ちながら夢みる。

……夏の日の幸福な輝き。あなたを待つ私の心は明るい大空の光でいっぱい。あなたを受け入れて、わたしの中でみずみずしい愛が花開いたのです。わたしが今まで待っていたものは、この抱きしめていたい愛でした。美しい露にぬれた愛の花。今は時間を超えた永遠というものを知りました。ああ、あなた！

真之は新婚のアツアツの中にいる。講義のとき妙なたとえをひいた。

「およそ戦闘というものは、男女が夫婦の契約をなすが如く、相対的に成立するものにして、双方の意志が相一致しないときには戦闘はおこらない」

学生たちはにやりと笑った。

言いたいことは、次の四つの場合以外には、戦闘はないということだった。

一、対抗両軍の戦闘力が均勢のとき、

二、双方もしくは一方が敵の戦闘力を誤算し、その敵に対し優勢又は均勢と誤信したとき、

三、一方が優勢で、劣勢の敵を窮迫して、戦闘するのやむなきに追い込んだとき、

四、一方が劣勢であっても、その巧妙な戦術により優勢な敵を屈し得ると自信したとき、

講義は続くが、学生たちがにやにやしているのは、秋山教官がズボンのボタンをかけるのを忘れて、〝社会の窓〟が開いているからであった。

大学校の門を入ったところに大きな桜の木が一本あった。秋山教官はそこへ来ると、きまって毎日、犬のように放尿した。守衛は困ってしまったが、教官があ

まりにも自然にやっているので、仕方なく横を向いていた。

今日も真之はそれをやって、そのまま教壇へ上ったらしい。

真之の亡くなった父親は、しょっちゅう街路上でやっていた。当時、文明度をあげて不平等条約改正をすすめるため、巡査がうるさく取締っていた。父親は放尿途中で巡査につかまり、恐縮して巡査に罰金をわたし、さらに少し足して、

「もうこれだけのぶん、さしてくだされ」

と言って続けたという笑い話が、町に残っている。

真之の講義は不朽の名講義だったといわれている。島田謹二氏は『ロシヤ戦争前夜の秋山真之』において講義内容を詳しく再現されている。

真之は、日本ふうな名文で戦果を説明した。

――戦果はあたかも、草木が春夏に生茂《おいしげ》って花開き、その花散りて後、秋冬に果実を結ぶが如く、戦闘前半期に収め難く、多くは後半期の終りに多大の収穫あ

るものなり。

この前半期は概して、決戦の時期に属し、あたかも春花のらんまんたるが如く、彼我相撃ちて、戦闘の光景最も激烈を極む。まだ多量の戦果を見ざるも、勝敗漸《ようや》く決し、彼我戦いに疲れ、砲声次第に衰え、あたかも花の散りたる後の如き、後半期に至りて、漸次に、戦果の収穫を知るべし。

もしこの重要なる時期に、勝者、戦果を収むるに努めざることあれば、全然無意味に戦いたるものというべく、ただ花のらんまんたるを見て、目を喜ばしたるのみにて、その美果を食わざると一般なり。——

……戦果が大きくなければ、彼我の兵力を減少させるだけだから、第三者の位置にいる傍観敵国を利するに終る。

この時、指揮官の罪は敗戦よりも大きい——。

厳島《いつくしま》の合戦では、毛利元就が敵将陶晴賢《すえはるかた》を自刃させて戦果を得たが、上杉謙信と武田信玄の死闘した川中島の激戦は、両軍とも戦果を得ることができなかった悲惨な適例であるとする。

真之は甲越の戦いに非常に興味をもっていたらしい。

「秋山の性格としては、信玄より謙信の方が好きらしかった。と言って謙信が好きかと正面から聞くと、例の負けず嫌いの性格から、図星をさされるのが嫌いだから、これを否認していたようだったが、どうもいろいろな点から推して謙信が好きだったようだ。

また秋山が謙信のような人だったというと、相当反対論が出るであろうが、人物の全部がそうでないまでも、どこか一致した点があった。

しかしその戦法となると、秋山の戦法はむしろ謙信流よりも信玄流の方に近いと思われる。秋山提督の作戦計画は極めて、科学的で綿密であった」

と清河純一（中将）は語っている。

日本海海戦で七段の構えを立て、昼と夜と新手の軍を順ぐりに繰り出して、敵を襲う作戦をたてたのは、甲越戦法にある、「車がかりの戦法」の応用であるともいえた。

真之はまた、

「戦略、戦術の要訣《ようけつ》は天、地、人の利を得るにある」

といっていた。

「天」は時である。如何なる機において敵と合戦するか、如何なる天候のもと如何なる作戦をとるか、これが即ち天である。

「地」は場所である。我は如何なる地点をとり、如何なる地点を敵に与えてならぬか、これが即ち地である。

「人」は人の和である。如何なる統師の下に、如何なる軍を配するか、如何にして、主将の命令を徹底せしめるか、如何にすれば、敵の連繋《れんけい》を絶ち得るか、これが即ち人である。

真之は、戦闘における攻撃方法は、

正法（正攻）

奇法（奇襲）

があるとする。たとえば艦隊戦闘で両軍が、正攻する場合は単なる力くらべになってしまう。

「兵術は〝詭道《きどう》〟」だから、戦術は奇法によって効用を発揮する。敵の先頭もしくは後尾にまわって、わが全線の砲火を敵の一端に集中するようにもっていく、いわゆる、「丁字戦法」。

それに「乙字戦法」を併用するのも、明らかに奇法である。

戦術というものは奇法によって成立する。

秋山教官はこう力説しておいて、「しかし」と語を転じた。

奇法はいつもとることはできない。奇と奇が争ったらどうなるか。そこで、

「およそ戦う者は、正をもって合い、奇をもって勝つ」（孫子）とする。

「正をもって合い」とは敵が正奇いずれの攻撃法をとってきても、我は常に正々堂々の実力でむかい、虚を見せないことを意味する。

「奇をもって勝つ」とは機を見て、敵の虚に乗じ弱点をついて勝ちを制するという意味である。

「丁字戦法」とは我は正位を保ちながら、敵に正位を失わせようとするもので、「乙字戦法」とは、味方の一隊が正位にたって敵と対戦しているときに、他の一隊が奇位にでて、敵翼を横撃するものである。

正奇の両方法にくわえて、さらに攻撃の応用を複雑にさせるものがある。

戦法に虚実のかけひきがある。攻撃にも、

虚撃

実撃

があるとする。

たとえば、正面から堂々と攻撃するとみせかけて、敵を牽制《けんせい》するのは正法の虚撃である。また夜中ときならぬときに空砲を放ち、探海灯を点じ奇襲を装うのは奇法の虚撃である。

敵の攻撃をうけた時は、虚実、正奇いずれかの観察、判断が必要である。

虚実のかけひきにおいては、彼我の力量を知り、意図を知り、戦勢と戦機を先見する能力をみがくしかない。

——戦士たる者は、いよいよ戦場に立つ時は、生死の念を去り、毀誉褒貶《きよほうへん》にとらわれず、無我の境地に立ち、事相を達観せよ。——

真之はおのれの信念を説いて講義をしめくくる。

また真之は戦士の心がけるべきこととして次のことを強調していた。

「——兵器戦具の進歩はとどまるところがありません。だから今日一つの戦術を講習し終えたからといって、これを将来そのまま適用しうると安心することは、とうていできません。

——ナポレオンは一戦術の有効期限を十年だと申しました。兵器の改良進歩のきわめて遅い当時の陸軍でさえそうです。

海軍はちがいます。昨日の堅艦は、今日ではもう弱艦にはいります。今日の良砲は明日はもう廃砲になるのです。

こういう日進月歩の海軍では、戦術の有効期限はおそらく二年を超えることはありますまい」

……真之は感慨深げにそういいわたした。聴講者一同はゾーッとしてなんともいえぬ武者ぶるいが、各自の体内を駆けめぐるのを実感した、と島田謹二氏は書いている。

この講義から二年の有効期限内のぎりぎりのところで、日本海海戦は戦われた。

固定観念を変えることほど、むつかしいものはない。昭和の海軍は大艦巨砲主義を、いつまでも捨てることができず、航空機と潜水艦の戦いで敗れ、レーダーと暗号で敗れた。巨艦「大和」は昭和二十年、無用の長物にすぎなかった。

「徳の島の北西三百浬（海里）の洋上、『大和』は轟沈して巨体四裂す。今なお埋没する三千の骸《むくろ》、彼ら終焉の胸中果して如何」

吉田満元少尉は「大和」の最期をこう書いている。

思えば日本海軍の軍艦のほとんどは、航空機と潜水艦によって沈められている。

第七章　窮《きゅう》鼠《そ》

ロシアは約束を守る国ではない。満州に大軍を送りこんで、撤兵どころか逆に増兵して居すわった。鴨緑江岸に木材会社を設立し、これの保護を名目に兵をすすめる。ロシアは満州を領して、朝鮮にまで手を伸ばしてきた。朝鮮半島の地政学的位置から日本はここを、「国防の生命線」とする。

朝鮮をロシアが植民地とすることは、日本にとってまさしく「悪夢」である。

専制君主ニコライ二世は誇大妄想狂であった。夢想家にありがちな、煽動者の言に簡単に動かされてしまう無定見きわまりない皇帝であった。

ロシアはベゾブラゾフ、アザバなど「銃剣外交」をすすめる侵略主義者がすでに宮廷をにぎっていた。

ロシアはシベリア鉄道を使って、すさまじい勢いで兵力を増強させていた。旅順、ウラジオの要塞工事は、夜もサーチライトのあかりの下で行われている。軍艦は欧露からどんどん送り込むばかりでなく、駆逐艦などは旅順で竣工させるということもはじめていた。

ロシアを警戒しているイギリスは、日本と同盟を結んだ。しかしイギリスは極東でロシアと戦う意志はないし、戦えるほどの軍事力も配備していない。したがって弱小国日本が大国ロシアに戦いをしかけてくることは、ありえないというのがロシアの常識的観測であった。

「日本はロシアの威圧に屈して言うがままになる」

そう考えているロシアは、

〃満州は日本に一指もふれさせない。朝鮮の北半分は（中立地帯にするという名目ではあったが）ロシアの勢力下に入れたい〃

という外交文書を日本に回答としてよこした。

傲慢《ごうまん》きわまるロシアの要求が日本を追いつめていた。朝鮮の北半分をとれば、次は軍隊を南下させて南を併呑し、さらに九州に手を伸ばしてくることは目に見えている。

白人国同士では通用しない外交政略が、相手が異教のしかも劣等人種とみられている黄色民族の国ともなると、平気でとられるということであった。

有色人種である日本が先の大戦において、敗れたりとはいえ、東南アジアの白人支配者を追い払い、欧米大国を相手によく戦ったことが触媒となって、大戦後アジア、アフリカの植民地が独立を果たした今日では、人種偏見がやや薄れた。しかし日露戦前のこの当時では、劣弱な黄色民族は、ニコライ二世の言うように、〝黄色い猿〟でしかなかった。この日露交渉では、日本は死に追いつめられ、窮鼠にさせられた。

このことについて、司馬遼太郎『坂の上の雲』の次の一節を引用せずにはいられない。

「東京裁判においてインド代表のパル判事がいったように、アメリカ人があそこまで日本を締めあげ、窮地においこんでしまえば、武器なき小国といえども起ちあがったであろうという言葉は、歴史に対するふかい英知と、洞察力がこめられていると思っている。

アメリカのこの時期のむごさは、たとえ相手が日本でなく、ヨーロッパのどこかの白人国であったとすれば、その外交政略はたとえ同じでも、嗜虐的《サディスティック》なにおいだけはなかったにちがいない。文明社会に頭をもたげてきた黄色人種たちの小面憎さというものは、白人国家の側からみなければわからないものであるにちがいない。

一九四五年八月六日、広島に原爆が投下された。もし日本と同じ条件の国が、ヨーロッパにあったとして、そして原爆投下がたとえアメリカの戦略にとって必要であったとしてもなお、ヨーロッパの白人国家の都市におとすことはためらわれたであろう。

国家間における人種問題的課題は、平時ではさほど露出しない。しかし戦時というぎりぎりの政治心理の場になると、アジアに対してならやっていいのではないかという、そういう自制力がゆるむということにおいて、顔を出してくる。

一九四五年八月八日、ソ連は日本との不可侵条約をふみにじって、満州へ大軍を殺到させた。条約履行《りこう》という点においてソ連はロシア的体質とでもいいたくなるほどに平然とやぶる。しかしかといってここまで容赦会釈ない、やぶり方というものは、やはり相手がアジア人の国であるということにおいて、倫理的良心をわずかしか感じずにすむというところがあるのではないか」

明治三十六年四月、神戸沖で第三回の観艦式がおこなわれた。この日集結した艦艇は六十一隻、二十一万七千トン。新鋭の三笠、朝日、富士、八島、敷島、初瀬などが威容をならべた。お召艦「浅間」に天皇旗がひるがえり、満艦飾の各艦は海軍力を誇示した。

招待された列国外交官の中にはロシア公使ローゼンもいた。また外国武官の中には、ロシアの巡洋艦アスコルド艦長グランマッチコフ大佐もいた。

彼はローゼンにこうささやいた。

「日本の海軍は日清戦争時にくらべれば、たしかに整備された。外国から購入した軍艦をそろえ、形はととのえられた。

しかし、乗組員の精神、艦の操縦技術、運用ともに、とうていわがロシア海軍におよばない。幼稚な海軍である。ご懸念にはおよばない」

――臥薪嘗胆《がしんしょうたん》の十年に、日本海軍は世界一流の艦隊をつくりあげていた。艦においても、人においても、そして戦略や戦術においても。

しかし既成概念のとりこになっているロシア軍人の目は、冷静に日本海軍を見ることはしなかった。日本を侮蔑する固定観念から脱することはできなかった。

この観艦式の時、常備艦隊司令長官は精悍無比、熱血の薩摩隼人、日高壮之《そうの》丞《じょう》中将であった。旗艦三笠の艦橋で、全艦隊統率の指揮をとる日高壮之丞の得意やおもうべしである。

ロシアと開戦のときは、剛将日高によって連合艦隊は統率され、ロシア艦隊と戦う――と誰もが考えていた。

――ところが山本権兵衛の妖刀が突如、一閃して、抜きうち人事が断行された。

山本は日高に電報をうち海軍大臣官邸へ呼んだ。

日高は颯爽《さっそう》と勇み立ってのりこんできた。

「やあやあ、しばらくじゃった」

二人は甲突川の川原で石投げ合戦をやった遊び友達であった。戊辰の戦役で共に戦ったあと、二人は一緒に相撲とりになろうとしたほどの仲である。

気負いたった日高に対し、権兵衛はうかぬ顔で黙って腕ぐみをしている。

「おれをよんだのは何の用か」

「……うーん。じつはおはんにかわってもらいたいのじゃ」

「かわる。……理由はなんじゃ、わけをいえ」

日高はすさまじい顔付きになった。

「理由というほどのことはない。おはんも長官になってもう一年三カ月になる。このへんですこし、気分ば変えんと」

「だまれ権兵衛、そんな子供だましの言い草にはのらん。だれだ、おれのかわりになるのは」

日高はどなった。

「じつは東郷じゃ」

「東郷？　平八郎か」

おなじ薩摩出身でも、日高は東郷など眼中になかった。日清戦争の直前、病気ばかりしていてクビになりかかった男である。東郷はおそらくいまの舞鶴鎮守府長官を最後に、中将どまりで現役をしりぞくことになるだろうといわれていた。

日高はやりきれなかった。開戦目前にして、やめさせられることと、その後釜が東郷であるということで、二重の屈辱を感じた。

「権兵衛！　もうなにもいわぬ。この短剣でわしを刺し殺してくれ」

腰の短剣をすっと抜くや、権兵衛の顔前に白刃をつき出した。

日高は冷静さを失って芝居がかった蛮行を演じた。薩摩のボッケモンの対決のつもりであった。ボッケモンというのは薩摩特有の猛勇で、きかん気の頑固者のことである。

「日高、お前が憤激するのは、もっともじゃ、わしがお前の立場じゃったら、やっぱりお前の前に刃をつきつけていたじゃろう」

権兵衛はつづける。

「ところで話をきけ、わしとお前とはいっしょに戦った仲だから、わしはお前のいいところも欠点も知りつくしている。お前の勇気と頭脳の冴えもよく知っている。しかし、お前には悪い癖がある。なにごとにつけ、自負心がつよく、自分をだしすぎるのだ。一度こうときめたら、けっして他人のいうことをさかんのだ」

「それは認める。だからどうだというんだ」

「日露開戦となった場合、作戦用兵の基本方針は大本営で決定し、それを海上の司令官に通達し、手足となって動いてもらわなければならない。

お前は気に入らないと自分勝手の料簡《りようけん》をたてて、中央の命令に従わぬ危険性がある。中央は出先の艦隊が命令どおり動いているものと考え、つぎの作戦計画をたてているとき、司令官が勝手な行動をとっているとしたらその結果はどうなると思う。作戦計画は崩壊し国家がほろぶ」

権兵衛はさらにつづける。

「そこへゆくと、東郷にはそういう心配がない。東郷は大本営の命令に忠実であろうし、戦局のうごきにも臨機応変の処置がとれる。大艦隊を率いて近代海戦を戦うには、なによりもそれが必要だ。

東郷をえらんだ理由はそこにある。わしはお前に変らぬ友情をもっている。しかし個人の友情を国家の大事にかえることはできない。

わかってくれ、のう日高！」

日高はやがてうなずき、涙をうかべて、

「わかった。あやまる」

と言って頭をさげた。


この日の前日、東郷と軍令部長の伊東祐亨《すけゆき》は山本の官邸へ入っていた。

山本は一年ぶりに東郷の顔を見たことになる。

「おはん、健康ばすぐれんちゅうたが、どげんじゃ」

「このとおり、元気でありもす」

同郷の者が会うとしぜん郷土弁になった。伊東も微笑をたたえて二人を見ている。

しばらくして山本は、

「じつは東郷さん、すこし面倒かもしれんが、日高のあとを引き受けてもらいたい。どうだ」

と言ったが、東郷はいつものとおり無表情の顔つきだった。

しばらくしておもむろにこたえた。

「よろしい、引き受けよう」

「しかし、万事中央の指令どおりに動いてもらわにゃならん。この点はどうだ」

と権兵衛は釘をさした。

「それでいい、わかっている。大本はそれでいくとしても、戦場でのかけひきは東郷にすべて一任してもらいたい」

もちろん権兵衛に異存はない。権兵衛は、日露戦争には健康さえ許せば、東郷をもって全指揮にあたらせることをかねてから腹に決めていた。

大戦争の主将には、無神経なほどものに動じない闘将が絶対であり、その点東郷の右に出る者はいないと見込んでいた。

東郷は薩英戦争のとき十七歳で初陣をかざった。以来宮古湾海戦、函館戦争、日清戦争と数多くの海戦を体験しているが、どの戦闘でも負傷もせず、敵弾の雨の中で鍛え抜かれている。

東郷は戦場経験が豊富であり、どう戦うべきかということを肌で知っている。

「昼あんどん」といわれるほど、ものに動じないし、どこか人間ばなれしたところもあった。高陞《こうしょう》号事件のとき、東郷は山本のところへ釈明に来た。その時の東郷は印象深い。東郷は権兵衛より五歳年上でこの時五十七歳になっていた。

東郷の長官任命について、山本が明治天皇に奏上した際、

「どのような理由で日高のかわりに東郷をすえたか」

と御下問があった。

山本はこう答えた。

「はい、東郷は運のいい男ですから、起用いたしました」

陛下はうなずかれたということである。

権兵衛はそう言ったが、東郷は不思議に運のいい男だった。勝利の戦運ということのほかに、日露戦争では、「三笠」を狙って飛んできた砲弾は無数にあったが、東郷、秋山のいた露天艦橋には一発も当たらなかった。

東郷が移ってくれといわれた安全な筈の司令塔には、弾片が飛び込み、飯田参謀ら十名が負傷した。

敵はマカロフが触雷して海に没し、ウイトゲフトは黄海海戦のとき、旗艦ツェザレウィッチの艦上で運命の「怪弾」という一弾でふきとんだ。

東郷が運の悪い人であったら逆のことになっていただろう。

大学校の秋山教官のところへ、海軍省の人事局にいる同期生から至急本省へ出てくるようにという連絡が入った。

真之が田中、千秋《せんしゅう》局員のところへ顔を出すと、

「じつは日露決戦に当たる司令長官に東郷中将が決まった」

という。

東郷という人は真之も見知っている。じつに口数の少ない人だというのが共通の風評であった。仕事ぶりは謹厳実直ということで、才気煥発ではないが、あぶなげはないという見方が定着していた。幕僚への好き嫌いなどは一切あらわさない人だということだった。

「その東郷閣下をたすけて作戦の大任を全うするのは君だ」

「ほんとか」

東郷中将は今、本省に来ているから、発令の前にあいさつしておけという。真之は行った。

「このたびは、あなたの努力にまつこと大である」

東郷はひとこと荘重に言って、だまってしまった。

すぐれた決断力をもちながら、平素も戦場にあっても、無駄口をたたかず、寡《か》黙《もく》であるということは部下統率の要諦であろう。

参謀の才能を将が引き出し、生かす組み合わせでなければ、両者の力は発揮できない。

名参謀には名将が必要なのである。名参謀の献策を受け容れる能力のない将では、参謀も名参謀たりえない。名将は名参謀を使いこなせる力を持つ者でなければならないのである。

羽柴秀吉には竹中半兵衛、黒田官兵衛といった名参謀がすぐに思い浮かぶ。家康も、信玄も名参謀を持った。

しかし天才的な織田信長には名参謀は必要でなかった。

東郷長官は高潔な人格者であった。東郷長官の謙虚な姿の下に、部下将兵は規律と服従の精神をもって団結した。

連合艦隊という大軍を統率し、これを統御する将は、よほど徳望のある人でなければならない。

「将に将たる者は、高邁の品性、公明の資質および無限の包容力を具え、堅確の意志、卓越の識見および非凡の洞察力により、衆望帰向の中枢、全軍仰慕の中心たらざるべからず」（統帥綱領）

徳富蘇峰《そほう》は、東郷を「負けじ魂」「小言多行」「簡明一筋の処世」の特徴をもつ「代表的日本人」とたたえた。

人事局の千秋恭二郎に真之は、

「東郷閣下は大将になるために生まれてきたような人だ。あの人の下なら、思いきった作戦が展開できそうだ」

と言った。

「よし、やるぞ」

真之は精気横溢する気分であった。

海軍の人事が行われる前に、陸軍では対ロシア作戦の中心人物である参謀次長田村怡与造《いよぞう》が急死した。心労が累積したためであった。後任には、陸軍大臣も経験した内務大臣の児玉源太郎がなった。

大臣、参謀総長という格の大官が、みずから降格して参謀次長になることは極めて異色の人事であった。児玉は自分がやる以外にはないと、ロシアとの一戦に命を捨てる覚悟を決めて、あっけらかんと無頓着に二階級下の職についた。

児玉は参謀本部構内の部屋に泊り込んで、夜もほとんど眠らずに、作戦に没頭していた。そこへ司法大臣を経験した貴族院議員金子堅太郎が入ってきた。金子は元老伊藤博文に命ぜられてアメリカへ行き、日露講和のための工作を行うことになっていた。

「閣下、正直なところ、この戦争の見通しはどうなのか」

児玉は顔をあげてこたえた。

「勝負を五分五分にまでもっていけるかどうかがやっとだ。朝鮮北部にいるロシア軍をまず、鴨緑江以北に押し返す。この戦いには倍の兵数をつぎこむ。この第一番の戦いに勝てば、あるいは六分四分までもっていけるかもしれない」

「伊藤閣下は、昔の元寇を考えよ、自分も老骨に銃を持って戦う決心じゃ、あらん限りの力をつくしてアメリカでやれといわれました」

伊藤博文の覚悟を語る金子に、児玉も悲壮な顔をして言った。

「おれはおがむような気持でいる」

つづいて金子は山本権兵衛海相に会った。

「日本の軍艦半分は沈む、残った半分でロシアの艦隊を全滅させる。私はそう見ている」

権兵衛はあっさりと言い切った。

金子はハーバード大学を卒業したアメリカ通だった。同窓のルーズベルト大統領に働きかけた。

末松謙澄《けんちょう》（元内相）はイギリスを担当した。高橋是清は外債を募るため欧米に渡った。

さらに明石元二郎陸軍大佐には、北欧にとどまって、ロシア革命党を煽動《せんどう》して、ロシアを後方から脅かす密命が下った。明石はレーニンをたすけてロシアに革命の工作をすすめ、大きな功績をあげた。

ロシアの太平洋艦隊増強に対抗して、新たに二隻の大艦を建造することになっていたが、きたる日露戦には間に合いそうもない。のち昭和天皇の皇太子時代、訪英のお召艦となった「香取」「鹿島」の二戦艦である。

「香取」「鹿島」が間に合わないとみるや、直ちに外国軍艦の購入をめざした。アルゼンチンはイタリアで二隻の軍艦を建造中であった。ところがチリとの国境紛争が英国の斡旋《あっせん》でおさまったので、これを譲るかもしれないということを英国が知らせてきた。

「アルゼンチンと装甲巡洋艦の購入交渉を直ちに行え」

小村寿太郎外務大臣から指令が出された。

ロシアもこのことをかぎつけたが、日本の方が一日早かった。明治三十六年の年末、ようやく日本はこれを買いとった。

この二隻が日本に加わるか、ロシアに加わるかは極めて重大なことであった。戦艦に準ずる性能をもつ新鋭艦で、主力艦の代用として立派に役立つものであった。げんに、のち、機雷に触れて沈んだ「八島」「初瀬」の大穴を即時に補充し、この二艦はなくてはならぬ役割を果たした。

この両艦、「モノレ」「リバダヴィア」は「日進」「春日」と命名される。両艦は排水量は七千六百二十八トン、日進は八インチ砲四門を、春日は一〇インチ砲一門と八インチ砲二門を装備し、仰角が大きく、その射程は世界一であった。この二艦の砲は旅順の要塞砲の射程より長く、その威力をのちに大いに発揮する。

軍艦買収競争で日本はロシアに勝ったが、すぐおこった心配は、無事に二艦を日本へ回航できるかということだった。万一、回航前に戦争となれば、地中海に待ちかまえるロシア艦隊が攻めかかってくる。

日本の回航委員が泊るジェノヴァの丘のホテルにはロシアの公使が泊り、造船所の外にはロシアの戦艦「オスラビア」が大砲を港口にむけて常泊し、地中海にはロシア艦隊が砲撃を準備していた。

明治三十七年一月七日、ジェノヴァにおいて二艦はアルゼンチンの艤装員長であるマヌエル・ドメック・ガルシア大佐から引き渡しを完了した。

「日進」「春日」を引き渡したガルシア大佐は、このあと日本駐在武官を命ぜられ、単身日本に赴任する。そして「日進」に観戦武官として乗艦し、日本海海戦などを観戦して「報告書」をアルゼンチン海軍省に提出した。

この報告書が海上自衛隊関係者の尽力により平成十年十月、『アルゼンチン観戦武官の記録』として、日本アルゼンチン協会から出版された。本書にもこれを参考、引用させてもらっている。

回航委員長は「日進」がフランス駐在の竹内平太郎大佐、「春日」がドイツ駐在の鈴木貫太郎大佐（大東亜戦争終戦時の首相）であった。

回航は英国のアームストロング社が請負った。両艦には英国の国旗をかかげて、一月八日ジェノヴァを出港した。ペンキのまだかわかない姿で、機関も航行中に試験して整備すればよいと、余りにも急いだため「春日」は、「一発の砲弾も積んでいない」ことに気付いた。後の祭りである。

「オスラビア」は「日進」「春日」の前方をさえぎるように航行した。

「なんと、いまいましい『オスラビア』め」

鈴木は舌うちして気味悪がった。

ところがマルタ島を通過したとき、突如、イギリスの重巡「キング・アルフレッド」が姿をあらわし、「オスラビア」と「日進」「春日」の間に、艦首をつっこみ、中間に割り込んで警護を買って出てくれた。三軍の軍艦が一列になって地中海を東行することとなった。

その頃、小村外相とローゼン公使とのやりとりも最終段階を迎えていた。ローゼン公使は、

「小村外相の眼は、まさに最後の決裁は既に済めりと、余に語るものの如くに見えた」

と言っている。

事実、日本は「日進」「春日」の日本帰着の目途がつくのを待っていたのである。

スエズ運河の北口であるポートサイドに到着すると、英人官憲は、

「はしけは全部日本に予約ずみである」

と言って、石炭の積み込みは「日進」「春日」が優先して、まず日本の二艦を出港させ、その後ロシア艦隊に石炭を積み込むという方法で援助してくれた。

ロシア艦隊の大部分はここで引き返したが、二隻のみがみえかくれにアデン湾まで追尾してきた。

一月二十七日、「日進」「春日」はセイロン島コロンボに着いた。英艦「キング・アルフレッド」はその手前で別れを告げ、

「日露戦争は必至だ」

と信号をつたえてオーストラリアにむかった。

「日進」「春日」が安全圏に入ったことを知った山本海相は、各司令官にたいして開戦にそなえる訓示を発信した。

二艦は開戦後間もない二月十六日、横須賀に無事帰着する。日本国中は歓喜し、新聞は両艦の記事で埋まり、数種の絵ハガキは飛ぶように売れる。乗組員が横須賀から横浜へ行く途中、各駅は装飾され、沿道には住民が国旗を振ってあふれ、万歳を叫んだ。

横浜からは明治天皇さしまわしの特別列車が待っていた。駅には各大都市からの土産物が山をなし、東京駅から二重橋まで数カ所に歓迎門が飾られ、街路は二艦の回航をよろこぶ熱狂的な市民で埋まっていた。

ロシアはシベリア鉄道によって兵力を続々と増強している。一日開戦が遅れればそれだけ日本は不利である。

明治三十七年二月四日、悲壮な覚悟をもって御前会議で開戦が決した。「春日」がシンガポールを出港した日である。ロシアに対する国交断絶の通告は、二月六日を期して行う段取りとなった。栗野駐露公使のもとに小村外相からの暗号電が送られた。

二月五日午後二時に発信されたが、時差のためペテルブルグでは五日の午前七時にあたる。その夜、皇帝ニコライ二世の謁見をかねる夜会が開かれることになっていた。栗野公使は欠席するわけにはいかない。

ところが出かけてみると、ロシア外相、陸相、海相などの様子がどうも只事ではない。そのうちフランス代理公使が近づいてきて、

「いよいよ重大事になりましたな」

と話しかけた。

皇帝ニコライ二世の態度がもっと〝不気味〟であった。

皇帝はかつてなく栗野公使に、慇懃《いんぎん》な風情を示し、日本のこと、公使のことな

ど、平素とちがってしきりに笑顔で話しかけてきた。

栗野は、かつて、宮廷の佞臣ベゾブラゾフが、ふと、

「そういえば、近ごろ、私の名が変りましたな」

とあざ笑うように言ったのを思い出した。

本省との暗号電報で、あまり頻繁《ひんぱん》に使うので彼の名を略号に変えたあとのことだった。さらに元蔵相のウイッテを訪れ、意見を求めた時、ウイッテは自分はツアーの不興を買っているから、意見を言うと処罰されると断った。栗野はあなたの意見は公表するものではなく、本国政府へ参考意見として暗号電信を送るだけだから、懸念されることはないと保証した。すると、ウイッテは、

「あなたは、ロシアの電信技師が、あなたの暗号電信を解読できないと思っているのですか。あなたの国の暗号は他国にとっては平文同様ですぞ」

と放言した。

外交暗号が盗まれたのは、オランダの日本公使館で、日露戦争の前年のことであった。

ロシアはオランダ人と偽ってロシアの美人を独身の公使の女中に住みこませ

た。この女中は暗号書を公使の熟睡中に、専用机のひき出しから、合鍵を使って盗み出し、諜報員が写真にとって夜明けまでに戻しておくという方法で、暗号書の全ページを複写した。

——この秘密は暗号書を盗み出させたロシアの諜報主任が、開戦直後、事もあろうにパリの日本公使のところへ、五千フランで売りに来たことから発覚した。外務省はあわてて暗号書を更新した。しかしこの新しい暗号書も、片手間に暗号解読作業に従事していた、フランスの警視がたった二カ月の作業で、千六百ページにわたる暗号書のほとんど全部を再現してしまった。

フランスはそれをロシアに手渡した。

日本の外交暗号が解読されていたという事実は、次から次へと明らかになっている。

第二次大戦中の大島浩駐独大使は、ヒットラーやリッペントロップ外相の信頼が厚かったため、ドイツのソ連進攻の予告や、UボートやVロケットの詳細、上陸地点が想定されるドイツ防衛陣地の状況などの極秘情報を入手して本省へ送った。これを解読した連合国側はいかなるスパイ情報にもまさる貴重な情報を得た。

「大島情報はドイツの崩壊を二年早めた」

ともいわれている。

大正十年のワシントン海軍軍縮会議のとき、日本の外交暗号は読まれていた。解読したヤードリーはのち失業して、金に困り、腹だちまぎれに解読活動をすっぱ抜いた本を一九三一年に出版した。この本を読んだことのある東郷外相は、暗号に不安を感じて念を押した。が、日米開戦直前の昭和十六年十月、外務省担当官は、

「解読はあり得ません。今度は絶対大丈夫です」

と外相に太鼓判を押した。

しかし、日米開戦の前、ワシントンの日本大使館と本国の交信はすべて解読され、ルーズベルト大統領もハル国務長官も、日本の手の内をすっかり見透かし、巧みに日本を戦争に誘いこんでいった。

昭和十六年十二月七日（日本時間、八日）、日本の真珠湾攻撃は日本大使の最後通告の直後に行われる筈であった。しかるに大統領にはすべて読まれている外交文書の、タイプ印刷に手間どり、野村大使がハル国務長官に文書を手渡したのは、攻撃から一時間近くたってからだった。このため、

「だまし討ち」

との非難を浴び、「リメンバー・パールハーバー」の合言葉の下に、アメリカ国民を一挙に戦争へかりたてることになった。

ワシントン大使館の館員たちは開戦直前というのに緊張感なく怠慢の極みであった。暗号文書を放置していたなど、事務担当者の職務怠慢ぶりは眼にあまるものがあり、責任は極めて重大である。しかしその後、当事者は責任追及を受けることなく出世した。官僚組織の無責任ぶりには呆然とするものがある。

第八章　旅順口の海戦

ロシアに対する国交断絶通告の一日前の夕刻、東京からの使者が佐世保の駅におりたった。軍令部山下源太郎大佐が「封緘《ふうかん》命令」の入ったカバンを持って、港内に浮かぶ旗艦へ行く。

常備艦隊はすでに前年解散になり、あらたに第一、第二、第三艦隊が編成され、第一、第二の両艦隊によって連合艦隊が編成された。

東郷平八郎中将が、連合艦隊司令長官兼第一艦隊司令長官、上村彦之丞《ひこのじょう》中将が第二艦隊司令長官、片岡七郎中将が第三艦隊司令長官である。幕僚は東郷に従い、連合艦隊兼第一艦隊の参謀長が島村速雄大佐、先任参謀が有馬良橘《りょうきつ》中佐、作戦主務参謀が秋山真之少佐である。山下はランチで岸をはなれ、東郷と幕僚の乗る「三笠」へ近づいていく。

旗艦「三笠」は、一昨年、英国ヴィッカース造船所でできあがった第二期海軍拡張案の最後を飾る最新鋭の戦艦である。排水量一万五千三百六十二トン、速力十八ノット、三〇サンチ（十二インチ）砲四門、一五サンチ砲十四門、八サンチ砲二十門、魚雷発射管四門をそなえる。

二本煙突に二本の高いマスト、おどろくほど均整のとれた、ほれぼれするように美しく、たのもしい大艦であった。しかもクルップ式の鋼板が、舷側を九インチの厚さでおおう、防御力もすばらしい。探照灯も六基おいている。

山下は三笠の艦上にのぼり、すぐ司令長官公室に入った。

東郷は二通の封書を受け取ると、一礼し、勅語をとり出し黙読した。

もう一通は帝国海軍発信の最初の命令書、「大海令第一号」であった。

この封緘命令の日時は、二月五日、十九時十五分であった。

真之が懐中時計を見ると、ちょうど午後七時十五分だった。

打ち合わせがすすみ、日が替るのを待った。明けて二月六日、午前一時、星のない暗い港の闇の中で、「三笠」のマストがピカリと光った。ついで発光信号がピカピカと点滅しはじめた。

「各隊指揮官、艦長、旗艦に集まれ」

各艦からランチがおろされ、八方から三笠におしよせた。

三笠の長官公室はテーブルをかこんですし詰めのようになった。誰も私語を発せず長官を待つ。

東郷は幕僚と共に姿をあらわし、ロシアとの国交が断絶したことを伝達し、

「大命がくだりました」

と勅語を読みあげた。「大海令第一号」をつたえ、ついで連合艦隊命令第一号をくだした。

「連合艦隊はこれより出港、黄海に進出して旅順口および仁川《じんせん》港にある敵を撃破せんとす」

このとき第二艦隊の参謀であった森山慶三郎少佐は、真之と同期で生涯の友人であったが、

「長官の奉読した大命を聞きながら、こらえきれぬ涙が流れてきてしかたがなかった」

と語り残している。

満座の人はひとりとして顔をあげる者がいなかった。まるで深山の奥のような静寂であった。

森山の感慨は、ロシアとの戦いで日本が負けたらどうなるか、ということであった。不安がこみあげてくる。世界中、日本が勝つと予想している者は一人もいない。

ポーランドを二年前公用で旅行したときの、戦勝者のロシア人がポーランド人を追いつかっているひどい光景を思い出した。負けたら日本も同じような惨めなことになるぞ。感情が乱れて涙がこぼれ出た。

――日本の存亡のがけっぷちに立ったという感慨から、みな無言の空気の中にいたのであろう。

やがて一同にシャンパンがくばられた。

東郷は「諸君！」と呼びかける。

「――ここに一同の勇戦奮闘を望み、前途の成功を祝って杯をあげる」

と言い、干した。一同乾杯しおわると緊張から解放され、

「満場の意気は歓声湧くという雰囲気に変った」

と森山はいっている。

肩をたたき合って、おたがいの武運を祈り、長官公室から人々は流れ出た。

参謀には命令を渡すから待っておれという声がしたので森山は待とうとした。だが人に押される。押されるまま参謀長室の前にさしかかった。入口のドアがあいていた。

部屋の中央に大きなテーブルがあり、そのテーブルには海図がひろげられ、島村参謀長と秋山参謀がしきりに協議していた。

真之は右手にコンパスをもち、左手に定規をもって、しきりに海図上に艦の航路をひいている。それをテーブルの反対側から長身の島村が、海図上にのり出すようにして、真之のひいていく航路をじっと見つめている。

森山はこの光景を戸口に立って印象深く見ていた。ふと真之が森山に気づいた。

「森山！　仁川へ行く貴様の隊には、『浅間』と水雷艇をつけてやるからな」

「おお、そりゃあ、ありがたい」

真之はふたたび海図にとりくんだ。

参謀長島村速雄は、土佐人であった。非常な秀才で頭がずばぬけてよいが、めずらしいほどに功名心がなく、体が大きいように心が大きく、はたらきやすい上司であった。

日清戦争の時には、島村大尉は艦隊参謀として伊東司令長官の〝頭脳〟となり、その知謀をもって艦隊を動かした。島村は度量大きく、真之が参謀としてきたので大いによろこび、

「秋山にすべて一任する」

と言い、作戦は天才がやるべきで、上司といっても自分のようなものが小知恵を働かすべきでないと割り切った。

島村は真之が亡くなったのちの大正七年、講演で要旨次のような話をしている。

「――日露戦争のはじめは有馬中佐、秋山少佐の両人が作戦計画を立案しておりましたが、ほどなく有馬中佐は健康を害して内地へ転任しました。

それからは秋山の一人舞台の姿となって、日露戦争の艦隊作戦はことごとく秋山真之がやったもので、すべて秋山の頭から出、かれの筆によって立案されたもので、その立案したものはほとんど常に、即座に東郷長官の承認を得たものであります。

かれが各種の作戦を通じて、さまざまに錯雑してくる状況を、その都度、その都度総合してゆく才能にいたっては、実に驚くものがありました。かれはその頭に、こんこんとして湧いて尽きざる天才の泉というものを持っていたのです。

その泉は天才に加うるに、あるいは目に見、あるいは耳に聞き、あるいは万巻の書を読んで得た知識の中で、不用なものは洗い流し、必要な部分のみ蓄えるという作用を持ち、事あれば、その中より自然に相当なものが流れ出てくるという状況でありました。

秋山が作戦の目的を達するために昼夜を問わず、いかに精力と知能を発揮して職務に尽瘁《じんすい》したか、その実際の状況はとうてい私の口からでは言い表わすことができません」

島村はまた、真之の報告文が簡潔、要を得て、これを読めばその状況が、躍如として目に浮かぶような気持を起こさせるものであることに感嘆していた。

そこで大本営担当の記者団が、連合艦隊からの報告文が名文であることに注目して、それが島村参謀長の筆であると信じてほめたたえた記事をかかげた。

「それはおれの筆になるものではない」

島村はわざわざ、大本営の報道担当の小笠原長生《ながなり》中佐に、真之の報告文であるので訂正してもらうよう申し入れた。島村は功を誇らぬ知勇兼備の名将といわれた。


——二月六日は冬にはめずらしく、風のないおだやかな日和であった。

はるか九十九島《つくも》の島影を背景に、港内をうずめつくした日本海軍の主力、全艦艇の六十隻はここに集結していた。仮装巡洋艦その他の補助艦艇二十六隻も加えて、合計八十六隻。

港内の警備艦、佐世保鎮守府の専用船その他を総計すると実に百隻の大小の艦艇群が、この軍港の周辺に投錨した光景は実に壮観であった。

当時日本艦隊の総排水量は約二十六万トンであった。

佐世保以外には、横浜、神戸などの港に警備艦が五隻、横須賀、呉、大湊などに水雷艇が二十数隻。そして対馬の竹敷には、水雷艇二十隻を含め三十隻余りがおり、第三艦隊の主力八隻がさらに近づきつつあった。

外地では、仁川港に巡洋艦「千代田」がおとりのようにとどまり、釜山に砲艦「愛宕」がいた。

これに対するロシアは約五十一万トンであるが、太平洋艦隊は約二十一万トンであった。旅順港に旗艦ペトロパウロスク以下一万二〜三千トンクラスの戦艦七隻。一等巡洋艦「バヤーン」（七千七百トン）、二等巡洋艦「パルラーダ」以下六千七百トンから五千九百トン、三隻。三等巡洋艦「ノーウィック」以下三千三百トンから千二百トン、三隻。

砲艦六隻、駆逐艦二十五隻、水雷敷設艦二隻、仮装巡洋艦一隻。

旅順港内外には総計四十三隻が配置されていた。大連湾に分派されていたのは、三等巡洋艦二隻。

ウラジオストックには旗艦ロシア以下一万二千トンクラスの一等巡洋艦三隻と二等巡洋艦一隻。仮装巡洋艦一隻、水雷艇十隻。総計十五隻である。

韓国仁川港には六千五百トンの二等巡洋艦一隻。千二百トンの砲艦一隻。

上海など在外警備に四隻。

このほか、極東にむかって戦艦一隻、一等巡洋艦二隻、二等巡洋艦一隻、駆逐艦七隻、水雷艇四隻が回航中でスエズ運河周辺にいた。


二月六日の朝、午前九時の時鐘を合図に三笠に信号旗があがった。

「予定順序に出港せよ」

先頭に立ったのは、第三駆逐隊の「薄雲」「東雲《しののめ》」「漣《さざなみ》」の三隻である。

そのあとを快速巡洋艦「千歳」「高砂」「笠置」「吉野」。

すぐその右うしろを、第一駆逐隊「白雲」「朝潮」「霞」「暁」、そして第二駆逐隊の「雷《いかずち》」「電《いなずま》」「朧《おぼろ》」「曙《あけぼの》」、左うしろに第四駆逐隊「速鳥」「春雨」「村雨」「朝霧」、第五駆逐隊「陽炎《かげろう》」「叢雲《むらくも》」「夕霧」「不知火《しらぬい》」が進む。

そのあとを、水雷母艦「春日丸」「日光丸」、給炭船「金州丸」を、左右から第一四艇隊「千鳥」「隼」「真鶴」「鵲《かささぎ》」、第九艇隊「蒼鷹《あおたか》」「鴿《はと》」「雁《かり》」「燕《つばめ》」が警護しながら進む。

十一時の時鐘が鳴る。

第二戦隊の出港である。旗艦「出雲」に信号旗があがる。各艦はイギリス炭を使っているので煙筒から立ちのぼる煙はどれもかすかである。日清戦役の時のように真黒い煙は見られない。「出雲」「吾妻」「八雲」「常磐《ときわ》」「磐手《いわて》」と五隻の装甲巡洋艦の列は頼もしい。「浅間」は別行動をとる。出雲、八雲、磐手などはのち練習艦として遠洋航海に若き士官候補生を乗せて世界をめぐり、太平洋戦争にも参加して寿命を永らえた有名艦である。三笠の軍楽隊と汽船に乗った佐世保鎮守府の軍楽隊は、シンバルと太鼓と笛とから成る勇壮な『軍艦行進曲』を演奏して出陣を送る。

守るも攻むるも　くろがねの
浮かべる城ぞ　たのみなる
浮かべるその城　日の本の
御国の四方《よも》を　護るべし
まがねのその艦《ふね》　日の本に

仇なす国を　攻めよかし

この曲は薩摩出身の軍楽隊員、瀬戸口藤吉が作曲した。国歌のつぎにその国を代表する歌が、外国にはあるが、日本にも国民的な歌唱が欲しい、ということで作られた。軍楽隊は薩英戦争の最中、英国軍艦の上で士気を鼓舞するため吹奏されているのを聞いた薩摩藩士がとり入れたものであった。

明治日本の象徴として、軍艦を主題とするこの行進曲は世界的な名曲である。

『軍艦行進曲』を繰り返し奏しつづける見送りの汽船は、軍関係の家族をぎっしり満載している。白いハンカチがいっぱいひるがえっている。

正午、第一戦隊は「三笠」を先頭に六隻の戦艦が順次、港口にむけて動き出した。

規定の間隔をきっちり守って「朝日」「富士」「八島」「敷島」とつづき、「初瀬」が最後を行く。

佐世保の広い湾内は、百隻をこえる艦艇におおいつくされていたが、第一戦隊が出て行くと、ガランとしてさびしくなった。

真之は艦橋から湾内を眺めている。

仁川へ行く第四戦隊が残っている。八代艦長の「浅間」の他に、「浪速」「須磨」「明石」「高千穂」「新高」と水雷艇八隻が一団にかたまっている。

陸兵二千人をのせた運送船三隻を伴って、午後二時には出港の予定である。べつに、明日出港する砲艦「大島」「赤城」と水雷艇八隻が残っている。

威風堂々たる六大戦艦は湾口を進む。「朝日」の艦橋に立っていた広瀬武夫少佐は、歌を一首書きとめた。

勇々《おお》しさを何とたとえん海の上に
征途《かどで》を送る万歳の声

「三笠」は湾口を出て「警戒航行」をつづける。大艦隊の総指揮をとる旗艦は、敵の全部からねらい撃ちを受ける。真之は、

(今日が故国の山々の見おさめであろう。まず生きて帰ることはあるまい)

と思う。

家を出るとき、季子はたくさんのふんどしを用意してくれた。真之は新しいふんどしを強く締めあげ、下着のたぐいから何もかも新しくよそおった。

母お貞は、出陣を祝し、また訣別をかねた激励の手紙をよこした。

「――もし出征軍人として後顧の憂いがあり、足手まといの家族のためにおまえの覚悟がにぶるようなおそれがあるならば、わたしにも充分の覚悟があります」

真之がもし決死の覚悟が持てないのならば、わたしは生きていても仕方がない。自決しますというのである。

読んだ真之は涙をぼろぼろおとした。

(もったいない。かたじけない。ありがたい)

母は七十七歳で病がちの老体は弱っていた。

しかし、母は武士の妻であり、軍人の母であった。

籠城して敵と戦う武士が、後顧の憂いなく覚悟を決めるために、足手まといの老母が自決した故事を思ったのかもしれない。

それにしても母は気丈な女だった。真之が子供の頃、いたずらの限りを尽く

し、悪童ぶりに抗議が殺到して、放っておけなくなった時、母は仏壇の前へ真之を呼んで、

「お母さんもこれで死ぬから、お前もお死に」

と短刀を突きつけて訓戒をしたことがある。

母はおっかない人だったが、真之を限りなく、かわいがった。真之も母を心から敬慕していた。真之の独身主義は「親孝行のための独身主義」でもあった。

「嫁をもらうのなら、おばあさん（母のこと）の気に入るようなのをもらいたい」

と言っていた。

季子夫人と真之がいよいよ結婚する時、お貞は、

「私の大切な真之をあなたに差し上げるのだから……」

と厳粛な態度で言った。

しかし季子夫人はよくできた女《ひと》で、お貞によく仕え、姑との間は極めて円満であった。

季子もまた軍人に嫁した以上、その覚悟はできていた。

三十七歳の若い夫が、東郷長官の頭脳として日本の運命を決する海上作戦をに

なっていくことの重大な意味を、よくわきまえていた。

夫の無事を願うだけでなく、

(心おきなく大事な本分をお尽くしになるように)

季子夫人は心から祈っていた。

真之は母の手紙と写真を封筒に入れて、表に、

「大慈大悲」

と書き記した。

そして妻季子の写真と兄好古の名刺を入れて封じた。好古は千葉県習志野の騎兵第一旅団長、陸軍少将になっていた。

好古の名刺にはこう書かれていた。

「這回《しやかい》の役、一家全滅するとも恨みなし」

――このたびの戦争で秋山家がぜんぶ死に絶えても悔いはない、という意味である。

真之はこの封筒をハンカチに包み、着ている紺の冬軍装の内ポケットに入れた。真之は日露戦争が終るまで、それを〝お守り〟として肌身につけていた。

三笠以下の第一戦隊と第二戦隊は旅順口の東方四十四海里（約八十一キロ）の円島付近に達した。二月八日の夕刻五時過ぎ、駆逐隊を旅順口への夜襲攻撃に送り出す予定地点としていた。日没がうす紫色の光を、たそがれの海面に投げかけていた。

「予定の如く進撃せよ、一同の成功を祈る」

三笠に信号旗があがった。

「われら成功を期す」

「白雲」（三百七十二トン）に乗る第一駆逐隊司令浅井正次郎大佐が応答の信号をかかげた。

艦隊の登舷礼を受けつつ旅順へむかう十隻、大連へむかう六隻の駆逐隊はしだいに遠ざかっていった。

大連湾には夜襲をかけたが敵はいなかった。真之は、水雷部隊の旅順奇襲以前から、旅順湾口の閉塞作戦を東郷に建言していた。旅順軍港の湾口はびんの口のように狭く、その幅はわずか三百メートルしかなかった。しかも両側の水深が浅いため、大きい艦が航行できるのはまんなかの九十メートルがやっとであった。だからそこへ古船を五、六隻、横にならべて沈めれば艦隊は通行できなくなってしまう。いつ出撃してくるかわからない敵艦隊を港内に封鎖するためには、常時出動して遊弋《ゆうよく》していなければならない。艦と乗員の消耗と疲労ははかりしれないものがある。

旅順のびんの口を閉塞して、物理的に閉じこめることができればこれにまさるものはない。

米西戦争で、サンチャゴ要塞をアメリカ軍が攻撃したとき、ホブソン中尉が冒険的に閉塞を試みた。

「敵が油断しきっている開戦第一弾に、思い切って旧式の軍艦を沈めて閉塞したらどうか」

警戒のゆるやかな開戦第一夜、軍艦を惜しまず投入して、一挙に閉塞してしまうことを真之は主張したが、東郷は首をタテにふらない。

日露戦を通じて真之の作戦計画をすべて承認した東郷も、当初閉塞についてはウンと言わなかった。真之は残念でたまらない。

先任参謀の有馬中佐も閉塞には熱心だった。

「軍艦を沈めることに長官は同意されない。しかし大事な軍艦でなくとも古い商船を沈めればよいのだ」

有馬中佐は準備を実行しようとしている。

「軍艦が一発の大砲もまだ撃たぬうちに、丸腰の貨物船に戦争をやらせるということはいかん——ともいわれた」

「閉塞を敢行する士官や兵は、まず生きてかえれないことを覚悟しなければならない。長官は、生還を期せない作戦を命ずることはできないというお気持だ。部下に死をしいるような作戦は、命令者の無能を意味すると思っておられる」

「開戦第一夜にして閉塞が実現すれば、今後どれだけ有利にすすめられるかはかりしれない。駆逐艦の飛びこみ作戦と併行して、軍艦を使った閉塞作戦を実施するよう、もう一度長官に談じこんでみる」

真之は強く訴えたが、東郷は矢張り首をタテにはふらなかった。

旅順要塞の砲台の態勢も不十分であったこの夜、軍艦を思いきって沈める閉塞作戦に出ればおそらく成功したであろう。大戦艦、初瀬と八島を閉塞に使ったとしても、のちに触雷して沈むのだから、同じだった。乃木軍の大犠牲もなくてすんだ。

後世、戦史をふりかえる者は勝手なことが言える。だが、まさか虎の子の軍艦を沈めるという思いきりは当時考えられなかったであろう。

しかし十年後、第一次大戦でドイツは、ジーブルージ要港をUボートの基地としてイギリスを悩ました。そこで英国は、日露戦争の戦例を研究した結果、旧式巡洋艦「ビンディクティブ」以下四隻をもって、砲戦させながら港口に自爆させ、同時に決死隊を上陸させて殆ど完全に潜水艦基地を閉塞した。六百数十人の死傷者を出したが、ドイツ潜水艦の脅威をなくした効果は絶大なものがあった。

結局、開戦第一夜は駆逐隊の奇襲だけになった。旅順口をめざす十隻の駆逐隊は一列になって、魚がすすむように近づいた。

この夜ロシア側は日本の開戦、攻撃に対して油断しきっていた。

「もし日本艦隊が朝鮮西岸にあらわれて北進するのをみつければ、かれらの発砲を待たず、かれらを攻撃せよ」

皇帝からアレクセーエフ極東総督に電信が入っていたが、この日はあいにく「マリア祭り」であった。ロシアの宗教習慣として、マリアという名のついた婦人が多くの人たちから祝福をうけることになっている。

旅順艦隊の司令長官であるスタルク中将の夫人もマリアといった。

このためスタルク長官は、部下の将校大勢を官邸に招いて、はなやかな舞踏会をひらいていた。ウォトカを酌みつつ、気のきいた社交と典雅な舞踏が夜半におよんだ。

「日本人は猿である。猿に戦争ができるか」

と口ぐせに言う極東総督アレクセーエフは、海軍会館の大広間に首脳を集めて酒宴を開いていた。港口で砲声が聞こえ、日本の奇襲を知っても、

「たかが、猿だ」

と言って夜会をつづけさせるほど日本を見くびっていた。

停泊中の艦隊は防雷網をおろさせて仮泊するのが常識だった。だが、アレクセーエフは水雷防御網をはらせることすら怠った。

その提案が海軍部から出されたとき、

「いまだ時宜に適していない」

と言って却下してしまった。

陸軍の方も、大要塞が機能的にうごくための動員計画がまだできていなかった。

日本側にとってこれほど有利な条件であったが、奇襲の戦果は少なかった。一隻も沈めることができなかった。

進んでいく駆逐隊の前方にロシアの哨戒に当たっている駆逐艦二隻がいた。探照灯を照らしながら近づいてきたので、先頭をいく「白雲」は右へ大きく変針して敵を避け、艦尾灯を消した。各艦もそれにならったが、闇夜《やみよ》のためすっかり隊列が乱れ、自分の艦の位置までわからなくなった。

まもなく第二駆逐隊の「朧」が前をいく「雷」の艦尾に衝突してしまい航行不能となった。各艦はばらばらにすすんだ。「白雲」は戦艦レトウィザンめがけて魚雷を発射した。火声と爆声は泊地の静寂を破った。ついで「朝潮」も二発を発射して左に転舵すると、全速力で避退した。

警戒ラッパが鳴り、探照灯がいそがしく海面を掃きはじめた。

「霞」は巡洋艦アスコリドとパルラーダに発射し、「暁」も砲火を受けながら二発を発射して退航した。

二百トンから三百トンの駆逐艦は二本の魚雷を発射すると、いそいで逃げた。「薄雲」「東雲」「電」なども突進しては魚雷を放ち、すぐに避退した。猛烈な砲火をあびせられたが、敵は周章狼狽していたらしく、ほとんど命中弾はなく、全艦無事に引き揚げた。

この攻撃で戦艦レトウィザン、ツェザレウィッチ、巡洋艦パルラーダの三隻が航行不能になったが、いずれも二カ月の修理で復帰できる程度の破損であった。

奇襲部隊の司令たちは東郷に戦果の報告をおこなった。司令たちは闇夜ではあるし、はっきり確認はできなかったが、相当の戦果があったものと確信しますと答えた。

秋山参謀が大本営へ提出する報告案をもって長官室へ入ってきた。

「戦果は何隻としましょうか」

東郷は答えた。

「二隻にしておけ」

すると浅井司令が「長官、それはひどい」と抗議した。

「それでは一隻ふやしておけ」

東郷にとっては「三隻撃破」は奇襲先制攻撃の戦果としては甚だ不満であった。五隻は沈めたいと念じていたところである。

魚雷を十八発発射して、三発という命中率は、闇夜、初陣の緊張という条件を加味しても魚雷戦技は良好とはいえない。


——同じ二月八日。

朝鮮の京城《けいじょう》の外港である仁川港には、各国の艦船が多数停泊していた。

ロシアの二等巡洋艦ワリャーグ（六千五百トン）と砲艦コレーツ（千二百十三トン）にはさまれて、三等巡洋艦千代田（二千四百五十トン）がいた。

ワリャーグは仁川にいる各国軍艦のなかで最大のもので、小艦の千代田はひとたまりもない。千代田はひそかに仁川港を脱出し南下した。

午前八時三十分ごろ、水平線上に味方の第四戦隊の艦影を見た。

千代田はこんどは浪速以下の瓜生戦隊の先頭に立って、仁川港へもどった。運送船三隻の陸軍部隊は急いで揚陸を開始した。揚陸が終る頃、瓜生司令官は、ワリャーグ艦長宛に、仁川港外へ立ち去るよう挑戦状を発した。

ワリャーグとコレーツは錨をあげ、やがて蒸気をいっぱいあげて全速力で港外にむかった。

日本側は九千八百五十五トンの浅間以下が待ち伏せしている。

浅間艦長は、敵を前に尺八で『千鳥の曲』をふいて、将士の心を鎮めたという勇猛の人、八代六郎大佐である。

やがて砲戦がはじまった。浅間の射撃は優秀で、ワリャーグの前艦橋はめちゃめちゃになり大火災がおこった。

千代田も撃った。日本の全艦隊が良質の英国炭を使っているのに、千代田はながく仁川にとり残されていたために、平時の日本炭であったため、この艦だけがすさまじい黒煙を吐きちらしていた。

ワリャーグとコレーツは仁川港へ逃げこんでしまった。日本側は国際問題をおこすことをおそれ砲撃をやめた。

この状況は第二次世界大戦において、英国艦隊がドイツ豆戦艦「グラーフ・シュペー」を南米の中立国ウルグアイのモンテヴィデオ港に追いつめた時のことに似ている。シュペー号は優勢な英艦隊との交戦の結果を予想して自沈した。

ワリャーグ艦長ルードネフ大佐が自沈の決意を表明すると、英、仏、伊の三艦は乗組員の収容を承知した。負傷兵を三艦に収容してもらい、他の兵員は同盟国のよしみでフランス軍艦パスカルに収容された。

乗組員を退却させたのち、まず砲艦コレーツが艦底に装着した爆薬を炸裂させて自沈した。巡洋艦ワリャーグはキングストン弁をひらき水没した。

この海戦は浅間のような大きい艦をもってきて、旧式の二等巡洋艦で編成された瓜生戦隊が、よってたかって攻めたてたので、いわば勝つべくして勝ったものであった。

しかし、ヨーロッパ白色人種と戦った緒戦で、うまく勝ったため日本人は大いによろこんだ。

開戦の報を受けたニコライ二世は、

「――神と世界は東洋の猿どもに背をむけ、われわれに微笑むだろう」

と楽しげに言い、二月九日、宣戦布告文を発表した。

二月十日、日本も開戦詔勅を発表した。

武力行使の前に宣戦を通告すべきだとする「開戦に関する条約」が締結されるのは、これより後の一九〇七年、明治四十年である。この日露戦争の当時は、国交断絶後は宣戦を事前に通告する慣行は確立されておらず、日露戦争までの約百五十年間に発生した戦争約百十回のうち、百回ぐらいは武力行使開始後の宣戦（通告）であるという状況であった。

二月九日早朝、水雷戦隊による奇襲がすむと、東郷は主力艦隊をひきい旅順港にむかった。旅順艦隊に対して決戦をいどむ。

まず「千歳」以下の第三戦隊に敵状偵察を命じた。報告が入った。

「敵艦隊の大部分は港外にあり、七千の距離に接近するも敵は発砲せず、今より攻撃せば、効果大と認む」

日本の巡洋艦戦隊に敵が砲撃を加えてこなかったのは、

「要塞砲の射程内にとどまるべし」

というスタルク司令長官の命令があったからである。

旅順艦隊は日本とほぼ同じ兵力をもっているのにかかわらず、ひたすら要塞にまもられて艦隊を保全する方針をまもった。

やがて近い将来、来航する本国のバルチック艦隊が出現するまで待てば、日本の二倍の兵力となる。その上で日本艦隊を叩くのは容易である。

反対に作戦担当の真之としては、バルチック艦隊が来るまでに何とかして旅順艦隊をやっつけておかなければならない。しかも、次の決戦に勝つため、自分の側の損害が大きくてはいけない。無傷で相手を全部沈めておくという大変困難な課題を背負っている。

艦隊は単縦陣で旅順口をめざして進む。先頭の三笠が近づくとロシアの二等巡洋艦ディアーナ（六千七百三十トン）が待ちうけていた。大胆にも接近してきて挑発した。ディアーナはやがてくるりと反転し、艦尾から撃ってきた。要塞砲の射程内に日本側を誘いこもうとしている。要塞砲の射程内にふみこんででも、ロシア艦隊に砲撃を加えようと、三笠の司令部では決心した。

「勝敗の決、この一戦にあり、各員努力せよ」

という信号旗がかかげられた。

「旅順口外の海戦」

といわれる、戦果のない海戦である。

このときロシア艦隊は、港外に戦艦ペトロパウロスク以下七隻、巡洋艦七隻など十数隻が雑然と停泊していた。

やがて敵との距離が八千五百メートルに縮まると、連合艦隊は針路をかえて、敵の正面を直線で通過する隊形をとった。

ここでロシア艦隊はあわてだした。

七千五百の距離に入って、三笠の主砲が火を噴いた。各艦これに呼応していっせいに砲撃を開始する。ロシア艦隊も負けずに撃ちかえしてくる。加えて周辺の要塞砲台が、海上の東郷艦隊めがけて咆哮《ほうこう》した。たちまち黒煙と水柱におおわれ、艦影をみさだめがたいほどにした。要塞砲の威力は絶大であった。

港外を俯瞰《ふかん》する山頂の崖壁に、ずらり砲口をならべた数十門の砲が、まるで集中豪雨さながらに巨弾をふりそそいでくる。

第一戦隊の各艦は要塞砲の洗礼をあびながら、ロシア艦隊に艦砲を撃った。海上の軍艦は、陸上の要塞砲と砲戦をかわしてもとうてい太刀打ちができない。

このため被害が続出した。

三笠は三発の命中弾をうけた。戦闘旗をうちおとされ、あらたにかかげた旗も叩きおとされ、七名の兵員が負傷した。二番艦富士は二弾をうけ、砲術長以下十二名が負傷。五番艦敷島は航海長ら十七名、しんがりの初瀬も航海長ら十六名の死傷者を出した。

どの艦も悽惨な損害をうけた。

三笠以下はこうした中で砲撃をくわえつつ、敵の目前を通過し、逐次回頭して南へ航行していく。あとを後続の出雲以下の第二戦隊が敵の正面にさしかかった。

このときロシアの三等巡洋艦ノーウィック（三千八十トン）が単艦で第二戦隊に挑戦してきた。ドイツ系の艦長エッセンは、ロシア艦隊随一の勇敢な男であった。日露戦争を通じて敵味方の評判になった。

「まるで隼のように、よう攻めてくる」

上村司令長官は加藤友三郎参謀長をふりかえり、エッセンの孤軍奮闘ぶりに舌をまいた。八雲が何発かの命中弾をあびせて、やっとノーウィックは転舵した。

旅順要塞の火力は恐るべきものがあった。

半円形をなした湾内の三方は丘陵が重畳としてつらなり、二〇三高地、鶏冠山、二竜山の高地と、それをつなぐ保塁と保塁のあいだに三十数門の砲座が海正面を俯瞰し、そして外港に面した老虎尾半島には三カ所のペトン構築の保塁団が海上をにらんでいる。

この三つの砲台群は、数百門の各種口径砲をもち、陸海両面の敵に対応できるように、すべて旋回式に装備されていた。世界無比の天然の地形を利用し、全山すべて砲台と化している。

真之はそのすさまじい猛撃ぶりを肌でおもい知らされた。

日清戦争の時の比では到底ない。

東郷は後続の艦隊の被害が大きくなるのを避けるため命じた。

「急ぎ要塞砲の射程外に脱出せよ」

砲撃戦は約一時間でおわった。

日露双方ともに沈没艦はなかった。

旅順要塞の砲兵はよく活動した。それに比べればロシアの大艦の艦長は年配者が多いせいか動きがにぶかった。

その上、要塞砲の射程の外には出てはならないと厳命されているため、この海戦はロシア海軍将兵の士気をいちじるしくおとろえさせた。

連合艦隊は仁川港外の根拠地へかえった。

東郷は各戦隊の司令官を集めて訓示した。

「外洋へ出たがらぬ敵をおびき出すためには、よほどの忍耐と間断ない猛撃しかない。二月十一日の紀元節を期して、第二次攻撃をおこなう」

二日後は朝から荒天となり、粉雪まじりの烈風がふきすさぶ海上は、猛烈に時化《しけ》ていた。

攻撃は中止された。ただ、この荒天をついて「速鳥」「朝霧」のわずか三百七十五トンの駆逐艦二隻が旅順口に突入して水雷を発射してかえった。戦艦ペトロパウロスクを大破させる殊勲をたてたことがあとでわかった。

この攻撃は、港内に逼塞《ひっそく》しているロシア将兵の士気をさらに低下させた。

第九章　広瀬武夫とマカロフ

兄の秋山好古《よしふる》は騎兵第一旅団長として千葉県習志野にいる。陸軍は鴨緑江作戦をめざす第一軍が朝鮮半島に上陸した。好古の騎兵旅団は、満州の野で決戦するための第二軍に属する予定になっていた。

(春の雪どけを待って、大陸へ上陸することになろう)

と好古は思い、三笠で連日作戦に忙しい弟真之へ手紙を出した。

——海軍の連戦連勝は国民を狂喜させているが……。

「参謀の要務というのは、円転滑脱として、上と下との油にならなければならない。功名を断じて顕してはいけない」

兄はいつも父親になりかわって、この自負心の強い弟に訓戒した。真之はこの兄の下では素直にいうことを聞いた。真之はのちも、自分の功名を口にすることなく、この兄の訓戒を肝に銘じ、参謀は将の黒幕であることを忠実にまもった。

好古はまた、自分の心情をさらけ出した。

「自分の多年の宿願として、そろそろこの社会からひきあげて閑居したい」

「一家一族、邦家の実利をあげ、名利は放棄して速かに関するを要す」

のちに陸軍大将になりながら、郷里の中学校長にひっこんで余生をすごす好古の気持が、この時あらわれている。

名利にとらわれない淡泊な気持は、秋山兄弟共通のものであった。しかし、この志望は国家存亡の大戦争のこの時期、中止せざるをえない。

「名誉の最期を戦場に遂ぐるを得ば、男子一生の快事」

と好古は書き送った。勿論、真之も三笠艦上で死を覚悟している。

満州の氷がとけるとロシア軍が南下してくる。第二軍をできるだけ早く遼東半島に上陸させなければならない。

その兵員輸送を容易にするためには、黄海の制海権をより確かなものにしておく必要があった。旅順艦隊は要塞砲に守られて、港外へ出撃してこない。連合艦隊としては決戦にもちこむことができない。

「出てこない艦隊は、閉塞する以外にない」。生還を期しがたい作戦は簡単に許すわけにはいかない――と考えていた東郷長官も、

(やはり、これしかないか)

と考えるようになった。

ところが当初、開戦第一弾として軍艦を沈めて閉塞をやるべし、と主張していた真之はひどく消極的になってしまった。

(案に相違して旅順の要塞の火力は、サンチャゴと比べものにならぬほどすごい。おそらく数百倍の防御威力をもっているだろう。あの熾烈《しれつ》な防御砲火を考えれば、無謀な作戦としかいえない。まず生きてはかえれまい)

参謀は戦闘の設計を担当する。その設計の良否によって死者が増減する。

(兵員の大量の死をはじめから考えて、運にたよる作戦なら、作戦家はいらない。作戦とはおそろしいものだ)

と真之は思っていた。

ところが閉塞作戦を熱心に準備しているのは、先任参謀の有馬良橘《りょうきつ》中佐であった。のち有馬は他へ転じ、真之が作戦主務の先任参謀になるが、この時期は真之の上位にいた。

「立案した自分自身が実施隊長として死地にとびこむ」

有馬は悲壮な決意を平然といってのけた。

天津丸、報国丸、武揚丸、武州丸、仁川丸の五隻が粉炭を満載し、ただの石炭運搬船のように佐世保港の片隅に、重い吃水線を浮かべて待機していた。議論よりもまず準備ということで、半公式のかたちですすめられた。その準備を有馬とともに三笠の参謀である松村菊勇大尉がやった。松村も実施の際は、一指揮官として飛び込むつもりでいた。二人とも連合艦隊の参謀である。昭和では参謀は何よりも、エリートであったが、明治の参謀と昭和のそれとは気風の違いが感じられる。

ところが松村大尉はさきの旅順口海戦で、三笠が要塞砲で被弾したとき、後艦橋で負傷してしまった。松村が佐世保海軍病院へおくられたため、有馬は代役を朝日の水雷長広瀬少佐にもちかけた。広瀬は快諾し、断然頼りになる存在となった。

二月十四日、閉塞計画の推進者が三笠に集まり東郷に対して、閉塞を決行させてもらいたいと進言した。この時真之は、極めて弱気の発言をした。

「要塞の防御砲火は強烈だ。途中で見つけられて猛射をうけたときは、出直すということでいったん引きあげたらどうか」

広瀬がすぐに立ち上って反対した。

「それはだめだ。断じて行なえば鬼神もこれを避くということがある。猛砲火ははじめからわかっている。押しまくっていく以外に成功はひらけぬのだ。貴様のいうように退却を許すことになれば何度やってもおなじことだ」

東郷は中間の決をとった。

「帰るか、ゆくかは各指揮官の状況判断にまかせる。それでいこう」

そして閉塞船自沈後の脱出救助については、汽船一隻に水雷艇一隻をつけ、その水雷艇は港口のそとに待機して端舟で乗員収容にあたることになった。

港口にしずめる汽船は五隻である。閉塞隊の隊員は、一隻について十四、五人必要である。全艦隊の下士官、兵から隊員をつのったところ二千数百人が志願してきた。

大本営へ真之は報告した。

「――旅順閉塞のため、艦隊中より決死の者を募りしに、即時に二千余名の勇士を得たり、中には血書を出せし者もあり、その敵愾心《てきがいしん》大にして、士気の旺盛なること、この一事をもって明らかなり」

平民の中から、このように大量の志願者をみたことは驚くべきことであった。士農工商の身分制度のある江戸時代では、さむらい階級以外の者は、戦争には無関係と思っていたであろう。明治維新によって身分が解放され、国民国家ができて、国民戦争ができるようになった。一天万乗の天子のもと、四民が平等になって、国民それぞれが国家の運命を自分のものと思うようになった。

この頃、たいていの家では、明治天皇と昭憲皇后の写真をかざり、紀元節や天長節の祝日には日の丸をかかげた。現在と違って、明治のこの時期、新興国日本に対する国民の意識はたかだかとしたものがあった。

二千余人の志願者の中から、妻のない者、長男でない者など肉親の係累の少ない者という基準にして、結局六十七人が選抜された。指揮官、機関長とあわせると閉塞作戦の実施者は七十七人である。

天津丸の指揮官は、参謀の有馬中佐が総指揮官を兼ねてあたり、報国丸は広瀬武夫少佐、仁川丸は斉藤七五郎大尉、武揚丸は正木義太大尉、武州丸は島崎保三中尉と決定した。壮途にさきだって、東郷は指揮官と機関長を三笠に招きひとりひとり握手をかわして送った。二月二十三日夜、石材などを積んだ五隻の閉塞船は出発する。

三笠の軍楽隊が奏楽し、各艦では乗組員が登舷礼式をもって万歳を三唱した。真之も五隻のボロ船がゆっくり進んでいくのを見送った。これは軍艦とちがって撃たれっ放しなのである。生還はむつかしい。マストの上の星は寒く、浪の穂だけがほの白く見える。真之は成功を祈りながらも、心の内であやぶんだ。

有馬中佐は夜明け前に突入して、あたりが明るくなってから、閉塞を実施するつもりであった。ところが東郷は実施を夜間にさせた。夜間ならば、あと全員を収容することができる。

(——暗闇の中で閉塞すべき場所まで、たどり着くことができるであろうか)

半月が空にかかって冷たく冴えていた。風浪の強かった前日に比べると波は静かだった。夜零時半頃、月が落ちると海上が暗くなった。閉塞船の前衛として駆逐艦四隻と水雷艇四隻、後衛に水雷艇四隻がついていた。

ロシア側の警戒は厳重だった。黄金山、城頭山、白銀山の三方から放つ探照灯が海面をなめつくすように掃いている。黒ぐろと横たわる山容から照射する光芒は、まるで巨大な怪獣の口から吐きだされる怪光のようであった。

港口近くにはロシアの駆逐艦数隻がいた。前衛の駆逐艦はこれに攻撃を加えて東方へ牽制した。有馬の乗る天津丸は、港口めがけて突進しはじめた。砲弾と光芒が雨あられとボロ船に降ってきた。炸裂する砲弾で船上は地獄のようになった。砲弾より恐ろしいのは強烈な銀の光線だった。この怪獣の怪光は、たちまち隊員の目をうばった。視界は完全にふさがれ、立往生してしまった。目つぶしを受けた操舵員は船をどこへやったらよいかわからない。そのために自沈場所の目標を失った。

針路を失った天津丸は水路を求めて走りまわる。港口のはるか手前、老鉄山の下で、石を嚙《か》む船底の摩擦音がはしった。船は岩礁にのりあげ擱座した。そこへ後続の報国丸、仁川丸がやってくる。有馬は、

「右へ、面舵いっぱいにとれ」

と後続船によびかけ、赤灯をあげて進退の自由を失ったことを信号した。

報国丸は天津丸を避け、港口の灯台下まで進んだが岩礁にのりあげ沈んだ。まだ港口を塞ぐまでにはいたらない。仁川丸は報国丸の右へまわったが、港口から離れたところで自沈した。武揚丸と武州丸は、錯覚により港口よりかなり手前で自沈した。いずれも閉塞に効果がない。

第一回閉塞はほぼ失敗に終った。しかし兵員は戦死一名、負傷十数名で、意外なほどに少なかった。

第二回閉塞をやることになった。千代丸、福井丸、弥彦丸、米山丸の四隻があてられることになった。いずれも二千トン以上、船齢二十年前後の船であり、引揚げを不可能にするため、石材を積み込んだ。また敵の攻撃に対するため、前甲板に機関砲二門を装備した。

指揮官は前回と同じで、下士兵は新募した。一度行った者は二度と行かせるのは忍びないという考えであったが、〝どうしても〟という例外として二人だけ、特別に参加が許された。

四隻はつぎのとおりである。

千代丸＝有馬良橘中佐、島崎保三中尉、山賀代三大機関士。

福井丸＝広瀬武夫少佐、杉野孫七上等兵曹、栗田富太郎大機関士。

弥彦丸＝斉藤七五郎大尉、森初次中尉、小川英雄大機関士。

米山丸＝正木義太大尉、島田初蔵中尉、杉政人少機関士。

第二回閉塞隊総員は六十八人であった。

旅順で港内にすわり込んだロシア艦隊の将兵は、日ごとに士気が低下していた。ダンスが巧みなだけの無能の長官スタルクの悪口を言って憂さをはらしていた。

スタルク長官は遂に罷免され、新しくマカロフ中将が着任してきた。

「マカロフじいさん来たる」

ロシア海軍の偉大な名将を迎え、将兵は欣喜雀躍して沈滞した空気は一変した。

マカロフはロシア海軍の至宝といわれた。戦前まで日本の子供の尻とり歌にうたわれていた。

……スズメ、メジロ、ロシヤ、やばん国《こく》、クロパトキン、きんたま、マカロフ、ふんどし……

陸軍のクロパトキン、海軍のマカロフはそれほど大きい存在であった。マカロフはロシア海軍にとって例外的存在であることは、貴族出身でなく、平民の出身であることであった。それも帆船時代の水夫から叩きあげた提督である。下士官や水兵の人気は、圧倒的に高かった。

マカロフはトルコとの戦争で、黒海艦隊の艦長として参加した。端艇二隻に水雷を装着し、月明かりの夜、トルコ艦隊の中に突入して旗艦を轟沈させ、勇猛艦長のほまれを高くした。

マカロフの武名は世界にとどろいた。それだけでなくマカロフは、戦術理論において右に出る者はいないといわれる理論家であり、著述も多い。真之も一時期熟読し、マカロフを研究した。マカロフ理論は、列国の軍事専門家の大艦巨砲説に対し、小艦多量説を主張した。補助的役割にすぎない水雷艇を重視し、水雷艇襲撃戦法を艦隊に応用した独特な戦法を編みだした。

マカロフの風貌はみごとであった。高い鼻に独特のふかい鳶色の目、鼻下の八の字ひげも立派だったが、あごひげは左右にわかれて、胸のあたりまでゆったりひろがって、あたりを圧していた。マカロフの前では、どのような高位高官も影がうすくなるほど威厳と貫禄があった。積極的な提督の着任で、旅順艦隊の士気はみちがえるほどにあがった。しかもマカロフは「露探」（ロシアのスパイ）によって、有馬中佐の第二回閉塞隊が何隻で何日に、旅順口に来るということを正確に知っていた。

「露探」については、ずいぶん活躍したらしいがその実体は明らかになっていない。逆に旅順は防諜がきわめて厳重で、日本の情報活動はその鉄壁にははね返された。

要塞の内情もわからなかった。ロシア側は保塁建設工事に使った支那人苦力を、工事が終ると酒に酔わせ皆殺しにして、ひそかに埋めたといわれる。

マカロフは港口に閉塞船が接近することを防ぐために、逆にその航路とみられる場所に汽船を沈めておくということをした。マカロフはみずから現場を監督して、ハイラルとハルピンという汽船二隻を沈めさせた。機雷も沈めた。駆逐隊を二隊待機させて待ち伏せの用意をぬかりなくすすめた。閉塞隊の出発は三月二十四日の予定であった。この日は風浪がはげしく濃霧にとざされたため延期となった。

この日真之は、親友広瀬に会うため福井丸をたずねた。

「今回は前回にもまして敵の砲火は激しいものと思われる。容易に近づけなかったら、さっさとひきかえすほうがよい。再挙をはかるということもまた万全の策なのだ」

真之は広瀬の身の上が心配でならない。

「貴様、まえにもそんなことを言ったぞ。こうと決心した実施部隊は作戦家とちがい、成功の秘訣はただ勇気ある突進のみだ。だからどんどん往く」

広瀬は大分県竹田市の出身。兄のあとを追って海軍に入り、明治三十年から四年間ロシア駐在武官を命ぜられ、ペテルブルグに派遣された。ロシアの海軍士官が広瀬を小バカにして、言った。

「日本人は小さくて個人としては弱い、とういわれわれの敵ではない」

「強いか弱いか、貴国の軍人で腕力のすぐれている者三人を連れてきてみろ」

ひげもじゃの巨漢三人があつめられ、海軍省前の広場で試合が行われることになった。広瀬は講道館四段である。広瀬は大勢の見物人の前で大男をつぎつぎと投げとばして、ロシア士官たちを驚愕《きょうがく》させた。この武勇伝は皇帝の耳に入り、やがて宮廷によばれて皇帝の前で、柔道を披露してみせたりした。

広瀬はつよいばかりでなく、自然人のように素朴で、燃えるような情熱の人であった。漢詩をよくし、プーシキンの詩を漢詩に訳したりした。教養豊かな紳士でダンスも巧みだったので、ロシア貴族の令嬢など広瀬に血道をあげ、おおいに婦人たちにもてた。

皇帝の侍従武官コヴァレフスキー少将は、ロシア貴族の名門の出であったが、広瀬の人柄にぞっこん惚れこみ、当時ペテルブルグの三美女の一人といわれた美貌の愛嬢を妻にめとって、日本へつれてかえってくれといいだす始末だった。その娘アリアズナとの恋は、広瀬の帰国でおわったが、彼女からはロシア語の詩が送られ、広瀬がそれに対し漢詩で返事し、ロシア語の訳をつけて手紙を書いたりした。また広瀬はヴィルキッキーという海軍兵学校を卒業したばかりの少尉候補生に兄のように慕われ、「タケニイサン」といわれて親しくしていた。そのヴィルキッキーは旅順の戦艦ツェザレウィッチに配属され乗艦していた。そのツェザレウィッチは開戦早々の日本の水雷夜襲で、港外に擱座しており、近づく閉塞船に猛火を浴びせている。広瀬は数奇な縁にひかれながら旅順に行く。

——三月二十七日、閉塞船団はふたたび地獄の入口ともいうべき旅順港口へむかった。この夜風浪はおだやかで、薄いもやが海面にただよい、月色は暗かった。午前三時、月は濃くなった雲にかくれ、夜霧がかかり隠密行動につごうがよくなった。

千代丸、福井丸、弥彦丸、米山丸の順に、全速力で港口にむかった。あと港口まで二海里というところで、先頭の千代丸が探照灯に捕捉されたのにつづいて、あとの三船も照射され、すかさず海陸から猛烈な砲撃を浴びはじめた。千代丸は黄金山の探照灯にむかって直進し、その手前で右折して港口に突入しようとしたが、探照灯に眩惑されて位置がつかめず、前回の仁川丸の左側に自沈した。

千代丸が爆沈すると二番船福井丸の広瀬はもうそこが港口だとおもった。千代丸の左側にならび、錨をおろし爆沈を下命した。杉野上等兵曹が船底にかけ下りて、爆破装置の操作にとりかかろうとしたとき、ロシアの駆逐艦が近づいてきて、魚雷を発射した。それが船首に命中し浸水して沈みはじめた。二番船弥彦丸は福井丸の左側へならぶようにして、東むきに自沈した。四番船米山丸はロシア駆逐艦の魚雷を右舷に受けたが、弥彦丸と船尾をむかいあわせるようにして、港口西側に、船首を陸岸にむけて沈没した。

狭水道にいちばん近かったのは米山丸であるが、それでも港口の一番狭い水道まではまだ百メートル以上、北へ進む必要があった。四隻の閉塞船のうち二隻はロシアの駆逐艦に撃沈され、一隻は黄金山下の沿岸、一隻は港口西側へ沈没し、再び肝心の港口閉塞はできなかった。閉塞船が沈むと、各船の引揚げボートに銃砲弾が集中した。撤収は前回とは比較にならぬほど危険であった。

沈没しはじめた福井丸は左舷のボートをおろした。全員乗り移った。広瀬少佐は、杉野上等兵曹がいないことを知ると、

「待て、もう一度さがす」

と言って三度、沈没中の船上にもどった。大和田建樹作詞の歌のとおりの状況

であった。

轟く砲音《つつ》　飛来る弾丸
荒波洗う　デッキの上に
闇を貫く　中佐の叫び
「杉野は何処《いずこ》　杉野は居ずや」

船内隈なく　尋ぬる三度《みたび》
呼べど答えず　さがせど見えず
船は次第に　波間に沈み
敵弾いよいよ　あたりに繁し
今はとボートに　うつれる中佐
飛来る弾丸に　忽ち失せて
旅順港外　うらみぞ深き

軍神広瀬と　その名残れど

探照灯の光を背にあびながら、ボートの艇尾で「しっかり漕ぐんだ」と叫んだ広瀬は、次の一瞬、黒い影のような砲弾と共に闇に消えた。一世の快男児広瀬武夫はかくして、三十七歳の生涯を終えた。大楠公を敬慕し「七生報国」を生き方の理想としていた。

広瀬武夫少佐の死は、日本全国に感動と興奮をさそった。決死隊にひとしい閉塞作戦で、部下の安否を確めて退船が遅れたことが戦死の原因とみられる。部下おもいの責任感の強い、鮮烈な指揮官像としての印象が強い。しかも広瀬武夫を知る者すべてに、その人柄が敬愛されていた。

報を聞いて真之は瞑目した。

「広瀬が死んだか、惜しい男じゃった」

東郷も沈痛な表情でぽつりと言った。

広瀬中佐（戦死により昇進）の戦死が報道されると、ヨーロッパ各国でも讃嘆された。ドイツでは広瀬の絵葉書が発行された。英国ではローマを守るために単身で戦った勇士になぞられて、讃えられた。閉塞隊の作戦が二度まで同じ指揮官によって決行されたことがかれらを驚かせた。外国人にはそのようなことはあり得ないからであった。東京に駐在していた英国海軍武官は「日本は必ず勝つ」と本国に報告した。広瀬中佐の死がこれほどに国際的な讃美と哀惜を集めたのは類をみないことであった。

——戦費調達の面にも好影響を与えた。日本は開戦前から戦費には深刻な不安があった。戦場へ送る砲弾も、大阪の造兵工廠の製造能力をはるかにしのいで、消費がうわまわり、備蓄のない日本はあわてて外国から買わなければならなかった。

外債の発行——つまり外国から借金して外貨で支払うことになるが、この公債の発行が困難を極めた。

日銀副総裁の高橋是清は、三月十八日ニューヨークに着いた。アメリカはこの時期英仏から外貨を導入して、国内開発を推進中であり、他国に金を貸すような状況になかった。高橋是清はアメリカに見切りをつけ、同盟国英国での金策にすがるほかなかった。フランスは当時金融大国であったが親露的でロシアに金を貸していた。英国とは日英同盟があるというものの、戦費の貸与は別であるという態度で、交渉は絶望的であった。

「日本敗北の予感」が根強かった。「黄禍論の影響」もあった。日露戦争を「白色人種対黄色人種の戦い」とみなし、同じ白色人種であるロシア人の足をひっぱりたくないという考え方である。人種問題は深刻である。

いつの時代も民族と宗教は複雑な問題をかかえているが、この時日本にとっては思わぬたすけとなることがあった。それはロシアにおけるユダヤ人問題であった。ロシアはギリシャ正教の信徒がほとんどだが、ギリシャ正教はユダヤ人を「異端者、信仰の害毒、キリストを殺した犯人」と説く。ギリシャ正教徒を自負するロシア皇帝は代々ユダヤ人迫害をつづけた。十九世紀後半になるとその迫害はひどくなり、残忍をきわめた。ユダヤ人は帝政ロシアのなくなることを願い、革命運動に身を投じる者を多く出した。

日露戦争がおこると、

「この戦争は、外に侵略をくり返し、内に残忍政策をとるロシア政治体制を根底から打破するものだ。日本の勝利は、同時に迫害されているユダヤ人の利益につながる」

と全米ユダヤ人協会長ヤコブ・シフは考えた。ヤコブ・シフは高橋是清に協力して第一回の六分利付公債の五百万ポンドをあっさり、

「ひきうけましょう」

と言ってくれた。

もっとも、二パーセント、三パーセントの金利水準のとき、六パーセントという金利は魅力的な高利であった。日本政府は従来、外債に対して元利の支払を一厘とも怠ったことはない。

緒戦の勝利は外債成立に展望を与えた。

「日本帝国政府六分利付英貨公債（第一回）

英貨一千万ポンド（ロンドン、ニューヨークで半分ずつ発行）

額面百ポンドにつき九十三ポンド半の発行価額

利率、年六パーセント

償還期限、明治四十四年（一九一一年）四月五日
担保、関税（第一順位）」

という内容の仮契約が五月七日調印された。当時の小国日本が、英米二大国に外債をひきうけてもらえたのは、文字どおり「破天荒の慶事」であり、日本政府にとって「蘇生の想い」であった。

高橋是清は秋山真之と正岡子規に予備校（共立《きょうりゅう》学校）で英語を教えていたことがある。英語は仙台藩の留学生として渡米した時のものであり、その間「奴隷」に売られるほどの苦学留学をしたものの、正規の高等教育はうけなかった。十八年間の米国生活で身につけた英語力と、天性の理財の才幹で日銀副総裁の地位にのぼっていた。緊急にして重要な外債の募集には、最適任の人材であった。横浜正金銀行の副頭取をしていたので英国金融界にも知人がいた。

高橋是清は、
「どんな窮地におちいっても、自分にはいつかよい運が転換してくるものだと一心になって努力した」

といっているように生来の楽天家であった。是清のような修羅場に強い楽天家でなければ、戦費の調達でかけまわるようなことはできなかったであろう。

今一息というところまでいった第二回閉塞作戦につづけて、第三回の閉塞を決行することになった。十二隻の閉塞船の準備を東郷は大本営へ要求した。マカロフが着任してから、旅順港口の防備は厚くなり、将兵たちの士気も一変した。水兵たちは水夫からたたきあげたマカロフ親分の歌を唄いながら、ウォッカを飲んだ。マカロフは、水兵たちの心情をつかむことにも長じていた。

まず自分の方針をよく理解、徹底させた。艦隊を保全しバルチック艦隊の東航を待ち、二倍の力をもって日本艦隊に圧勝するということである。ここまではスタルクと同じである。しかし、いたずらに港内に逼塞《ひっそく》していないで、近距離を撃って出る。

「そのため快速の巡洋艦はいつでも汽罐《かま》を焚《た》いて出られるようにせよ」

マカロフは旅順にきてから巡洋艦にばかり乗っていた。戦艦のような行動力の鈍重な艦では、臨機応変の艦隊指揮がとれないといっていた。もっとも旅順港内の戦艦は、港口の水道に日本の閉塞船があちこちに沈んでいるので、港口を通過するのに時間をかけて、よほどうまくソロソロと通らなければならない。マカロフはその不自由を嫌った。しかもかれは小艦を重視する主義をとっていた。

旅順艦隊にはマカロフ好みの勇敢な艦長がいた。ノーウィック（三千八十トン）のエッセン大佐、バヤーン（七千七百二十六トン）のウィーレン大佐などである。前長官スタルクの消極的なやりかたに不満をもっていたこれらの戦闘的な軍人は、マカロフの方針をよろこんだ。

マカロフはエッセンやウィーレンの巡洋艦に司令長官旗をひるがえして出撃してきた。しかし、けっして限定した海域の外には出ない。要塞砲の射程内を遊弋しながら砲火をあびせてくる。ときには近づいてくる。追いかけて行こうとすれば、艦尾の砲を撃ちながら要塞砲の射程内に入ってしまう。うっかり日本艦隊がさそい込まれて、深追いすると照準を定めた要塞砲の弾丸が雨あられのように降ってくる。それはまるで城をかこんだ軍勢に、城門をひらいて城将が騎馬武者をつれて打って出るのに似ていた。城攻めの武者が城将の一隊にさそいこまれて近づくと城壁からいっせいに鉄砲のたまが飛んできて餌食になる。

真之は三笠の艦上からこの様子を見て、旅順艦隊の挑発行動と要塞のみごとな息の合いかたを、「マカロフの呼吸」といういい方をした。

——物事には必ず表裏、長短の両面がある。

真之はマカロフの積極的な行動を、むしろ敵の弱点として利用できないかと考えた。スタルクとちがって、こちらがいけばマカロフはかならずといっていいほど打って出てくる。

(人に習性があるように艦隊行動にもそれがあるはずだ)

真之は第四駆逐隊「速鳥」の艦長竹内次郎少佐にロシア艦隊が出撃したときの航行経路をしらべさせた。「敵の艦隊はいつも東へ進み、ルチン岩の付近にきて、そこから反転して港口へもどっていく」という航路をとることが確認された。

「敵が通過する場所に機械水雷を沈めておけば」

と真之が幕僚会議で提案すると、東郷は即座に実施を命じた。

「小田式機雷」を発明した機雷の権威がいた。小田喜代蔵中佐で、多年機械水雷を研究し、日清戦争当時の二倍以上の爆発力をもち、深度も思うとおりのところに自動的に調整できる機雷をつくった。小田中佐は仮装砲艦蛟竜《こうりゅう》丸で敷設する。

四月十二日夜半、蛟竜丸は、第四駆逐隊（速鳥、春雨、村雨、朝霧）と第五駆逐隊（陽炎《かげろう》、叢雲《むらくも》、夕霧、不知火《しらぬい》）に第一四水雷艇隊の護衛をうけて出発した。多数の機雷を積んでいくので、もし途中で敵弾を受ければ天地が裂けるほどの大爆発がおこる。

この夜は煙のような霧雨で視界はまったくきかなかった。敵の探照灯も絹糸のような細雨にはばまれて、敷設隊がしのびよるには絶好の気象条件であった。波もしずかである。機雷の沈置にはこれ以上の天候はないであろう。

蛟竜丸には十二個、第四駆逐隊は村雨が曳航する団平船二隻に各八個、第五駆逐隊は各艦に三個ずつ、第一四艇隊は「真鶴」「鵲《かささぎ》」に二個ずつ合計四十四個の機械水雷を用意していた。

気温がさがり雨が雪にかわった。探照灯がいつものように海面を照射していたが、雪のため光芒が遠くへのびず、敵に発見された気配はないと思われた。

この夜、マカロフは駆逐艦八隻を出動させていた。日本の機雷敷設部隊はロシア駆逐艦隊とすれちがうかたちで旅順港口にすすんでいた。敵に発見されることなく作業ははじめられた。水音ひとつたてないように細心の注意をはらって、機械水雷はつぎつぎ沈められた。四十四個の機雷を敷設しおわると、蛟竜丸はわずかに蒸気をあげ、忍者のように沖へ遠ざかっていった。

蛟竜丸の艦影がこの海域から消えたのとほとんど同時に、敵の駆逐艦が接近してきた。ロシア駆逐艦「ストラーシヌイ」の艦長は強度の近眼のため仲間とはぐれていた。第二駆逐隊を味方と誤認していた。雷《いかずち》、朧《おぼろ》、電《いなずま》、曙《あけぼの》の四艦は戦闘を決意し、増速してその前方にまわりこもうとした。ストラーシヌイが日本艦だと気付いたとき、早くも雷の砲弾が敵に命中した。ストラーシヌイも勇敢にたたかったが、たちまち全艦火につつまれた。

四隻の相手に袋だたきにされて、ストラーシヌイは後部から沈没しかけた。

「ボートおろせ、乗組員救助」

と司令の石田中佐が下命したとき、予期せぬことがおきた。

すでに海上はあかるくなっている。砲声をききつけて港内から巡洋艦があらわれた。勇敢なるウィーレン艦長の一等巡洋艦バヤーンである。四本の高い煙突から黒煙をあげてくる。いくら四隻とはいえ三百トンの小艦では七千七百二十六トンに対し勝負にならない。駆逐隊はいそぎ回頭し逃げた。

このとき南方の沖合にさしかかったのは第三戦隊の巡洋艦であった。千歳、高砂、笠置、吉野に浅間と常磐が加わっていた。六隻は第二駆逐隊あやうしとみて、バヤーンにむかって攻撃をはじめた。バヤーンは逃げるかと思われたが、ウィーレン艦長は驚くべきことに単艦むかってきた。

「勇敢なバヤーンだ」

沈めてしまえと猛烈な砲撃が加えられた。十数分の砲撃戦ののち、バヤーンは退却をはじめた。

このときマカロフは旗艦ペトロパウロスクの長官室にいた。港外のはげしい砲声を耳にして、「全艦出撃」を命じた。

旗艦ペトロパウロスクが駆けだすように港内を出ていくあとを、勇敢なるエッセン艦長のノーウィックがつづく。戦艦セヴァストーポリ、ポベータ、二等巡洋艦アスコリド、ザビヤーカ、ほかに砲艦、駆逐艦の一群があとにつづいた。雑多な編成ではあるが、大小十数隻が出撃してきたから出羽司令官はおどろいた。

「マカロフか」

双眼鏡をのぞいてみると、二本煙突の旗艦ペトロパウロスクのマストに長官旗がはためいていた。マカロフは局地的決戦を挑んできたにちがいない。

（外洋へひきだそう）

旗艦ペトロパウロスクの砲門が火を吐くと、第三戦隊も応砲した。たちまち海上は水柱がたち発射煙につつまれた。第三戦隊は退いては突っこみ、突っこんでは退いて外洋へ敵を誘いこんだ。

マカロフは戦艦三隻を中心とする勢力をもって右先鋒単梯陣をつくり、第三戦隊の六隻に速力を増してせまってきた。

そこから十五海里の地点に東郷が待ちうけていた。三笠以下、朝日、富士、八島、敷島、初瀬――それに一昨日、あらたにくわわった新鋭巡洋艦日進、春日がいた。

「ここらが限度だ」

とマカロフは東郷の堂々たる主力陣を見て、すぐに退却を命じ旅順へ逃走をはじめた。マカロフは進むことと退くこととの勇気をあわせもっており、柔軟であった。

旅順港外に入るとマカロフはそこで反転して、戦意をしめした。今度は東郷を要塞砲の射程内に誘いこもうというのである。海上は昨夜とはうってかわって視界がよく、青空が見えてきた。

三笠の主砲が射程ぎりぎりのところでマカロフの旗艦に砲撃をくわえた。一弾が艦尾に命中したのみでいずれも周辺に落下し水柱をあげた。その一弾は心理的効果があった。マカロフは戦闘を中止し港口へ入ろうとした。

この日、朝、マカロフはいつもの重大な習慣をまもらなかった。いつのときも、マカロフは海面下に沈置された機械水雷をとりのける掃海作業をさせてから乗り出した。ところがこの日はロシア駆逐艦が日本の駆逐艦四隻に袋だたきにあった。一等巡洋艦バヤーンが突出して駆逐艦を救おうとした。そこへ日本の巡洋艦戦隊がきてまた袋だたきにあいそうになった。マカロフは戦艦を連れて憤激のあまり飛び出してきた。ちょうど子供のけんかに、兄がとび出し、ついで親がとび出したような具合で、一刻も早くかけつけるためにおっとり刀で掃海をするいとまがなかった。

「ああ、魔の海域に入っていく」

三笠の艦上で真之は、マカロフがルチン岩のあたりで回帰運動をはじめたのを肉眼で遠望していた。

——突如、凄まじい閃光がはしり、つづいて天地をゆるがすような大音響がおこった。驚愕すべき出来事がおこっていた。旗艦ペトロパウロスクの艦首が機雷に接触して爆発、つれて格納する水雷、砲弾庫が誘爆して大爆発をおこした。天地が裂けたかと思われる轟音がおこり、火焰が噴きあがって、艦体が高くせりあがった。汽罐が破裂して艦尾は宙へ突っ立ち上った。黄青色の猛煙を噴出しながら、艦体はまんなかでまっ二つになって艦尾のスクリューは空中で回転した。そして、火と焰を噴出しながら、みるみるうちにわずか一分三十秒にして沈没した。あとの海面には煙だけがのこった。

マカロフは艦とともに海底へ没した。マカロフと運命をともにした者は参謀長モーラス少将以下六百三十余人であった。轟然たる大爆音と、濛々たる爆煙をあげて沈むペトロパウロスクの光景を、目前に見たのは黄金山砲台のロシア兵であった。かれらはいっせいに脱帽し、ひざまずいてマカロフの最期を弔った。

三笠の艦上でもこの光景を遠望していた。東郷だけが、ドイツ、ツァイス社製の高性能の双眼鏡をもっている。

「旗艦ペトロパウロスクが轟沈した」

東郷は双眼鏡をおろしながら言った。

そばにいた島村も真之も心の中で快哉を叫んだ。

マカロフ司令長官が旗艦とともに沈んだということが、ロイター電報によって確認されたとき、幕僚のひとりが、

「弔意を送りましょうか」

とうかがった。丁汝昌《ていじょしょう》のときの例を考えての発言であったが、その気のまるでなかった東郷は無表情に、「やめよ」と言っただけであった。

丁汝昌のときと異り、日露戦争ははじまったばかりである。敵将の運命は、紙一重で、「明日はわが身」と覚悟しなければならない。東郷にその気がおこらなかったのは、戦の行方のきびしさにあった。

ともかく、名将マカロフは旗艦ペトロパウロスクの轟沈によって一瞬のうちに海中に消え去った。

「轟沈」――この言葉は、この時に東郷と真之が初めて創り出した海軍用語である。

余談ながら「轟沈」についてひとこと述べたい。

私事ながら私の父（神川武夫、海兵五十一期）は昭和十九年十月、重巡洋艦「鳥海」に乗っていたが、レイテ沖海戦で被害大きく航行不能になったので「鳥海」を処分し、駆逐艦「藤波」に残存者は移乗して、コロンにむかった。帰投中、座礁した僚艦《りようかん》「早霜」の救援にむかうところを、米機動部隊艦載機の猛攻を受けて沈められた。生存者は一名もないので最期の様子はわからない。私は時折、火と油の海で父は何を想いつつ最期をむかえたのであろうかと想いめぐらしていた。しかし、「早霜」の目撃者が「藤波」はあっという間に火柱をあげて轟沈したといったことを聞いて粛然《しゆくぜん》とした。

私は轟沈ということばに、かぎりないすさまじさと悲哀を感じるのである。

旗艦ペトロパウロスクは機雷のために沈んだが、ロシア側は日本の潜水艇のためではないかという疑念をもった。そのためロシア艦艇は海にむかって砲弾をめちゃくちゃに撃ち込みながら逃げた。潜水艇は日露戦争後の観艦式のときにアメリカから購入したものが初めて参加するが、当時はまだ使用にいたらなかった。

マカロフの死はロシア海軍にとって致命的な大惨事であった。

広瀬武夫の死は日本人の士気をふるいたたせたが、マカロフ中将の死は、ロシア海軍の戦意をいちじるしく低下させた。

両者の死は片や国民の士気を高揚させ、片や沮喪《そそう》させた点でまことに対照的であった。

第十章　危機と名将

閉塞隊の実施責任者、先任参謀の有馬中佐は体調を崩していたが、なお第三回の指揮をとらせてもらいたいと熱望した。東郷はこれを許さず、有馬先任参謀は大本営付に転任することになった。

有馬は後任者について、

「秋山は少佐ですが、秋山以上の適任者はおりません」

と推挙した。東郷も島村も同意し、真之が少佐でありながら先任参謀となった。これは異例中の異例のことであった。三人ともそれだけ真之を高く買っていたわけである。真之は半年後の三十七年九月、中佐に昇進する。

陸軍は黒木為楨《ためもと》大将の第一軍三個師団が鴨緑江を越えて満州へ入ろうとしてい

た。奥保鞏《やすかた》大将の第二軍五個師団を遼東半島に揚陸させることが、海軍の重要な任務となった。連合艦隊主力は、この上陸作戦にあわせて、五月二日、十二隻の第三回閉塞隊とともに旅順口にむかった。

第三回閉塞隊は、砲艦鳥海艦長林三子雄《みねお》中佐が指揮し、三日未明、強風に荒れる中を港口へと進んだ。こんどこそ港口をふさごうと非常な意気ごみに燃えていたが、いよいよ風波が激しくなり猛烈な悪天候となった。航行序列は乱れ、いったん閉塞中止の命令を下したものの、その信号が徹底せず、八隻は探照灯と集中砲火の中を突進した。しかし各船は狭水道の目的位置まで到達できなかった。しかも八隻の乗員百五十八名中、生還できた者は半数でしかなかった。真之が懸念したように、敵の防御が周密な中を、古船で突入することは、やはり合理的な作戦ではなかったと言えよう。

五月五日、秋山好古の率いる騎兵第一旅団を含む第二軍は、大連北東五十キロの塩大澳《えんたいおう》に無事上陸することができた。真之はこの作戦に知恵をしぼった。

日本は開戦以来三カ月間、ほぼ順調にきたが、外債成立の直後、痛恨の一大事がおこった。こともあろうに、こんどは敵の敷設した機雷で東郷艦隊の虎の子の戦艦二隻を一日にして失うという衝撃的事態がおこった。しかもこの五月十五日をはさんで六日間のあいだ、大小艦艇七隻が失われた。いずれも触雷事故と味方同士の衝突事故によるものであった。まるでマカロフの怨霊にたたられたような禍《わざわい》であったが、事実はマカロフの復讐に燃える砲艦アムール艦長イワノフ中佐の仕業であった。

イワノフ中佐は日本艦隊の運動習性をみていて、

「マカロフがやられたことを日本にやって、お返しをしてやろう」

とおもった。

イワノフは司令長官代理のウイトゲフト少将に、

「港口南方十海里付近の日本艦隊の通過点に機雷を敷設したい」

と申し出た。

「国際法上の領海は三海里である。それ以上の公海に機雷を敷設するのは非合法になる」

といってウイトゲフト少将は反対した。イワノフ中佐は、

「そんなことではペトロパウロスクの復讐はできない。戦争には勝てない」

と押しかえした。

結局、諸外国から抗議のないよう、領海からあまりはずれないところでやる、
ということで小心なウイトゲフトは許可した。

イワノフ艦長は霧の日を待ち、自身の計算に賭けることにして、外洋の目標海面に機雷を沈めた。砲艦アムールは日本艦隊の推定航路を横切る線上に、五十個の機雷をならべた。

イワノフ中佐は作業完了をウイトゲフト少将に報告した。実際には距離十海里の海面に機雷を敷設したというと、

「国際法違反行為なり、責任は貴官にあり」

とウイトゲフト少将は憤慨してどなった。

日本側にもマカロフの仕返しをされるのではないか、という不安をもつ者はあった。

イタリアから回航してきた巡洋艦「春日」の副長鈴木貫太郎中佐は、港口にも

どるロシア駆逐艦数隻を見て、

「同じところを通っていると危ないんじゃないか」

司令部へ注意してくれと、かたわらの大本営派遣参謀の高木少佐に言った。まさしくこの駆逐艦はイワノフのアムールを護衛していたのである。

三笠では、島村参謀長も秋山先任参謀も油断があった。それはロシアはヨーロッパ先進国の一つであり、領海外の公海に機雷を沈めるというようなことをやる筈がない、という先入観が頭の隅にあったのであろう。国際社会に仲間入りをした日本は、ことごとに小心なまでに、国際法の枠からはみ出ないように自制している。国際的な非難を浴びては、日露戦争はすすめられないのである。自分ができない、しないことをロシアはあえてやるという想像が薄かったことが盲点となっていた。

戦である。いずれにしても航路は変更するに越したことはない。真之はさっそく海図上に線を引き、島村参謀長の許可を求めた。しかし、各艦さまざまに運動をくりかえしているときに、即時その航路を変更することはできないので、

「五月十五日までは旧航路とし、十六日から新航路に変更する」

ということに決めた。ところが日露戦争を通じて、最も日本国民を危機におとし込んだ事態は、このぎりぎりの五月十五日におこるのである。

東郷艦隊は戦艦が六隻ある。それを半分にわけて三隻ずつが旅順港の外をパトロールに出動することにしていた。東郷が出番のときは、三笠、朝日、富士が行く。この五月十五日、まことに強運にも東郷は出番ではなく、海軍少将梨羽時起《なしばときおき》が東郷代理として初瀬に座乗し、敷島と八島が巡洋艦、駆逐艦以下をつれて定期パトロールに出た。

この日の旅順港外は、うすもやがたなびく程度で、ロシア側の黄金山砲台から日本艦隊の動きがよく見えた。パトロールの艦隊は外洋にもうけられている「x地点」まで行って、ぐるりと反転してもどってくることになっていた。このx地点を五月十五日、きょうかぎりで廃止することになっていた。

初瀬は一万五千二百四十トン、旗艦にもなっていた世界的な大艦である。つづく敷島、八島、いずれも日本の国運がかかっている主力艦である。日露戦争を通じて海戦で沈められた戦艦、巡洋艦は一隻もない。これらの軍艦は、防備の装甲がほどこされていて、少々の砲弾をくらっても、火薬庫にでも火が及ばない限り容易には沈まない。しかし軍艦の艦底を破る機雷に対しては無防備なため、ときには一瞬で巨艦を沈めてしまう。

海面下に沈置された機械水雷の威力は大きい。そのため第三艦隊は掃海作業を行っていた。その掃海に従事していた第四八号水雷艇が十二日触雷して沈没した。さらに翌々日、通報艦宮古（千八百トン）が同じ海域で触雷沈没した。この十二日から十五日までの掃海作業によって、十五個の機械水雷をつぶして日本側は安堵した。だが、まだもっと多くの機雷が待っていることを進む艦隊は知らない。

十五日、午前十時五十分、初瀬の艦尾が触雷して爆発し、このあとすぐ別の機雷に触れて、火薬庫が誘爆して大音響を発し、一分三十秒後に艦首衝角を上にして後部から海没した。死者は四百九十六人である。

後続する八島（一万二千五百十四トン）は、初瀬を救おうとしたが、これまた触雷し艦が傾きはじめた。八島には死傷者はいなかったが、午後五時曳航も不可能と判断されたので、乗組員は退艦し、ついに沈没した。

この不運の十五日、べつの海域では二等巡洋艦吉野（四千百八十トン）と、新造の一等巡洋艦春日が濃霧の中で衝突した。春日の艦首の水面下につき出ている衝角が、吉野の左舷を突きやぶったため、吉野は一瞬にして沈没、佐伯艦長以下三百十九人、乗員のほとんどが海没した。

吉野は日清戦争当時の世界最速の花形巡洋艦で、真之が回航委員の一人として英国に受け取りに行った艦である。駿足をおもわせる傾斜をつけた二本マスト、二本煙突の勇姿は消えた。さらにこの日、混乱に乗じて攻めてきた敵駆逐艦と交戦した、通報艦竜田（八百六十四トン）が光禄島の南岸に擱座した。

翌十七日には砲艦大島と赤城が衝突して沈没。さらに同日老鉄山沖で駆逐艦暁が触雷して沈没、末次艦長以下二十三名が戦死した。

――開戦以来無傷であった日本艦隊が、この六日間で八隻をいっきょに失ってしまった。とくに虎の子の戦艦六隻のうち二隻を失ったことは戦いの前途をくらくした。八島は明治三十年、初瀬は明治三十四年、イギリスで建造された新鋭戦艦で、国民の血と汗の拠金によって誕生した艦だけに、その衝撃は強烈なものがあった。

「六六艦隊」の構想はもろくも崩れ、一日で戦艦四隻編成に下落して、今後の決戦を戦わなければならない。

（今後どう戦えばいいのか）

裏長山列島の臨時基地の三笠で、つぎつぎに入る悲報を受ける秋山参謀は、心臓が凍るようなおもいであった。偉丈夫の島村参謀長もさすがに息をのみ、まばたきもしなかった。「敵を撃滅し、御宸襟《ごしんきん》を安んじ奉ります」と明治天皇に誓った東郷司令長官は、どのような気持でこの悲報を受けたであろうか。東郷は平素と変らぬ顔色で、真之の報告文案を見た。

午前十時五分、

「……吉野はついに沈没したり……濃霧いまだ晴れず、痛心にたえず」

午後六時、

「本日は海軍にありて最大不幸の日にして、ここに又、最も不幸なる報告を進達するのやむを得ざるに遭遇せり。（初瀬、八島の災厄を述べて）本職はこれを報告するにのぞみ、ただ遺憾至極というの外なし。当地付近は霧いまだはれず」

真之と同期の森山慶三郎少佐が語っているところによると、

——東郷が佐世保へ着任するとき迎えに行ったときの印象を、

「停車場の前が埋立地になっていて、地面がでこぼこし水溜りもあった。東郷はその埋立地をヨボヨボと下をむいて歩くのだから、いよいよこの人はだめだと思った」

小柄な爺さんというだけで、とても大艦隊の総大将という偉容はなかった、と言っている。背の低いこの小柄な薄ぼけたような長官は、実は驚嘆すべき強運と強靭《きょうじん》な精神をもっていた。元寇に際しての執権北条時宗を、「胆甕《きもかめ》の如し」と頼山陽は言ったが、東郷平八郎も柄は小さくとも、時宗に劣らぬ豪胆な将であった。

二戦艦を失って、敗残の艦長たちが旅順口外からもどってきて、長官に報告するために三笠をたずねた。かれらはみな、東郷の顔をまともに見ることができず、

——いったいなにを報告したらいいのか。どのような顔で立ったらよいのか

——みな声をあげてこの悲運に泣いた。

真之が報告者を部屋の中へ入るようにうながした。部屋には長身の島村参謀長もいた。

「長官、おゆるし下さい」

折り伏して慟哭《どうこく》する者たちへ、

「――みなご苦労だった。たいへんだったな」

東郷の声にみなは一瞬、はっとし棒立ちになった。

――東郷は平然としていた。東郷のその表情、態度はいつもとすこしも変っていなかった。

「もうよい、菓子でもくえ」

卓上の菓子鉢を手で押しやる東郷をみて、真之は、東郷は名将だと思った。バルチック艦隊の司令長官ロジェストウェンスキーであったら、悲憤し、激昂し、おそらく菓子鉢を頭上に叩きつけたことは間違いない。艦長たちは首をたれたまま、子供のようにまだ肩をふるわせて、嗚咽を洩らしつづけていた。

「もうよい、以後は二人分だけ働け」

東郷は二人の艦長にそっといった。

のち、大正六年、真之が中将になって、英国に行ったとき、当時観戦武官だったペケナムは、席上つぎのような話をした。

「大惨事の翌日、東郷提督は『朝日』に来られた。私は初瀬、八島の遭難に対し、長官に弔詞をのべた。すると長官は、〝有難う、ペケナムさん〟とかたい握手をし、あたかも何かプレゼントをもらってサンキューというときのように、なごやかな印象をあたえられた。

巡視の後について艦内をまわったが、提督の態度には、きのうの惨事のことなど少しもみえない。この態度に接して、昨夜は悲しみに眠れなかった六百の将兵は、にわかに安堵した。あたかも、うちしおれた草花が慈雨にあって、いっせいに頭をあげた光景を思わせた。私は敗戦を勝利にめぐらすのは、こうした主将の自若とした態度であることを痛感した……」

秋山中将たちは、これを聞いて当時を思い出し目頭があつくなったという。

もうだめだという危機のとき、乗員は必ず、みな艦長の顔を見るという。艦長が落ち着いていれば、乗員も安心して冷静になる。艦長はたとえ恐ろしくても平然としていなければならない。これはどんな組織でも家庭でもいえる。長たる者は危機のときみんなから顔色を見られている。動揺すればそれは全員に伝わり、平静さを失ってしまう。

ともかくこの初瀬、八島の喪失は、太平洋戦争のとき、ミッドウェー海戦で虎の子の空母、赤城、加賀、蒼竜、飛竜の四隻をいっきょに失ったときにまさるとも劣らぬ衝撃であった。

広島市の宇品港は、日清、日露の戦役から太平洋戦争まで多くの出征兵士を送り出した。薩摩出身の千田県令が私財を投げうち、ふんどし姿で海中にとび込んで督励までして築いたこの港は、実に重要な役割を果たした。ここからいかに多くの兵士が大陸へ渡って行ったか。膨大な数の兵士が出て行き、多数の兵士は二度と帰ってこなかった。

金輪島に面した岸壁に、立派な凱旋館《がいせんかん》が建っていた。凱旋した兵士はこの高い建物を仰ぎ見た。しかし無言の凱旋をした者は白木の小箱である。

――あるとき、広島駅に降りたった母と三歳位の女の子は宇品にやってきた。母は喪章をつけた陸軍の将校から、白い小箱を受け取った。手をひかれて立っていた女の子は、

「お父さんに会わせてあげる、お父さんに会えるからといって連れてきたのに――お父さんがこんな小さなハコの中だなんて、お父さんはどこにいるの、早く会わせて……」

と泣きじゃくった。

その小さな女の子の様子を見て、並みいる人々はみな、あふれる涙をぬぐうばかりだった。

こんな哀話が宇品では、長い間無数にくりかえされてきた。

明治三十七年六月十四日、梅雨の降りつづく雨はあたりをしっとりとしめらせていた。岸壁から長い一本煙突の貨物船が二隻出港していった。

常陸丸は近衛歩兵第一連隊の本部と第二大隊の兵士など千二百五十余人、佐渡丸は鉄道関係の工兵部隊など同じく千二百五十余人を乗せ、二隻の軍用船は十五日、玄界灘に入り沖の島の沖合にさしかかった。そのとき濃霧をついてかすかな砲声がきこえてきた。

この砲声は遼東半島から宇品に帰る和泉丸が撃沈された砲声だった。

やがて霧の中から三本マスト、四本煙突の黒い巨艦があらわれた。ウラジオ艦隊の重巡グロムボイ（一万二千三百トン）であった。と、みるまに、常陸丸の右舷に重巡ロシア（一万二千トン）、左舷に重巡リューリック（一万九百トン）がつぎつぎにあらわれた。腹の底までふるわせる砲声がひびき、左右から挟撃された常陸丸は、五発の命中弾を受けたちまち燃えあがった。

英国人船長ジョン・カンベルは、輸送指揮官須知中佐に沈没を知らせた。須知中佐は連隊旗に火をつけ、燃える軍旗に直立して敬礼していたが、次の一瞬砲弾が炸裂して戦死した。生き残った幹部は拳銃で、あるいは割腹して自決した。刻々沈みゆく船上から、近くに迫ったグロムボイに小銃を発射しつづけた兵たちもやがて海に没した。海にとびこみ九死に一生を得た者は百八十九人に過ぎなかった。

佐渡丸は魚雷二発を受け船が傾きかけたので、ウラジオ艦隊は沈没間違いなしとみて放置して去った。そのため佐渡丸の方は沈没を免れた。

この悲報はわが国朝野に大きな衝撃を与えた。現在、靖国神社境内に移されている「常陸丸殉難碑」の石の大きさがそれをあらわしていると言える。

　常陸丸を襲ったウラジオ艦隊は活発な動きをして多くの船を沈め、日本側を暗い気持にさせた。これを追う上村彦之丞の第二艦隊は、荒らしまわられる海域が広いため、いつも鬼ごっこのような具合になり容易につかまらない。

　四月二十四日、上村艦隊はウラジオを砲撃するため出動したが、濃霧のため航路を見失いようやく元山にひきかえした。その留守のあいだに、ウラジオ艦隊は元山港を襲い、運送船金州丸、五洋丸、萩の丸を撃沈した。常陸丸殉難の際もただちに出動したが、またもや濃霧に妨害され、四日間さがしまわったがついに捕捉することはできなかった。

　ウラジオ艦隊はついには太平洋岸にあらわれ、東京湾をのぞいたり、伊豆半島をかすめたりして、小さな船まで手当たり次第に沈めて、日本のシーレーンをおびやかしつづけた。

　国民の不安と怒りは高まった。

「濃霧艦隊」、さかさに読めば「無能艦隊」といわれ、上村艦隊は「露探艦隊」だとまでいわれた。軽佻《けいちょう》浮薄《ふはく》な一部の者は、上村の私邸に石を投げ入れ、「国賊」とか「腹を切って死ね」とどなり込むものもいた。世間の非難にたまりかねた上村夫人は、人目をさけて朝早く神社に行き、敵艦の発見を祈ったという。

上村は豪勇の将である。若い頃から喧嘩っ早く、人に負けることが何よりもきらいであった。その上村がどうにもウラジオ艦隊と遭遇できない。ごうごうたる国民の非難の矢面に立たされて、その心情は筆舌に尽くしがたいものがあったであろう。

上村提督は不運につきまとわれていた。上村のいくところ、かならず濃霧ありで、「濃霧の神様」とまでいわれ、ツキから見放されていた。その上村にとってもっとも悲痛だったのは、「ウラジオ艦隊が伊豆半島沖に出現したので東京湾付近へ急行せよ」という大本営命令があったときである。この命令の基礎にはウラジオ艦隊は、太平洋に沿って最後には旅順艦隊に合流するつもりであろうという想像があった。上村艦隊はいそぎ九州の西方を南下して太平洋へむかった。七月二十一日のことであった。

ところが、この急行中連合艦隊から、「北海道へ行き津軽海峡においてウラジオ艦隊の帰路を待ち伏せよ」という命令が入った。

「どうするか」

上村は迷った。結局は、そのまま東京湾の方へ行き、津軽海峡をとおって帰ったウラジオ艦隊を、またもや取り逃がしてしまった。

このときのウラジオ艦隊の行動を予想して、的中させたのは真之であった。真之はウラジオ艦隊について日夜考えぬいていた。秋山参謀はポケットから煎豆を出してかじりながら、甲板をやたらに歩きまわった。そしてその足がぴたりととまると、真之はくいかけの煎豆をぺっと吐き出し急いで幕僚室へ帰っていく。それは何か名案が浮かび出たときらしい。

幕僚室はいつもぴたりと鉄窓が閉めてあった。中は薄暗くて瞑想《めいそう》するには都合よくできていた。甲板から帰った真之はベッドへごろりと横になった。靴はいつもはいたままだった。寝る時も脱いだことはなかった。頭の中は日夜をとわず作戦でいっぱいであり、おちおち眠るひまもなかった。夜中でも大きく眼を見開いて天井をにらんでいた。

「秋山参謀の部屋に行くと、両眼だけがこちらをむいている。ものを言っても反応しないことがある」

といった者があるほど、真之が考えごとをしているときは異常であった。このとき真之は考えごとをしていて、疲労のため少しうとうととした。ウラジオ艦隊の石炭搭載量を考え、どのような航路をとるか考えぬいていた。まぶたの裏にウラジオ艦隊の「ロシア」「グロムボイ」「リューリック」があらわれた。この黒い三つの艦影は津軽海峡をこえようとしていた。

(上村艦隊は津軽海峡へむかえ)

真之はこの神秘的な幻覚を信じようとした。作戦というのは理知のかぎりを尽くして考えぬき、ついにぎりぎりまで煮つめた最後の段階では、ひらめきのようなかんにたよるしかないものであろう。

ぎりぎりに絞りこまれた二つの選択肢のうち、ひとつを選ばなければならないという場合、どちらも十分な根拠があり、甲乙つけがたい場合は、おみくじでもひくような心境に立たされる。それを絶対境地であると思い、神秘的幻覚になってあらわれる絶対境地を真之は信じるたちであった。

真之は参謀長室へ行き、自信をもって津軽海峡説を理論的に説明した。連合艦隊が大本営命令を無視して、上村艦隊に対し津軽海峡行きの命令電信を発したのはこのときである。真之の幻覚どおりに上村艦隊が行動していれば、ウラジオ艦隊はこのとき津軽海峡で撃滅できたはずであった。そうすれば上村艦隊は黄海海戦に加勢することができた。

秋山好古の属する奥大将の第二軍は、遼東半島に上陸すると、金州、南山を攻撃した。遼東半島のくびれたところ、満州と旅順口の結び目である金州地峡には、不落の防御陣地が敷かれていた。

五月二十六日、我が軍の死傷者数は一桁間違っているのではないか、と大本営が問い合わせるほどの損害を出して、ここを確保した。死傷者数は四千三百余人であった。ロシアのクロパトキンは旅順を救援すべく、勇猛なシタケリベルク中将のひきいるシベリア第一軍団を南下させた。秋山騎兵旅団は先進し、得利寺にむかって北上した。ナポレオン軍を破った世界最強を誇るロシアコサック騎兵と、秋山騎兵旅団が相まみえることとなった。

好古は日本の騎兵は、騎馬戦においては到底かなわないとみて、独特の戦術をとった。それは敵の騎兵に対しては、自分は馬からおりあたかも西部劇で、インディアンの群れに襲われた幌馬車隊が、馬車を砦にして戦うやり方である。そのために早くから要請して、機関銃を持ち、騎馬戦でなく陣地戦でコサック騎兵隊に対抗した。その上で、折をみて騎馬の機動性を活用して、敵状偵察や奇襲を行うという、秋山好古流の戦い方である。

この曲家店の戦闘は、騎兵団同士の最初の大規模な激戦となった。好古は不退転の決意をもって敵の猛攻によく耐えた。耐えて耐え抜き、砲兵の応援を得て、やっと敵を退却させることができた。しかし、ロシア軍の戦術思想では、退却は単純に敗北を意味するものではない。

六月六日、この日東郷平八郎（連合艦隊司令長官）、山本権兵衛（海軍大臣）、乃木希典（第三軍司令官）、児玉源太郎（参謀次長）ら七人がそれぞれ大将に昇進した。

乃木第三軍は、同日、遼東半島塩大澳に上陸した。乃木は翌日、金州にむかい、南山の戦場を視察した。

山川草木　うたた荒涼
十里、風なまぐさし　新戦場
征馬すすまず　人語らず
金州城外　斜陽に立つ

乃木大将は詠んだ。乃木は二人の子を失うが、長男勝典《かつすけ》が死んだのはこの南山の戦いである。

乃木第三軍は海軍の要請により、旅順の攻略にむかう。陸軍にとっては満州が決戦の主戦場である。第三軍には一日も早く旅順をおとし、主戦場に合流してもらいたかった。

戦地に「満州軍総司令部」という高等司令部をつくることになり、参謀総長である大山巌と次長である児玉源太郎が満州に出て行くことになった。

六月三十日、新設の第四軍を含めた「戦闘序列」が下達された。第一軍は近衛、第二、第一二師団、第二軍は第三、第四、第六師団、第三軍は第一、第九、第一師団、第四軍は第五、第一〇師団をそれぞれ基幹とする。

第四軍司令官には野津道貫大将がなった。満州軍総司令官に親補された大山巌は、出発に先立って山本権兵衛海相を訪問した。大山は茫洋とした風貌にその巨体を椅子にすえ、こういった。

「第一軍から第四軍までの軍司令官はそれぞれが同輩というのにちかい。だからおさまりがいいように、〝おいのごつ六十三にもなる年寄りが戦《い》っさに出て〟行くことになった」

古さからいうと山県有朋でもいい筈だが、その点について明治大帝は、

「山県でもいいのだが、しかしするどすぎてこまかいことまで口出しするので、諸将がよろこばぬそうだ。その点大山ならうるさくなくていい、というような次第でお前になった」

と笑っておっしゃった。

「ぼんやりしているのを見込まれて出て行くわけだから、いくさのこまかいことはすべて児玉さんにまかせます。しかし敗けいくさになったときは、自分が陣頭に立ってじかに指揮をとります」

聞いていた権兵衛は思った。

（この郷土の先輩は、過ぐる鳥羽伏見の戦いのとき弥助砲を曳いて勇戦した。大西郷のいとこにあたるが、薩摩が生みし快男児にして、まさに三軍の総指揮官として、将の中の将となるために生まれてきた人だ）

大山は権兵衛の顔を見ながらゆっくり話しかけた。

「そこで山本さん頼みがある。ロシアとの戦いは勝負はどこまでいったらつくものか、軍配のあげ方がむつかしいと思われる。いつ、どのあたりにて、いかにして収局せしむるか、はなはだ心もとなく感ずる。軍隊はただ進んでさえいれば、それでよろしかろうが、国家としては時と場合をみて局を結ばなければならない。自分がこのように戦に行ってしまえば、あなたにそれを一手にやってもらわなければならない。およそ連戦連勝という場合は、国民全部、負けるということを思わず有頂天になる。このようなときに停戦の軍配をふるということは、まことに大役にして、一身を犠牲にする覚悟なくしてはできない。西郷従道が亡い今、これをやる者はあなたしかいない。よろしく頼む」

山本は答えた。

「大山閣下のふかきご配慮よくわかりました。講和の問題は機を逸せざるよう努力します。むろんこのためには、一身の毀誉褒貶《きよほうへん》は問題ではありません。どうぞご安心下さい」

茫洋とした風貌の大山は、平素表情を顔にあらわすことがなかったが、このときはゆったりした微笑をたたえて、権兵衛にうなずいた。

児玉も奉天会戦のあと帰国したとき、

「満州派遣軍はここまでやったのに、外交関係はいったいどうなっているのだ。桂のやつ、どこまで戦争するつもりなんだ」

と寺内正毅陸相にせまった。

明治の将星は、何よりも国のことを思っていた。昭和のそれは、省益や自分の立場を優先させた。

大山、児玉と幕僚の一行は、七月六日の午前十時に新橋駅を発って、八日に広島に着いた。

十日、午後四時過ぎ、大山元帥、児玉大将の一行が「安芸丸」に乗船して、宇品港を離れて行った。

　安芸丸は七月十三日、軍艦「明石」「須磨」の護衛をうけながら、午後五時、裏長山列島の連合艦隊根拠地に到着した。大山、児玉らが大連に行く前に、東郷に会い協同作戦についてうちあわせるためであった。

　旗艦三笠において陸海軍首脳会議があり、真之が説明した。

「旅順の港内にひそんだ敵の大艦隊は、要塞の中から出てこない。本国艦隊が回航されてくるのをじっと待てば、日本の二倍の力となって敵は必ず勝利する。そうなれば満州の日本陸軍は立ち枯れます」

「敵も利口だ」

　児玉総参謀長は半分笑いながら応じた。

「旅順の艦隊を外洋へ追い出すには、陸から攻めて、大砲を港内に撃ち込む以外にはありません。弾着観測兵を置ける山を占領していただいて、港内の敵艦を沈めたい。そこで軍艦の大砲を陸揚げするので、これを使ってもらいたい」

「要塞はじきおちる」

　陸軍側の幕僚は楽観的に言い放った。

「連合艦隊は敵が出てくれば、いつでも決戦できるように常時出動して遊弋待機しています。このことは兵員の疲労が重なるのはまだしも、軍艦の底にカキがこびりつき、汽罐に老廃物がたまって速力も出なくなり、ドック入りが出来ないと軍艦の機能発揮に支障が生じてきます。本国艦隊と決戦の前に、修理の日時が必要です。そこで、旅順はできるだけ早くおとしてもらいたい」

「日清戦役では一日で落ちた。十日もあれば十分だ」

くりかえしの回答であった。

(陸軍側の旅順に対する見通しは甘すぎる)

真之はいつもそう感じていた。

(海軍は旅順要塞の実体を知らずに海から攻撃をして失敗した。その同じ轍を陸軍も踏もうとしているのではないか)

神算鬼謀、作戦の天才といわれる児玉源太郎の頭は、せまりくる遼陽の戦でいっぱいであった。陸軍全体が旅順要塞の情報を収集しようという積極性もなく、要塞に対する認識もまるで甘かった。もっとも海軍が緒戦において、水雷艇の夜襲で敵の大半を沈め、出て来た残りをすべて沈めることができていれば、――また閉塞が完全に成功していれば、陸からの攻撃は不必要であった。陸軍としては海軍の要請がなければ、旅順は放っておくつもりであった。

第三軍を新設して旅順を攻めさせることになったが、この兵力は旅順を五日か、せいぜい十日でおとすであろう。そうすればこれを早々に満州平野の決戦用にまわしたい。真之の懸念をよそに大山と児玉らは、旅順のことはこのように楽観したまま、三笠から安芸丸にもどった。

七月十五日、安芸丸は大連港に入った。上陸した大山、児玉の一行は、乃木ほか第三軍の幕僚に会った。

乃木軍の参謀長は薩摩出身の伊地知幸介少将であり、第三軍砲兵部長は豊島陽蔵少将であった。この二人は砲兵科の専門家で、要塞攻撃の適任者であろうというので任命された。

「専門家だから」という人事が結局は裏目に出た。要塞に対する情報と知識が日本陸軍にとって著しく貧困であった上に、専門家意識が固定観念の枠にとじこめてしまった。しかも伊地知参謀長の頑迷な性格が、第三軍に大犠牲をもたらした。

大要塞の射線が最も密度濃い真正面から飛び込んでいく、という無謀な戦法をくりかえした。十日でおちる見込だった旅順要塞は、百九十一日を要し、第三軍の死傷六万人という、世界の戦史に類をみない未曾有の死傷の記録をつくった。

三笠の艦橋から旅順をめぐる山々を見て、秋山参謀はあの山を攻めればよいではないかと、標高二〇三メートルの禿山《はげやま》を見つけた。

「二〇三高地を攻めてもらいたい」と海軍は申し入れたが、乃木軍の伊地知参謀長は一笑に付し、「第三軍には第三軍の方針がある」として、要塞そのものの攻略しか考えなかった。

第十一章　黄海海戦運命の怪弾

海軍は旅順の要塞そのものの攻略より、港内のロシア艦隊を陸上から砲撃したい。伊地知参謀長がしぶしぶ海軍重砲の受け入れを認めたので、黒井悌二郎《ていじろう》中佐を長とする海軍陸戦重砲隊が乃木第三軍の指揮下に入った。

黒井海軍重砲隊は、水師営北方火石嶺に砲台を築き、八月七日から射撃を始めた。砲は一二サンチ砲二門で、大連に停泊している旧式二等戦艦「扶桑」からはずして運んできたものである（この重砲隊はのちには一五サンチ砲七門を含む四十三門、千三百余人の大部隊となる）。山越えの間接射撃である。一門は初弾を撃つと同時に腔内炸裂をおこしてしまった。中隊長永野修身《おさみ》中尉（昭和十六年の開戦時の軍令部総長）は残る一門で砲撃をつづけた。目標地域を碁盤の日のように方眼を切り、そのひとつひとつに、かたっぱしから砲弾を撃ち込むというやり方であった。

初日は、旅順旧市街が大火災をおこして二時間も燃えつづけた。第二日の八日は、海軍重油タンク数十個と油類倉庫を燃えあがらせ、二千トン級の商船を撃沈する戦果をあげた。

八月九日朝、黒井中佐と永野中尉は砲台の西前方の高地から、西港に停泊中の戦艦レトウィザンとペレスウェートを発見した。目標の敵は動かない、自分の砲座は敵からは見えない。冷静正確な射撃を行い、命中弾をあびせた。このため、レトウィザンは艦首の水線部に穴があいて、七百トンの海水が艦内に流れこんだ。ペレスウェートでは戦死者数名を出した。

黒井重砲隊の背面攻撃はロシア艦隊に、大きな恐怖をあたえた。旅順艦隊にとって、いるにいられず、出るに出られず、一番おそれていた最悪の事態がせまってきた。

極東総督のアレクセーエフはウラジオにあって、代理司令長官ウイトゲフト少将に対し、「艦隊をウラジオへ回航せよ」と命令をつたえてきた。しかし旅順の外には日本艦隊が見張っている。

ウイトゲフトは東郷とほぼ同じ兵力をもっている。しかし極東総督は日本艦隊と決戦をして、しかるのちにウラジオストックに入れ——とはいわなかった。ロシアは本国にまだ艦隊をもっている。旅順艦隊がたとえ全滅したとしても、日本艦隊に立ち上がれないほどの大損害を与えれば、ロシア海軍は日本海の制海権を得て、満州の日本陸軍を立ち枯れにしてしまうことができる。

しかしウイトゲフトは臆病者であった。ウイトゲフト少将はアレクセーエフの参謀長をつとめていたが、マカロフ中将が爆死したので急に臨時の司令長官におさまっただけのことで、艦隊指揮の経験もまったくなかった。

マカロフの後任となった本職の司令長官スクリドルフ中将は、はるばるペテルブルグからやってきたが、旅順に入れないのでウラジオで旅順艦隊の来るのを待っている。

マカロフの気に入りだった勇猛な艦長たち、たとえば、バヤーンの艦長ウィーレン大佐などは、初瀬、八島が沈んで東郷艦隊が混乱におちいったとき、〝絶好の機会だ〟とウイトゲフトに出撃を迫った。そのとき、

「余の使命は艦隊の保全をはかることである」

とウイトゲフトは言って、ロシア側は好機を逸した。

要塞を守る陸軍の司令官ステッセルは、

「旅順艦隊は出撃して、日本艦隊と決戦すべきだ。出撃せぬのは、皇帝と祖国に対する反逆として罰せられるべきだ」

と陸海軍の会議の席でウイトゲフトに言った。

「艦隊は陸軍中将の貴官の指揮下にはない、海軍の名誉にかけて暴言は許さぬ」

「海軍の名誉？　その名誉とは水たまりでアヒルのように昼寝をしていることか」

ステッセルとウイトゲフトは、ほとんどつかみあい寸前の口げんかにまでなったことがあった。ステッセルは海軍のことを考えず、陸軍の利害のみに固執した。

旅順の封鎖が長びいて、食糧の不足の噂がひろがり、「艦隊出て行け」と陸軍の兵隊が言うようになった。艦隊は六月二十三日に港口外へ出た。しかし日本艦隊の主力があらわれたので、あわてて港内へひきかえしてしまった。

八月に入って、海軍重砲の砲弾が港内に落ちるようになって、ウイトゲフトは

出ざるをえない状況になったとき、

「——皇帝ニコライ陛下の勅命により、旅順艦隊をウラジオへ回航せよ」

という命令を受け取った。八月八日のことである。皇帝の命令は絶対である。ウイトゲフトはついに決心し、九日は石炭や食糧の積み込みをした。

——明治三十七年八月十日、「黄海海戦」とよばれる東郷、秋山にとって、もっとも苦しい海戦が行われる。

黄海海戦は二つある。もう一つは『勇敢なる水兵』のうたわれた日清戦争の清国北洋艦隊を撃破した海戦である。明治二十七年九月二十六日に行われた、日本海軍が創設されて以来はじめての艦隊決戦であり、おなじ海域で戦われた。

明治三十八年五月二十七日の大海戦が「日本海海戦」と命名されたので、これと対照して、八月十日のこの海戦が「黄海海戦」と公称されることになった。五月二十七日という勝利の日は、海軍記念日とされ、戦前は軍艦旗を門前に掲げる家々も多く、さまざまな行事が行われてきた。日本海海戦があまりにも有名でありすぎたために、「黄海海戦」の方はそのかげにかくれ、ややもすれば見落とされがちであった。しかし、この黄海海戦は規模の点では日本海海戦におよばないが、日本海軍にとってもっとも苦しく、価値ある勝利であった。しかも海戦の内容は、あまりにも劇的であった。日露戦争の運命をわけた海戦でもあった。

真之は後に語っている。

「世間では日本海海戦の大戦果に眼を奪われて、ともすると、黄海海戦を軽く見る傾向がある。しかし東郷長官以下幕僚が、最も苦心したのは日本海海戦よりもむしろ黄海海戦だった」

――日本海海戦では、いわば我は主《あるじ》、彼は客であって、休養を十分にとり艦艇を修理し鍛練しながら、長途の旅に疲労した敵を待っていればよかった。しかも、敵には後詰の艦隊がないのだから、思うままに乾坤一擲《けんこんいってき》の勝負に出て、たとえ大損害を受けようとも相手を全滅させればよかった。ところが黄海海戦の場合は、我方は遠く出撃し、根拠地にある敵を長い間封鎖しているので、艦も人も疲労している。そこへバルチック艦隊の到着までに、味方の艦艇をできるだけ傷つけないようにしながら、敵を全滅しなければならない。精神的重圧はくらべものにならないくらい大きかった。

八月十日――ウイトゲフトは東郷との決戦覚悟で出港命令をくだした。夜の明けそめた頃、巡洋艦ノーウィックを先頭にして出港を始めた。午前八時、多数の旅順市民は再び帰らないであろう艦隊を歓呼して見送った。港内から外へ出るための水路は狭く、沈船が邪魔をしているので、大艦隊を外の湾に出すのに長時間を要した。このため日本側は周辺に分散していた全部隊を、集結させるための貴重な時間を得た。

日本の戦艦は初瀬、八島を失って四隻しか残っていない。この四隻に巡洋艦浅間がよく一緒に行動していた。浅間は二本煙突の艦影が、沈んだ八島と非常によく似ていたので、ロシア側はまだ八島が健在だと信じていた。四隻しかなくなった戦艦を五隻にみせるための、真之の苦肉の策であった。

これに対して旅順艦隊は六隻の戦艦である。

ツェザレウィッチ　一万二千九百十二トン
レトウィザン　一万二千九百二トン
ポベータ　一万二千六百七十四トン
ペレスウェート　一万二千六百七十四トン
セヴァストーポリ　一万九百六十トン

ポルターワ　　　　一万九百六十トン

この順序で出港していく。

そのあとを巡洋艦戦隊がつづいていく。

アスコリド　　　五千九百五トン

パルラーダ　　　六千七百三十一トン

ディアーナ　　　六千七百三十一トン

戦艦戦隊を水雷攻撃からまもるために、巡洋艦ノーウィックが八隻の駆逐艦を従えて側面をすすんでいる。このほか砲艦二隻と掃海艇群はこの大艦隊の露はらい役として掃海作業にあたっていた。未明の空に、にわかに黒雲が立ち上るかと見るうちに、二十隻の旅順艦隊は黄金山下にその姿を現わした。

ウイトゲフト司令長官は、旗艦ツェザレウィッチの檣頭《しょうとう》高く信号旗をかかげた。

「われらが尊敬する皇帝陛下は、わが艦隊にウラジオストックへおもむくことを命じたり」

「ウラー」の叫びとともに聖アンドリューの軍艦旗をひるがえした大艦隊は、

堂々と進航をはじめた。砲艦二隻と掃海艇はもとにもどし、戦闘艦十八隻と病院船一隻がウラジオへむかう。

　ロシア艦隊の出動を最初に発見したのは駆逐艦「白雲」で、その報告を受けた「八雲」の出羽第三戦隊司令官は、「敵艦隊港外に出《い》ず」と三笠に急報してきた。東郷はこの時、三笠、朝日、富士、敷島の四戦艦の他に、浅間は別行動をしていたので、春日、日進の新巡洋艦に合同を命じ、通報艦八重山を率いて遇岩の方面に進んだ。旅順東方、約四十海里の円島北方の洋上である。

　三笠の艦橋に東郷、島村、真之らはいた。この日よく晴れて視界は良好であった。真之は東郷、島村に海図を示して言った。

「この航路を進みます」

　二人とも黙って軽くうなずいた。真之は昼でも夜でも作戦ばかり考えていた。敵艦隊がいつ、どんな針路をとって旅順から脱け出そうとしても、必ず敵の前方を押さえることができる航路を研究しつくしていた。

　こんな逸話がある。

　旅順艦隊はこれまでにたびたび出動の気配をしめしてきた。ある夜、旅順港外

で哨戒見張り中の水雷艇隊から、

「今夜、港内に煤煙が高くのぼり、敵艦隊が出動するきざしあり」

という警報を、裏長山列島にいた三笠に打電してきた。当直将校はこの電報をもって、真之の部屋へとんで行った。

真之は上衣をとって椅子にもたれていた。よくみると、もたれたまま眠っていた。当直将校が真之の耳もとで、電報を読むと、まぶただけをひらいた。電文を読みおわったとき、真之はそのまま即座に、「全軍ただちに出動用意。台北丸に信号。中央防材をひらき、その両端に松明《たいまつ》を点ぜよ。右、長官、参謀長に届け、ただちに発令せよ」と言いおわると、おどろいたことに真之はまた熟睡に入ってしまった。

当直将校は、真之がねぼけて言ったのではなかろうかと心配になったが、ともかく東郷と島村にとどけた。すると、「よし」と、二人とも真之を信頼しきっていたので、寝言のような真之の命令案どおりになった。

飯田久恒参謀が、

「用事があって秋山さんの部屋へ行くと、ベッドの上に横になっているが、いつも靴をはいたまま、目を大きく開いて天井を眺めている。いつ眠り、いつ起きるのかわからなかった」

と昼も夜も作戦に没頭している真之に感嘆している。

真之は作戦を考えていないときは、幕僚室のソファーに寝っころがって講談本なんかを眺めている。そのわきで飯田らが、

「こんな場合は、こういう具合にしたらどうかな」

と冗談半分にしゃべっていると、急にむっくり起き上ってきて、

「いまの話、もういちど言ってみい、どうするんだって」

と聞きなおすと、いそいで三角定規とコンパスをひねって、ただの冗談話を理論的に具体化して作戦に役立てようとした。

作戦を考える以外は、すべて無頓着そのものであった。ほかの者がみんな夜の黒服に着がえているのに、真之だけが白服で出てきたり、その逆だったりすることがしばしばみられた。ポケットから煎豆をつかみだしてかじりながら、時々口からかすをはき出して歩きまわるさまは、動物園の何かの動物のようだった。

若い後輩は、

「秋山さんは作戦の天才というけれども、作戦のことを別にすると、奇人か変人にしかみえない」

と言っている。

天才とは、一パーセントのひらめきと九九パーセントの努力の人であるという。また、天才とは「常人と異る努力を集中し、継続する人」であるという。その意味では真之は天才であろう。一つのことにすべてを集中させれば、ほかのことが無頓着になるのは自然かもしれない。陸の作戦の天才、児玉源太郎も軍帽を横っちょにかぶり、ボタンをかけちがえたり、右と左の靴をしょっちゅう履きちがえていたというから似た者同士であろう。

「勝てるだろうか」

参謀秋山は知恵をしぼりぬいて、いろいろの対案を考えているが、勝つ確信はもてなかった。

「敵の旅順艦隊の兵力は、わが艦隊と均等で、むしろある点では優勢である。それをわが方に怪我なく撃滅しようというのは、竜虎相打つの常識から考えても、すでに不可能である」とのち真之は回顧している。

初瀬、八島の喪失により、この代用として春日、日進の一等巡洋艦を戦艦戦隊に加えているが、一二インチ砲と一〇インチ砲の主砲の数で比較すると、ロシア二十四門に対し日本は十七門しかない。しかも日本側は絶えまない封鎖のための出動で、機関や艦体の手入れができていないので十分な速力が出ない。そのために速力が強味の日本艦隊は、縦横な艦隊運動で敵をとりこみ、逃がさぬようにできるかどうか。

「眼前に旅順艦隊あり、脳裏にバルチック艦隊あり」

わが方は傷つかずに、しかも敵を全滅させなければならないという、過重な課題が真之を悩ましつづけていた。

ロシアには後詰の本国艦隊があるのだから、犠牲を恐れぬ猛攻のチャンスは、ウイトゲフトの方にあった。日本海海戦の時とは比べものにならぬ、辛い立場に日本艦隊はおかれていた。

（運の戦いだ）

真之はこの戦いは結局、運の強い方が勝つ戦いだと思った。

(あとは死力を尽くして撃ち合うのみ)

午後零時三十分頃、旗艦三笠は約十海里前方に、南東へ進むロシア艦隊を発見した。三笠に戦闘旗があがった。ロシア艦隊の右方に第三戦隊、八雲、笠置、千歳、高砂が並進し、三笠以下六隻は北東からロシア艦隊の頭を押さえる形で進航していた。出雲、吾妻、磐手、常磐の上村艦隊はウラジオ艦隊に備えるため、この黄海海戦には参加していない。

(敵はこんども決戦を避けて逃げこむであろう)

いままで何回もそうであったので、三笠艦橋の者は東郷以下みな同じように思った。「敵を外洋へ誘いだしましょう」と真之は言い、旅順へ帰れないところまで敵をひっぱっていって、そこで決戦をすることを考えた。

東郷艦隊は敵の前方を横断してから、左へ回頭し、横陣になった。するとウイトゲフトは東郷艦隊を追わずに、南東に針路をとって逃走姿勢をとった。「逃がさぬぞ」とばかり東郷はふたたび左に直角回頭をして、逆番号の単縦陣になった。こんどは日進が先頭に立って進み、遠距離射撃の準備をした。ウイトゲフトは速度をあげ逃げきるつもりであった。

三笠では六月二十三日のときのように、旅順へ引きかえさせまいと思い、そのことにこだわっていた。東郷艦隊は逃がすまいとめまぐるしく変針した。

ウイトゲフトの逃げのびようとする駆け引きはみごとであった。東郷艦隊をやりすごしたかたちで、くるりと変針して「肩すかし」をくわせるというかたちである。芸がこまかい。

乱れて重なりあいながら、南西へ向きを変えたロシア艦隊に対して、第一戦隊も右八〇度一斉回頭して、三笠を先頭の単縦陣で、右方の敵に猛射を加えた。午後二時前、距離は六千から八千メートルである。第一戦隊は敵の先頭をいく旗艦ツェザレウィッチに砲弾を集中した。敵の旗艦を沈めて、敵の指揮に大混乱を生じさせるのが勝利への早道である。

しかし敵も、将旗のひるがえっている旗艦三笠に砲撃を集中してきた。艦内には敵弾がつぎつぎに炸裂《さくれつ》し、多数の兵員をたおした。飛来した一二インチの巨弾が、三笠の大檣《たいしょう》（メインマスト）に大穴をあけた。大檣は、あたかも樵《きこり》が根元に斧《おの》を入れた大木のように、あぶなっかしく倒れそうになった。

「どうか倒れませんように」

一同は祈る気持でマストを仰ぎ見た。

（決戦の大事な時に、高速を出すことはひかえなければならないのか）

ウイトゲフトは、この時東郷艦隊にあくまで決戦をいどみ、戦い抜くべきであった。しかし、日本艦隊を撃滅することよりも、ウラジオストックへ行くことを至上の方針とするウイトゲフトは、逃げきることしか考えなかった。敵をつぶすより、この艦隊を保全することによって皇帝の命に忠実であろうとしたことが、かれの運命を決めた。

ウイトゲフトは、急に左転回し、東方に全速力で一目散という航進にうつった。東郷は遠くで背中を見せる形となってしまった。肩すかしをくった日本艦隊は、三笠を先頭とする単縦陣のままで、大きく二直角の円を描いてまわり、東にむきなおった。東郷艦隊は南によりすぎていたので、艦首を一回り半して、ようやくふりむいたときには、ウイトゲフト艦隊は三万メートルの彼方に相手を引き離していた。

真之はこのときの状況を次のように言っている。

「午後二時頃、敵の艦が乱れて、重なり合っているのに乗じて、わが全線からの砲撃が最も激しかった時、第一戦隊は知らず識《し》らずのうちに、敵の西方、すなわち旅順の方へまわりこんだ。敵はこの機をのがさず、山東角に針路をむける。第一戦隊もただちに艦首を転じたが、その時機が、〝わずか三分遅れたため〟に敵の後から追撃することになり、形勢が不利となり、追跡に三時間を費す原因となった」

このにがい経験を、真之は、のちの日本海海戦のときくりかえすまいとする。

「黄海海戦の教訓がなければ、日本海海戦はあれほどうまくゆかなかった」

とのちに語る。

三笠も多くの被害を出したが、「複雑怪奇な艦隊運動」（イギリスの戦史家ウエストコット大佐の言）をくりかえすうちに、一合戦はおわった。敵と、もつれあいの運動に時間がたつばかりで、決定的な砲戦が行われていない。そのため旅順艦隊を一隻も沈めていないまま逃げられてしまった。

「前進全速」

機関兵は罐《かま》いっぱいに石炭を投げ入れる。汽罐が破裂せんばかりに走りに走った。だがどうしても艦の速力は思うようにあがらない。長い封鎖作戦のために、艦底にカキガラがいっぱいついており、機関も疲れきっていた。

それに対し、旅順艦隊の逃げ足は速かった。速力は鈍重な艦隊であったが、旅順港内で潜水夫を入れて艦底のカキガラをとり除くなど、艦の整備がよくなされていた。

茶褐色ににごった黄海の海上を、五十数隻の大艦隊がドス黒い煙を天に噴きあげながら追いつ、追われつを展開している。熊の群を犬の群が追っているようなものであった。

熊はウラジオストックへ逃げきれば勝ちである。そこを基地にして、日本の近海を荒らしまわれば、常陸丸の悲劇はかぎりなくくりかえされ、やがて本国の艦隊と合すれば、日本の二倍の力をもつ。

日露戦争の勝敗のわかれ目は、この黄海の逃げる敵に、追いつくことができるかどうかにかかっている。早く追いついて日没までに勝負を決しなければならない。

——幕僚は焦燥《しょうそう》にかられる。貴重なる時間は刻一刻と過ぎていく。夜になると戦いはできない。

「早く追いついてくれ」

真之は天に祈るしかなかった。

「大マストは倒れぬか」

もし三笠の大檣が舷外に倒れかかれば、速力は大いに減り、隊列は乱れて敵に追いつくことができなくなる。倒れるか倒れぬか、いまや人間の力ではどうすることもできない。倒れないことを祈るのみである。

「あれが倒れなかったのは、天佑《てんゆう》としか言いようがない」

と真之は言っているが、この戦いはまさに〝運の戦い〟であった。

「われ水線部に故障す。速力四ノット減」

という信号がレトウィザンのマストにあがった。

「この期におよんで、何たることだ」

ウイトゲフトは天を仰いで嘆息した。この傷は先程の砲戦ではない。黒井海軍重砲隊が、火石嶺の陣地から撃ち込んだ砲弾が、停泊中のレトウィザンの舷側に

第一回戦航跡

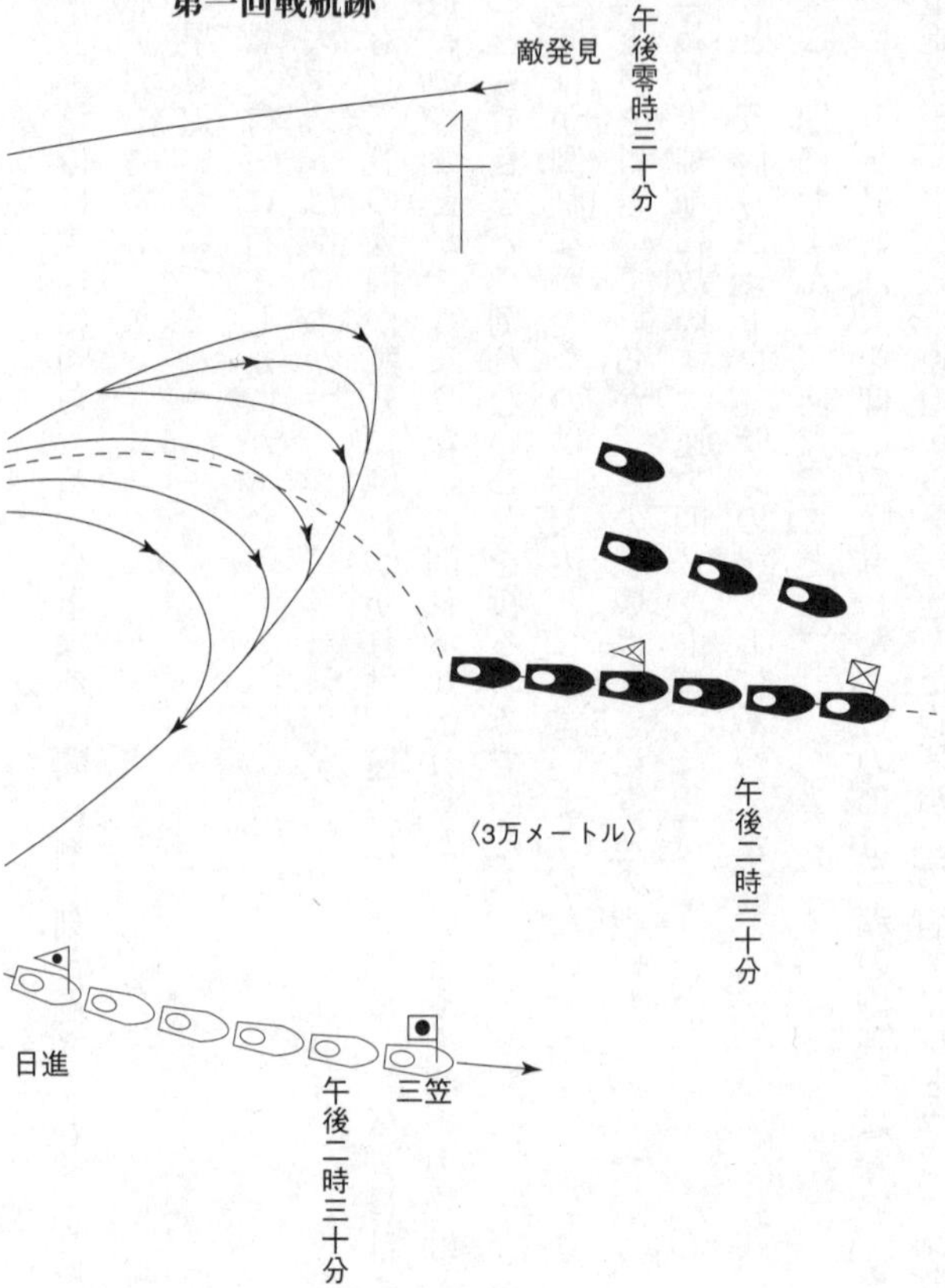
午後零時三十分
敵発見
〈3万メートル〉
午後二時三十分
日進
三笠
午後二時三十分

明治37年8月10日黄海海戦

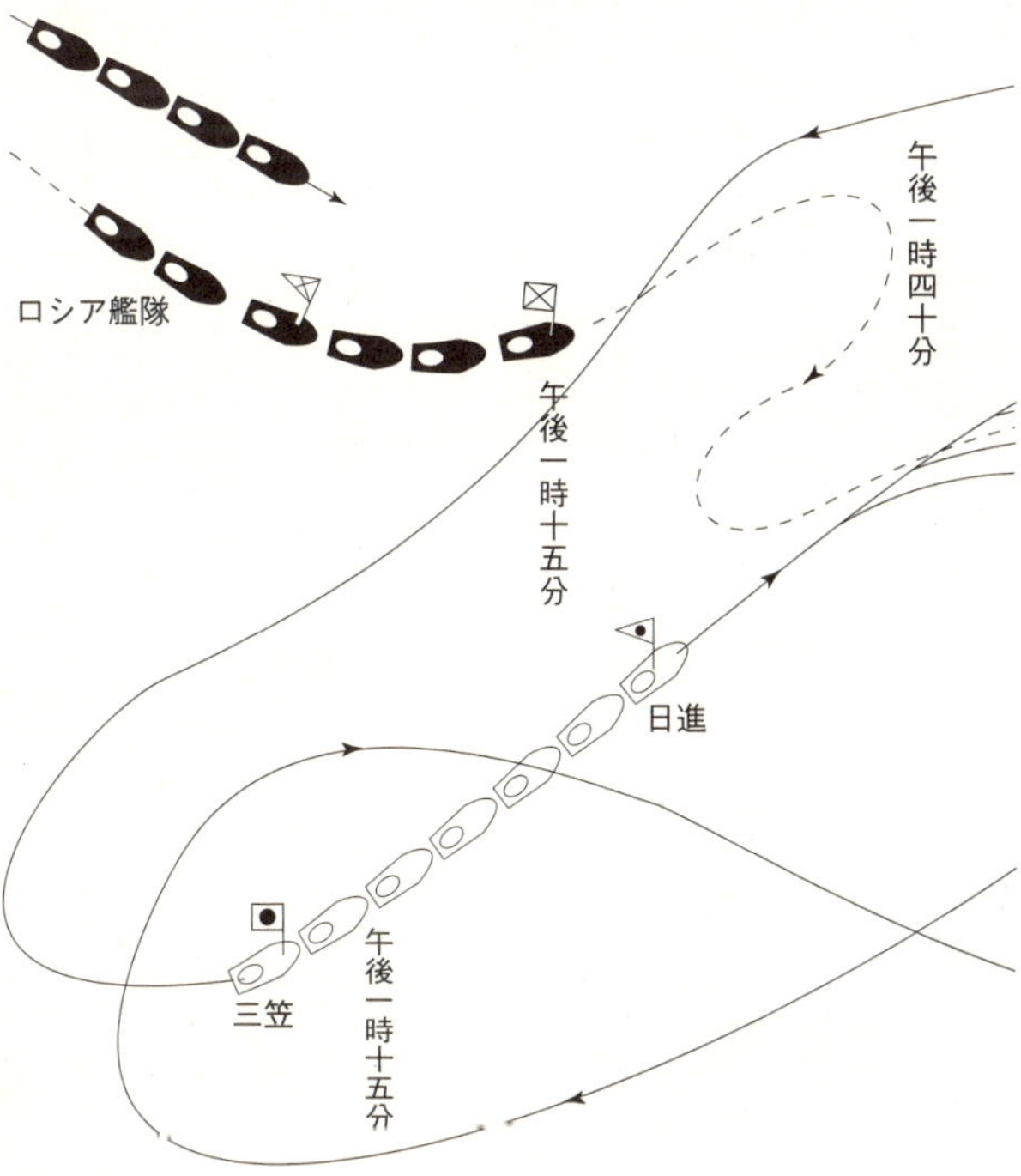

落ち、その吃水部に損傷を与えたものであった。その応急修理のあとが傷み出した。旅順艦隊は十四ノットの速力であった。東郷艦隊は十五ノット半で追ってくる。追いつかれて砲戦を行うとしても、日没までは三十分くらいしか残らない。あとは夜の幕にかくれて、対馬の海峡を走り抜けていけると考えていた。その矢先にレトウィザンの減速だ。レトウィザンは捨てていくかと幕僚たちの間で言っているとき、レトウィザンから、

「修理完了す。十二ノット半は可能なり」

と答えてきた。

旅順艦隊は二ノットだけ減らして東航をつづけた。二ノットぶんだけ早く追いつけることは、貴重な日没までの砲戦時間を、レトウィザンが恵んでくれたことになる。

計算より早い時間に追いつけたことを、真之は天に感謝した。人事を尽くしたあとは、天のたすけを待つしかない。敵の事故は、日本艦隊にとって天佑であった。

追いつくまでに各艦では食事をした。戦いの前にはしっかり食べることが一番

だ。幕僚は長官公室に集まり、東郷が着席するのを待って食事をはじめる。長官を待つのがこの場合礼儀というべきだが、真之はおかまいなしに食べはじめた。

真之はたいていの場合、頓着なしに振舞った。食後雑談の習慣がある。だが真之は自分だけ食事がすむと、さっさと自室にかえっていく。頭の中は作戦のことでいっぱいになっており、それしか眼中にない人間になっている。「あれは特別だ」というふうに東郷も島村も、黙認していた。

午後五時三十分、三時間ばかり追いつづけて、ついにつかまえた。八月の太陽はまだ高い。やや西に傾いたとはいえ、艦隊の甲板を照りつける。

「二時間は戦える」

最後尾を走る戦艦ポルターワが一二インチ主砲を三笠にむけて撃ってきた。東郷艦隊はロシア艦隊と並進し、猛烈な撃ち合いとなった。敵艦隊の先頭をおさえるべく、東郷艦隊は速度をおとさずすすんだ。

三笠がちょうど敵艦隊の中央のあたりまで進んだ頃が、日本艦隊にとって最も苦しい陣形であった。六隻の敵戦艦の巨砲が三笠に集中してきた。すさまじい砲戦で硝煙と爆煙が海をおおい、発射音と炸裂音が空気をひきちぎり、破片がとび散った。

旅順艦隊は港内にひきこもっていた間、射撃の訓練をつづけていた。そのために、のちに来たバルチック艦隊よりはるかに射撃精度が高かった。三笠はすさまじい命中弾を受けた。被弾は二十数発。損傷箇所は数十カ所。後部の主砲の一二インチ砲に巨弾が命中して一門を破損した。

海軍少佐伏見宮博恭《ひろやす》王（のち元帥、軍令部長）がこの時負傷し、二十名の死傷者を出した。交戦一時間後の六時三十分頃、艦橋あたりに敵の巨弾が命中した。

真之はとっさに危険を感じた。大火柱が立ち、破片がいたるところに突きささった。肉片が飛び、臓腑が噴き出し、血糊が流れ出た。

「長官、あぶない」

艦橋に東郷も島村も真之も立っていた。一弾は、東郷のとなりに立っていた艦長の伊地知彦次郎大佐（重傷）以下十名を倒した。他の一弾は真之のそばに立っていた参謀殖田《うえだ》謙吉少佐（佐世保病院に収容後死亡）ら五名を倒した。他の一弾は水雷長小山田少佐以下五十余名を一挙に死傷させた。

巨弾は摩利支天像のように立つ不動の東郷には当らなかった。

「何という強運であろう」

真之は東郷の強運の魔界にまもられて、かすり傷一つ負わなかったのだと思われた。この飛来した巨弾が、紙一重横にずれていたら、東郷も真之も島村もふきとんでいたであろう。山本海相が明治帝に奉答したとおり、東郷は「運のよい男」であった。

東郷は顔色もかえずに敵の旗艦をにらんでいる。

「司令塔におはいり下さい」

島村参謀長が何度も言った。

「司令塔はそとが見にくうてなぁ」

東郷は鋼鉄でよろわれた司令塔に入らず、露天の艦橋にいつの場合も立ちつくすのであった。東郷は幾多の海戦の修羅場をくぐってきた。胆力において、東郷にまさる敵将はない。

午後六時三十分、両艦隊は並航しながら、五千メートルで激しく砲撃し合った。日本の砲弾は敵艦を沈めるより、艦上構造物をふきとばし、火災をおこさせて、敵の戦闘力をうばうことを主眼にしている。日清戦争の教訓によるものだ。そのため敵艦で火災をおこしている艦は多いが、沈む艦はない。

ロシアの旗艦ツェザレウィッチの司令塔では、ウイトゲフト長官とマセウィッチ参謀長が、三笠をにらんでいた。右方を三笠が追い抜こうとしている。

「活路をひらくため横陣に展開してはどうか」

参謀長は逃げながら砲戦しているより、決戦を主張した。だが、ウイトゲフトは武将というより官僚であった。「ウラジオストックへ行け」と皇帝に命じられている。

「ウラジオ直行あるのみ」

とウイトゲフトは叫んだ。薄暮まで交戦しながら、逸走できると信じていた。

将旗をひるがえす三笠に敵も砲撃を集中してきたが、敵の旗艦を沈めて敵の指揮を大混乱におとしいれるというのは、古水軍の戦法からとった真之の重要な戦術である。三笠は敵旗艦ツェザレウィッチを追い抜き、左後方にみながら砲弾を撃ちつづけた。

このとき、天佑を祈っていた真之が驚嘆することがおこった。

午後六時三十七分。有名なる「運命の一弾」がついにこの海戦を一瞬にして決することになった。真之はこれを「怪弾」とよんでいる。まことに劇的な出来事であった。もしこの状況をビデオに撮っておいたら、後々まで、くりかえし画像を静止して放映されつづける場面であろう。

三笠から放たれた一二インチ砲弾が、ツェザレウィッチの司令塔付近に命中、炸裂し、ウイトゲフト長官以下の幕僚を宙にふきとばしてしまったのである。一瞬にして消滅させたとさえいえる大爆発で、ウイトゲフトの片脚がマスト付近にころがっていただけだったとロシアの公刊戦史にある。

参謀長マセウィッチも海上にふきとばされ重傷を負った。残った艦長のイワノフ大佐は、戦艦ペレスウェートに座乗しているウフトムスキー少将に艦隊の指揮権の委譲を信号しようと考えた。その刹那《せつな》、さらにいま一弾の一二インチ砲弾が命中、司令塔の天蓋を破って爆発し、艦長も航海長も操舵員以下の全員をふっとばした。この一弾が黄海海戦の運命を決する怪弾となった。

運命的なのは、この砲弾がツェザレウィッチの操舵員をたおしたことであった。しかもこの一弾は操舵員を即死させなかった。ほんの十数秒、苦悶させた後に絶命させたことが、運命の大悪戯になったのである。というのは、この操舵員は背中にちょうど刃物を突きたてられたように、砲弾の大きい破片で突き刺された。かれは苦悶してその舵にのしかかり、のたうちまわってからだを左によじった。舵は左にまわった。舵輪は死体の重みでもとにもどることなく、操舵員は舵を圧したそのままの姿勢で絶命した。戦艦ツェザレウィッチの巨体は、この死人の手で左へ急回頭しはじめたのである。

塔内に生き残っている者はいない。誰も信号をかかげる者はいない。二番目を進んでいる故障戦艦レトウィザンでは、「長官の戦術的方向転回だ」と判断して同じく左へ回頭した。三番艦ポベータも当然それにならった。

ところが旗艦ツェザレウィッチの進み方がどうも奇妙であった。左へ左へと狂奔するように自分の艦隊の縦列に突っこんできた。四番艦ペレスウェートはあやうく横腹にぶちあてられそうになった。大あわてで右に避け、面前に日本艦隊を見てすぐまた左へもどした。

四番艦ペレスウェートにウフトムスキー少将が座乗している。

このころ旗艦に、ようやく、ウイトゲフト長官の指揮権をゆずる信号があがっ

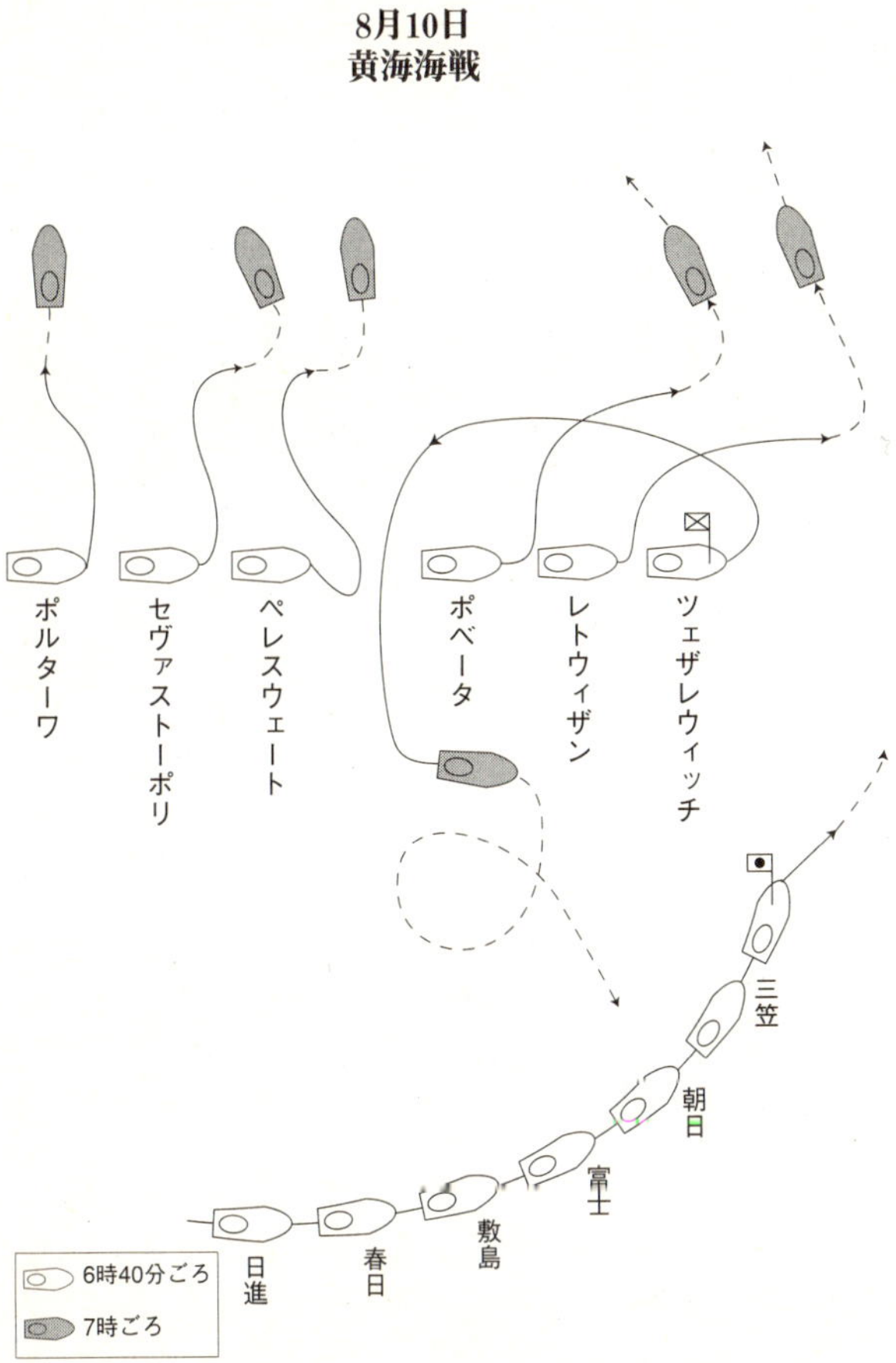
8月10日
黄海海戦
ポルターワ
セヴァストーポリ
ペレスウェート
ポベータ
レトウィザン
ツェザレウィッチ
三笠
朝日
富士
敷島
春日
日進
6時40分ごろ
7時ごろ

た。ウフトムスキー少将は、旅順にひきかえすことを決意し、「われに続航せよ」の信号旗をかかげさせようとしたが、かかげるべきマストが二本ともなかった。そこで仕方なく、艦橋の横に出したが、これをみとめたのは後続のセヴァストーポリだけであった。六番艦のポルターワはずっと後方にいた。

ロシア艦隊に大混乱がおこった。直進していた二番艦のレトウィザンと三番艦ポベータは、あとにつづく三艦がてんでんばらばらになっているのを見て驚いた。そこで三艦に合流しようとあわてて左へ旋回しはじめた。ロシア艦隊のうち巡洋艦三隻は早くから南の方へのがれている。六隻の戦艦隊はもはや隊伍どころではなく、二艦は東に、二艦は北に、一艦は東北に、一艦は南にむかっている。運命の一弾はまさにロシア艦隊を「四分五裂」にしてしまった。

東郷艦隊は敵艦群を半円形に包囲し激しい砲撃を加えた。必死で逃げる敵を撃ちまくった。しかし砲撃をはじめてから二時間余が過ぎ、海上はしだいに漆黒の闇につつまれはじめた。午後八時二十五分、惜しいところで砲撃の中止を命ぜざるをえなかった。もう二、三十分、追撃を冒険することも考えられたが、東郷は自重した。

三笠の損害が大きかった。二基の一二インチ砲塔がほとんど使用不能となっていた。司令艦橋もほとんど破壊され、艦首水線付近の装甲に穴があいていた。敵の六艦を追い抜くまでに集中砲撃を激しく受けた。その形は先頭を行く旗艦をねらう東郷の戦法を、逆に敵から受ける陣形であり、そこに危機があった。それをかろうじて脱し、やがて追い抜いて、「運命の怪弾」を見舞うことができた。

旗艦ツェザレウィッチが狂った円運動をしている頃、カミガン大尉が艦橋にのぼってみると、一面の死者の中で、死人が舵をとっているのを発見した。カミガン大尉は一気に膠州湾の青島へのがれ、そこからウラジオへ行こうと決意し、翌日の夜うまく逃げこんだ。しかし煙突の根元を爆破されており、これ以上の航海に到底堪えられないので断念した。ドイツは中立国として、国際法によりツェザレウィッチの武装を解除し、戦争が終わるまでこの艦を抑留することになった。

午後八時三十分、東郷は敗走する敵艦の襲撃を水雷戦隊に命じた。ロシア艦隊に対し、各艦大破させてはいるものの、いまだ一艦も沈めていない。真之は落胆し、落ち武者狩りの水雷攻撃に期待した。軍艦は吃水線上は防御が厚いが、下からの水雷には弱い。十二ノット前後の速度で旅順に帰っていく戦艦群を、闇にまぎれて二十五ノットの速力でしのび寄る刺客は、美事、獲物を仕とめてくれるであろう。

東郷も島村も内心期待しているふうであった。ところが一隻も沈めずに空しく引き揚げた。

「暗夜、敵を見失えり」

と報告してきた。一隻にすらかすり傷も負わせなかったのは何たる不覚か。遠距離から逃げ腰で撃ってもあたるものではない。差しちがえる覚悟で肉薄攻撃しなければ戦果は得られるものではない。真之は大変不満であった。伊予河野水軍の末裔と自負する真之は、おのれの体内を流れる熱き血潮の怒りをおぼえた。

(八幡大菩薩の旗をひるがえし、奔馬《ほんば》と狂う荒波を、櫓櫂に操った父祖の意気を忘れたのか)

駆逐艦のりこそ、倭寇そのものであるのに、その子孫は無残なばかりに退嬰《たいえい》しているようであると真之はおもった。徳川幕府は三百年間、海外へ飛躍しようとする日本人の冒険心を抑え、内向きの小心な日本人をつくりあげてきた。四面海に囲まれた日本が、内陸国家にされてしまった。

真之は駆逐隊の司令や艦長をいっせいに交代させてしまうべきだと思った。去る二月九日の旅順夜襲で、金鵄勲章を既に約束された司令や艦長は命を惜しむようになっている。疲労が戦意をおとろえさせている。しかし東郷は元気のない司令達に対して、「ご苦労だった」と少しも責めずに、うなずいただけだった。真之も小艦艇の疲労の深さはわかっている。しかし大艦に乗っている者は、知識としてわかっていても、真の理解はむつかしい。長い封鎖活動のために小艇の乗組員は骨のずいまで疲労が累積していた。

当時水雷艇乗りのことを、「乞食商売」といっていた。食事が粗末で、トイレがなく、居住が窮屈な点で惨憺《さんたん》たるものであったからだ。

水雷艇には炊飯員はいないので、十人余りが交代で食事を作る。焦げた飯やベトベト飯も珍しくない。それは我慢できるとしても、波があると飯も炊けず、茶も沸かせない。飲まず食わずの死物狂いが、いつものことである。腹が痛んでも軍医はいない。

魚雷を抱いてはいるが、煙突一本で走るハシケのような水雷艇は、海が荒れると、小さな艇は揺《ゆ》り上げ、揺り下げ、揺り倒されてブランコの如く、振子の如くほんろうされる。面舵《おもかじ》、取舵ひとたび誤れば、艇も人もただちに波の餌食になる。水雷艇が、右に傾き、左に倒れ、艇首をもたげ、艇尾を枉《ま》げ、竜骨あらわに赤い船腹をひるがえすさまは、ちょうど祭りの獅子の狂うのに似ていた。あるいは傷ついた、いもりが悶《もだ》えるさまを連想させた。

普通、当直を担当する士官は四、五人もいて、四時間位で交代するが、水雷艇では艇長と中、少尉のただ二人で、夜も昼もぶっとおしで当直するのだから大変である。それも一週間や十日ならまだしも、旅順封鎖のこの場合は半年以上も続いているので疲労から体調を崩してしまう。当時の水雷艇乗りで体をこわしている者は少くなかったと、水野広徳は『此の一戦』に書いている。

八月十日の黄海海戦では、敵艦を一隻も沈めることができず、勝ったとはいえない結果となった。しかしロシア側も、日本の一艦にも大打撃をあたえられなかったばかりか、ウラジオストックへは一艦も逃げ込めなかった。ただ巡洋艦ノーウィックだけが、太平洋を北上して樺太《からふと》までたどりついた。

ノーウィックとアスコリドは戦場を落ちて、まずドイツ領、膠州湾に入った。アスコリドは次に呉淞《ウースン》に移りとどまった。ノーウィックは膠州湾で石炭を満載し、鹿児島沖から太平洋に入り、国後《くなしり》水道を北上した。樺太のコルサコフ湾に入っていることを知り、「千歳」と「対馬」がノーウィックを追跡した。砲戦のすえ、ノーウィックは大破して擱座した。乗組員は上陸して逃げた。巡洋艦「ディアーナ」は仏領サイゴンに逃げ込み、武装解除された。

旗艦を除く戦艦五隻は旅順にかえってきた。聖アンドリューの旗をひるがえして、堂々と出て行った艦隊が、目鼻もわからないほど叩きつけられて、浮いている鉄のかたまりになっていた。あまりにも破壊されすぎているので、〝これらの軍艦はもはや軍艦として使い物にならない〟ということで、艦体は浮かしておくだけになった。残った艦砲はとりはずして陸揚げし、要塞砲として使うことになった。

沈みこそしなかったが、廃艦になるほどの被害を与えた日本の砲弾は、すごい力をもっていた。爆発力がすさまじく、砲弾が高熱のガスを発生させて、構造物を焼きつくした。鉄に塗ったペンキが溶けて、アルコールのように燃え上ったという。

この日本の誇る最高の国家機密である火薬は、「下瀬火薬」であった。下瀬雅允《まさちか》海軍技師が発明したもので、ピクリン酸を用い、ピクリン酸が鉄に接触すると敏感なピクリン酸塩ができ、三〇〇〇度位の高熱を発して、すさまじい勢いで爆発した。明治二十一年に発明されたが、それに合う信管がなく、のちいわゆる「伊集院信管」ができて、下瀬火薬は実用化された。

日露戦争前には、日本海軍のすべての砲弾、魚雷、機械水雷にこの火薬がつめられた。物量その他あらゆる面でロシアに圧倒された日本が、唯一わずかに有利な点はこの下瀬火薬にあったといえよう。

海軍技師下瀬雅允は、安政六年、安芸の国広島の鉄砲町で生まれた。浅野藩の鉄砲方の家で、祖父は長崎から蘭書を取り寄せ、火薬の研究をしていたという。藩がなくなり士族の没落で、秋山好古と同年の雅允は、秋山家と同じように窮迫した。

国泰寺の近くにできた広島中学を出た雅允は、明治十年、工学寮といわれていた大学に入り、化学を専攻した。工学士として海軍省兵器製造所に就職し、火薬の発明研究に没頭した。

「優秀なる兵器なくして国家の独立なし。弱国日本が生きる道は、兵器の発明あるのみ。君は砲弾の炸薬において、改良よりも世界の炸薬の観念を一変させるような発明をせよ」と訓示したのは、東郷とともに明治四年、英国にわたり、アームストロング会社に留学した原田宗助という上司であった。

下瀬雅允は欧米各国がつかっている綿火薬とは別系列のものを開発した。このピクリン酸を使った火薬がシモセ・パウダーといわれる下瀬火薬であった。

旅順艦隊がウラジオ回航のため出てくれば、ウラジオ艦隊も当然側面掩護《えんご》のため、途中まで出むかえにくる。真之は東郷の承認をえて、上村艦隊に、「ウラジオ艦隊の出現」に厳重な警戒をうながしていた。

連合艦隊は主力重巡六隻中の四隻を黄海海戦から割愛し上村に渡していた（浅

間と八雲は残して）。八月十四日未明、蔚山《ウルサン》東方海上で上村艦隊は、左方にほぼ並行する三隻の艦影に気付いた。

午前五時、朝靄《あさもや》のなかをゆく艦型が見えてきた。旗艦ロシア（一万二千百九十五トン）を先頭にグロムボイ（一万二千三百五十九トン）、リューリック（一万九百三十六トン）である。旗艦出雲（九千九百六トン）は、「敵見ゆ、戦闘配置につけ」の信号旗と戦闘旗をマストにかかげた。つづく吾妻、常磐、磐手の各艦もラッパ号令で、戦闘配置につく。

総員朝食をとるひまもなく、その後五時間の飲まず食わずの戦いに入る。しかも盛夏の暑熱はきびしく、エンジンの熱、発砲にともなう熱気も加わり四〇度以上の暑さの中での戦いである。しかし、上村艦隊将兵は、遂に訪れた復仇の機会に感奮した。

「百万の敵恐るるに足らず
いわんや軽佻なる国民の声をや
誰が言いし　我艦隊眠れりと
ああわれに涙あふれたり」

と一兵士が書いたごとく、総員が悔し涙にくれていただけに敵発見の報に異常な戦意を燃えたたせた。

五時二十二分、出雲は敵の最後尾艦リューリックに対し、八千四百メートルの距離になったとき砲撃を開始した。蔚山沖海戦の開幕である。上村の怨念《おんねん》がこもっているかのように、一弾また一弾とリューリックに命中した。

五時三十七分、旗艦ロシア火災、つづいてリューリックも火災。

五時四十七分、二番艦グロムボイ火災。

上村艦隊は昇っていく太陽を背にしていた。この優位を維持しながら砲戦をつづけた。艦の動揺に耐えて、敵を照準する砲手は、眼に硝煙が吹きつけ、汗とともに目玉を痛める。その上太陽にめがけて砲を撃つロシア側は不利であった。

リューリックのマストに「舵機故障」の信号旗があがり、とりのこされた。旗艦ロシアとグロムボイはひきかえしてきた。上村艦隊の砲火を自分達に吸収して、その間にリューリックの舵機修理と逸走の機を作ろうとしたのであった。

リューリックの再起への努力は涙ぐましいものがあった。ようやく他の二艦といっしょになり陣形をととのえたが、激しい砲戦のなか、再び漂いはじめた。

出雲以下はロシアとグロムボイを追い、多くの命中弾を浴びせたが、敵艦は火災をおこしても傾くにいたらない。ロシア、グロムボイは勇敢にも再び反転してリューリックの救助にむかってきた。しかしリューリックは猛火につつまれ、もはや手のつけようもなかった。ロシア、グロムボイも火災を消しては、また火煙につつまれていた。

ところが僚艦に対する戦友愛には驚嘆すべきものがあった。ロシア、グロムボイは四たび変針してリューリックに近づいてきた。だが上村艦隊の猛射をあびて、もはや救済不能とあきらめて北方へ逃げはじめた。

青い日本海には真夏の太陽が照りつけ、風がなかった。二隻のウラジオ艦隊を、四隻の上村艦隊は黒い媒煙と砲煙をたなびかせ北に追った。白い着弾の水柱があがり、逃げる二艦は火を噴いては、消している。しかし二艦とも速力が落ちないのである。本当は追う方が少し速い筈であったが、ウラジオ艦隊は基地から出てきたばかりであるのに、上村艦隊は艦の底にカキガラがつきすぎている。ほぼ同じ速力で進めば、追いつかない。また波がないので、破れから浸水もない。

上村は出雲の艦橋で、怨み重なる二艦を沈めようとにらみつけていた。そこへ

加藤参謀長が風浪で肉声が聞こえない時に使う伝言用の黒板に、

「残弾なし。反転然るべしと考う」

と書いた。上村は、

「然るべくやれ」

と大声で命じたあと、その黒板を床に叩きつけ、その上を足で踏みにじった。いかにも上村はくやしかったのであろう。

しかし、リューリックは沈没し、ロシア、グロムボイは沈められこそしなかったが、大損害を受けて、廃棄同様になり、再び日本海に姿を見せることはなかった。


黄海、蔚山沖の海戦は日露戦争の大勢を決した。真之は日露戦争後、宗教の研究をし、秋山流の原理原則をうち立てようとして、宗教の奥義を極めようとするが、その考えは黄海海戦の体験から生まれたようである。

——神霊の祈願空しからず。

と、真之は黄海海戦についてつぎのように結論を述べている。

「――戦争にも戦運なるものがあった。完全無欠に仕組まれていても、やはり人間案だから、意外のあたりに蹉跌《さてつ》や齟齬《そご》をきたすものである。これを謀るは人にあり、これを成すは天にありで、黄海海戦のごときもこの天則には洩《も》れないと考える。

第一合戦中、敵弾に九分九厘まで打ち破られた大橋が舷外に倒れかかったならば、わが速力は減り、隊列は乱れて、とても敵に追いつくことはできず、対馬海峡に上村艦隊がいたとしても、敵がウラジオへ入ることを食い止めることはおぼつかなかった。

また第二合戦中、敵の司令塔を破った怪弾が、反対にわが三笠の艦橋に当ったならば、その日における勝敗の現象は彼我転倒していたかもしれない。これを砲術の巧拙といえばそれまでだが、人知でつくり出した大砲は、一分一厘、狂いたがわぬようにはできていないのだ。

こういうものが戦運で、われわれはどこまでも皇軍の天佑を確信せざるをえない。そうでなくても黄海の海戦は、本来対等の決戦で、敵の戦艦六隻に対し、われわれは戦艦四隻に巡洋艦を加えて対抗したのだから、たとえ腕に覚えがあったとしても、敵を全滅するかわりに、われも半減しなければならない勘定である。

このときもし敵を全滅することができて、わが戦艦の三隻も失ったとすれば、後日バルチック艦隊の来たとき、これに対するわが戦艦は一隻であった。

今日考えてみると、じつに危険千万な投機であった。

それでも人間はなかなか欲の深いもので、その当時、われわれは、このような戦略的大勝利を得たうえに、なお戦場に敵を撃ちもらしたのを心から残念に思っていた。

ところが、あとになってみると、旅順に逃がした敵の六大艦はその陥落のあと、わが手によって浮き上がり、戦争中に失った海軍兵力を補足して余りあった。

もはやここに至っては、ぜんぜん天為で、われわれ人間には何がよいやら、すこしもわからなくなる……」

第十二章　無言の握手

八月十日の海戦によって旅順艦隊は大打撃をこうむったが、五隻の戦艦と二隻の巡洋艦、十余隻の駆逐艦が港内にいる。

旅順の情報は全く得られないので、ロシア側が艦砲を陸揚げしている状況はわからない。東郷の封鎖が緩んだら、修理した旅順の残艦がいつ出港してくるかもわからぬ。

乃木軍は八月十九日から第一回旅順要塞総攻撃を行ったが、日本兵の死体が斜面を埋めつくして失敗した。

——九月十九日、第二回総攻撃では、東郷が親書をもって二〇三高地の攻撃を要望したため、第一師団の一個連隊が、これを攻めた。しかし申しわけ程度の少ない兵力しか当てなかったので撃退された。

これはロシア側に二〇三高地の超重要性を気付かせてしまった。コンドラチェンコ少将は要塞化を急ぎすすめ、砲を集中して不落の要衝に築きあげてしまった。

——第三回の総攻撃が十月二十六日行われた。このときの肉弾戦はまことに凄惨であった。有名な〝白襷隊《しろだすきたい》〟が挺身斬り込み攻撃をかけたが、全山ことごとく日本将兵の屍をもってうずめつくすという結果におわった。

バルチック艦隊は十月十五日、すでにリバウ軍港を出港して極東遠征の途についた。東郷も真之も、じりじりしはじめた。バルチック艦隊の到着は翌年一月と予測された。交代修理のため「朝日」などを内地に帰らせたが、全部終えるのには二カ月以上かかる。しかも旅順の戦艦五隻はすでに修理が終っているとすれば、一日も早く二〇三高地を占領し、ここに弾着観測所を設け、港内を砲撃しなければならぬ。この高地からは、港内の敵艦隊を観測しうる。しかし海軍がこれほど要望している二〇三高地の攻略を、乃木の第三軍は、攻撃地点から除外している。

——三度失敗した永久保塁正面の攻略を、意地でも遂げようとしている。真之は苦悩した。第三軍司令部に派遣されている海軍参謀に、真之は第三回総攻撃が失敗した翌日から、毎日のように手紙を書いた。

「二〇三高地こそは日露戦争の天王山である」

切々血をはくような思いで書きつづけた。

十一月十一日、東郷も乃木あてに最後通牒めいた親書を送った。十一月三日にバルチック艦隊が、北アフリカのタンジールに入港したという情報が入ったからである。艦艇の修理と乗員の休養、訓練に二カ月を要するとすれば、もう時間がない。

真之たち幕僚は、東郷がときどき妙なものを飲んでいるのを見て、

「ありゃあ、いったい何を飲んでござる」

と不審に思い、従兵にそっと聞いてみた。東郷は元来、酒は多く飲まなかったが、膀胱石を患ってから、酒はぴたりとやめ、従兵につくらせた砂糖水をコップに入れ、なめるように口もとにはこんでいたのであった。真之はあいかわらず煎豆をかじっている。

——十一月二十七日、二〇三高地の争奪戦は開始された。敵の波状逆襲によって占領隊が全滅し、死の争奪をくりかえすこと実に六十七回、世界の陸戦史に例のない死闘の一週間であった。

乃木は死屍累々たる戦場に立ち、二〇三高地を「爾霊山《にれいさん》」と命名した。この十日間の争奪戦だけで、戦死五千名、戦傷一万千八百余名であった。

爾霊山の頂上に立てば港内が眼下にひろがっていた。占領した将兵たちは港内の艦隊を見下ろして、いかにこの高地が重要であるかをおもい知った。ただちに観測所が設けられた。

重砲陣は砲列をしき、巨弾を撃ち放った。三十分で戦艦ポルターワが沈んだ。翌日、レトウィザン、ペレスウェート、ポベータの戦艦群が相ついで沈み、八日には巡洋艦バヤーン、パルラーダが撃沈された。残った戦艦セヴァストーポリは港外へ脱出をこころみたが、待ちかまえていた水雷艇の魚雷を受けて擱座してしまった。駆逐艦、砲艦もことごとく始末され、三日の間に、さしもの旅順艦隊も全滅して消え去った。

東郷は擱座したセヴァストーポリを確認するために、遠目が利く参謀飯田久恒

大尉とともに通報艦竜田に乗って近くまで出かけた。長い間双眼鏡をあてていた東郷は、

「沈んでおります」

と言った。

十カ月にわたる封鎖作戦は終った。

このあと東郷は真之をよんで、第三軍司令部に乃木を訪ねた。十二月二十日、小雪が舞う寒い日だった。大連から乗った列車は柳樹房に着いた。駅の設備はなく、石炭箱を台にして列車からおりる。乃木は幕僚を連れて出迎えにきていた。黒い外套《がいとう》を着た小さい東郷がおりてきた。凍りついた雪の上に立って、東郷はじっと乃木を見た。乃木も同じだった。どちらからともなく二人は静かに歩みより、

「やあ」

「やあ」

と同時に言った。固い握手がかわされた。二人はしばらく言葉もなかった。司令部まで二人は黙って歩いた。東郷のあとを真之と飯田がついて歩いた。

真之は、この両将の対面をのち、小笠原長生に語っている。

「――余は従来、いまだかくのごとき思い出深き場合に会したることあらず、東郷、乃木両大将が、熱誠をこめて握手する刹那《せつな》の光景は、忘るべからざるの印象を余に与えたり」

厳粛にして感動的な光景であった。多くの部下を死なせ、寒暑の中、海と陸から旅順をにらんで苦しみや悲しみと戦い続けてきた二人には、お互いの心の中はわかりすぎるほどにわかっていた。言葉をかわす必要はなかった。

軍司令部を出た東郷は、黒井海軍陸戦重砲隊をおとずれた。

「ご苦労でした」

黒井隊長は東郷の慰労の一言に、今までの苦労がいっぺんにふきとんで、晴々したおもいになった。

東郷は双眼鏡をかざして旅順港内を見た。旅順艦隊が着底し、傾いているのを確認し、

「一部を残して、私は本国へ帰ります」

乃木と黒井に言った。

片岡七郎中将の第三艦隊の厳島、松島、橋立、鎮遠などが残った。

旅順城頭に日の丸がひるがえったのは、明治三十八年の元旦であった。史上名高い水師営での乃木とステッセルの会見は五日におこなわれた。

日本軍の損害は死傷六万余人、なかでも将校は、隊のまっさきを進むため、機関銃の餌食になって、全期間を通じて無事開城まで立ちあえたのは十数人にすぎなかった。

乃木と東郷はお互に旅順をにらんで、本当に苦労をした。二人はこののちも心の通いあう仲のよい友人だった。

わが国では長い間、普通郵便は東郷と乃木の切手が使われた。日本人にこの二人ほど親しまれた将軍はいない。

大東亜戦争中、唄われた「出てこいニミッツ、マッカーサー」の二人のアメリカの仇敵が、戦後実は、東郷と乃木をそれぞれ心から尊敬していた人物であることがわかって、大変驚かされたものである。

三笠以下の東郷の艦隊は旅順開城より早く帰国し、第一艦隊は呉へ、第二艦隊は佐世保へ入港した。どの艦も損傷がはげしく、ドックの中はいくさ場であった。工員たちは休息もとらず、食事も立食いで働きに働いた。バルチック艦隊の記事が新聞に出ない日はなく、全国民あげて日本国の危機を感じている時、どの工員も死にもの狂いで働いた。

十二月三十日、東郷と上村と幕僚たちは、新橋駅におり立った。霞ヶ関の海軍省に着くと、山本権兵衛海相と伊東祐亨軍令部長らが待っていた。やがて午前十一時、東郷は山本、伊東につきそわれて参内し、明治天皇に拝謁した。

「ご苦労であった」

天皇のねぎらいの言葉に、東郷は今までの苦労がいっぺんに霧消するのをおぼえた。

明治天皇は明治の国民にとっては、単なる国家の象徴ではなく、真に偉大な指導者であった。明治維新の指導者たちは、明治大帝に深く心服していた。天皇の徳と英明な人間性が大きく輝いていた。武力のない小国日本が、日清、日露の戦いをせざるを得ない破目においこまれて、天皇はひどくご心痛をされた。国民は天皇の心を心として戦った。

「バルチック艦隊がきましたならば、誓ってこれを撃滅し、御宸襟《ごしんきん》を安んじ奉ります」

東郷ははっきりと申し上げた。

かたわらにいた山本と伊東はびっくりした。日頃、東郷はなかなか断定的なことを言わない慎重さがあった。それが陛下に対して、はっきり申し上げたので、山本と伊東は東郷の顔を、いいのかとたしなめるように見つめたが、東郷は平然としていた。

(旅順や黄海の海戦は、味方を傷つけないための戦いであったから、気持の負担が大きかった。もう一歩踏みこめばと思っても、危険を避けるための、もどかしさがいつもつきまとっていた。だが、こんどは敵艦隊にもあとがないのだ。乾坤《けんこん》一擲《いってき》、力いっぱい存分に戦える)

東郷にも、真之にもこの思いがあった。

真之は海軍省を出ると、まず四谷信濃町にある兄、好古の留守宅へ行った。母親のお貞は老いがすすんで足が弱りほとんど寝たきりにちかい生活であった。厠《かわや》へ立つことと、食卓へ出てくるのがやっとという暮らしであった。七十八歳になる。以前にくらべると体全体がなんだか小さくなったように思えた。

お貞は真之の帰宅を心からよろこんだ。これで寿命が少し延びると言った。海軍中佐になって、東郷のもとで大事な仕事をしていることもひどくよろこんだ。

「早く季《すえ》さんのところへ帰っておあげ」

お貞に言われて、真之は青山高樹町の新居に帰った。

去年の六月に結婚した妻の季子は、夕食のしたくをして待っていた。妻はういういしくて、みずみずしかった。しかし、真之はこの妻に対して、シャイなところがあって、明治の夫に多かったように、ぎこちなく尊大であった。季子は、真之があまり力を入れて抱きしめるので息苦しくなって悲鳴をあげた。

艦がドックに入っている期間の束の間の休養である。真之は霞ヶ関の軍令部へ出ていくが、早目に帰ってくると、ごろんと横になる。「タタミはいいなあ」といっていたかと思うと、もう寝ている。寝てばかりいる。あくびをしては寝ている。体の芯までよほど疲れているのであろう。

母親のお貞は、

「東京に帰っている間は、いっしょに住みたい」

といって翌々日には、青山高樹町の方に移ってきた。

この借家には風呂がなかった。明治のこの当時、借家には湯殿のない家が珍しくなかった。季子の親戚が近所にあるので、そこへ貰い湯に行く。お貞が湯を貰いに行くとき、真之は母を背負って出かけた。あるときは、海軍中佐の軍服のまま、かるがるとお貞を背中にのせて行ったこともある。お貞ははずかしがって反対したが、真之は頓着しなかった。

季子はお貞にならった煎り方で、空豆を煎って袋につめ、布を買ってきて、真之の新しいふんどしを用意した。

真之は眼をあけている時は、バルチック艦隊のことばかり考えている。強力な磁石で、頭の中がひきつけられているようで、気がおかしくなるほどである。

戦艦七隻、巡洋艦六隻、駆逐艦九隻、特務艦六隻など四十五隻からなるバルチック艦隊は大遠征の途についていた。航程一万八千海里。この海上の大部分はイギリスの勢力圏にあり、バルチック艦隊が息をつけるのはフランス領であったが、それもイギリスがきびしくにらんでいるので、好意の中立以上の援助はさしひかえる外なかった。

「――ロシアに良港を貸すな」とイギリスがフランスに申し入れたので、フランスは同盟国ロシアを助けたいのは山々であったが、イギリスの機嫌を損じることをおそれ、仏領マダガスカルでは、ノシべという未開の漁港なら使用を黙認するということになっていた。バルチック艦隊は、モロッコのタンジールで二手に分かれていた。

吃水の浅い戦艦二、巡洋艦三などの支隊はフェリケルザム少将のもと、スエズ運河をとおって東進する。吃水の深い戦艦五、巡洋艦三はロジェストウェンスキー司令長官直率のもとに、アフリカ西岸を南下、喜望峰をまわって北上し、マダガスカル島で合同する。

明治三十八年一月九日、本隊は未開の泊地ノシべに入った。フェリケルザムの支隊は、すでに十二月二十八日到着し待っていた。湾内には、

戦艦シソイ・ウェリーキー　一万四百トン
戦艦ナワーリン　一万二百六トン
巡洋艦スウェトラーナ　三千七百二十七トン
巡洋艦ジェムチューグ　三千百六トン
巡洋艦アルマーズ　三千二百八十五トン
ほかに駆逐艦、石炭船などの一群がいた。
「ウラー」
の歓声がひびいた。
ところが旅順の陥落と旅順艦隊全滅の悲報が、全乗組員の士気に水をさした。
本国からは、
「しばらく東航をみあわせ、当地にとどまって後命を待て」
といってきた。
このノシベの地は、すさまじい暑熱と湿度の高い不健康地であった。
大艦隊の航海には、石炭の補給という難事がありドイツの石炭会社と供給契約を結んでいたが、英国が良質の石炭をこの会社に売らなくなった。そのため濃い黒煙のあがる劣悪な石炭を供給したことが、紛争となり、ロジェストウェンスキーと会社の現地支配人との談判が手間取ることになった。四十五隻の乗員一万二千人が、酷暑のノシベで足どめをくっている。

ノシベの村は、「一大歓楽地」と化した。女どもをひきいて、利にさとい売春宿のおやじたちが集まってきた。白人の女たちは主として士官が客になり、原住民の女は下士官や水兵の相手になった。原住民は自分の家にロシア兵をひきこんで、自分の妻に売春させて、ひともうけをねらった。士気の落ちた乗組員たちは浪費し、規律違反の事故が多発した。

真之は、ロシアは皇帝暗殺の陰謀事件もおき、国内の治安のために、ロジェストウェンスキーが足止めをくっているのだろうと見ていた。

「マダガスカルにバルチック艦隊はまだいる。その心境は、行こかウラジオ、帰ろかロシア、ここが思案のインド洋といったところだろう」

といっていた。

乗組の士官達は夫人をウラジオへよぶかどうか迷っていた。ロジェストウェンスキー艦隊が、マダガスカルの僻地で無為に二カ月をすごしたことは、日本にとっては幸運事であった。

第十三章　手弁当の督励

三笠は修理をおえた。呉は活気に満ちていた。呉の海軍工廠は横須賀、佐世保とともに日本海軍の心臓部ともいうべき役割を果たしていた。修理だけでなく、重巡筑波と生駒の建造に着手していたし、駆逐艦吹雪、霰《あられ》、潮《うしお》、子日《ねのひ》などが造られていた。なお呉ではのち、満載排水量、実に七万二千八百九トンという巨大戦艦大和を建造する。

二月十四日、東郷の座乗する三笠は単艦で呉を出港した。三笠は艦首を宇品の方向へむけ、江田島の近くをとおった。海軍兵学校の生徒に、その気品のある優美な英姿を見せるためであった。生徒全員はカッターに分乗して、三笠をいつまでも見送った。三笠は甲島《かぶと》を右に見ながら、島々の間を縫うようにすすんでいく。

真之は後甲板に立って、みどりの島や海を眺めていた。瀬戸の島々や海は、いつ見ても惚れ惚れするほど美しい。――だが、ふたたびこの海を見ることができるだろうか。

旗艦は敵弾の集中攻撃を受けて被害が最も大きい。ふっと自分の死を思わぬでもなかった。島が次々と移っていく。人家の多い島では耕地が段々畑になって、山の頂上近くまで開けている。よくもあのような高い所まで畑を開いたものだ。耕して天に至る。勤勉なる国民性を見る。と同時にこの国の貧しさを見る。山ばかりの狭い土地で、資源も乏しい日本が、無理に無理をかさねて三笠のような軍艦をそろえた。大国ロシアと戦えるような大艦隊をつくった。外国に売るべきものもないこの弱小国のどこから、そんな金を工面してきたのかと思うと、奇跡的なことと思えてくる。しかも、徳川三百年の鎖国政策のために、欧米にくらべ科学技術に格段のおくれをとってしまった。開国以来三十数年間の日本民族の欧米に追いつくための努力は、涙ぐましいものがある。

真之は艦橋に立って思いをめぐらした。そして思い立ったように後部シェルターデッキの下へ行った。そこには三六式無線電信機があった。真之はかつてアメリカ、イギリス駐在のとき、新式無線機の採用を本省に建言したことがあった。あれ以来無線電信機には強い関心をもってきた。真之の立案する作戦計画を、艦隊が実現していくには優秀な無線機が不可欠である。この三六式無線電信機は、下瀬火薬とともに日本が誇るべき性能のものであった。

三笠は佐世保港に入った。ロジェストウェンスキーは炎熱のノシベにいる。

二月二十日、佐世保を出て、南朝鮮の鎮海湾へ行く。玄界灘をこえると対馬海峡、朝鮮海峡がある。真之が日夜、脳裏に描く海域である。海図は見なくてもすべて頭に入っている。真之はこの海域の戦略的な価値とその重大性を思う。

――日本海に突出した朝鮮半島。その入口を扼《やく》する対馬と壱岐。そして対馬海峡と朝鮮海峡。鎮海湾と蔚山付近の無数の島。

真之は若い参謀に話しかけた。

「このへんの海は、興亡の歴史を秘めた古戦場でもあるんだ。この海原には日本民族の歴史があるんじゃ」

古来から大陸との往来しげく、文化の交流がおこなわれた玄界灘は、海の戦いの歴史があった。

文永、弘安と二度の侵入を受けた元寇の役。文禄、慶長の秀吉による朝鮮半島への上陸作戦と海戦。

祖霊の眠る因縁の海域である。遠く神代の時代から、日本民族の喜怒哀楽をもたらした海であった。

「――だから自分の家の庭のように知っていなければならない。半島南岸の地形、二つの海峡の潮流、風のふきぐあいと季節による濃霧の濃度……」

「先任参謀、濃霧が立ちこめれば敵を見失うおそれが出てきます。五月に、バルチック艦隊は五月にきてくれればいいですがね」

「そう、五月晴の五月中頃にな」

真之はそういうと、煎豆をひとつかみとり出して、

「どうだ、食わんか」

と若い参謀に言った。

「結構です。豆を食うと屁《へ》が出ますから」

「屁か」

真之はあははと笑った。

三笠は加徳水道に入った。水道には、あちこちに艦隊が静かに錨をおろしていた。この奥は巨済島によって、外海からは遮断された奥座敷のような海面である。小さな半島が抱きこんでいる湾が鎮海湾であった。

ここはバルチック艦隊がくるまで、人目を避けて訓練にあけくれるには絶好の隠れ場所であった。

陸地は見えても乗組員全員は上陸せず、艦に寝泊りして、猛烈な射撃訓練をはじめた。

東郷も真之も艦隊決戦において勝敗のカギをにぎるものは、それは大砲の命中率だと思っている。短時間内に砲弾を一発でも多くあてることが結局は勝敗を決する。海戦で最大の威力を発揮する戦艦の主砲には、全艦隊の砲員から名人といわれる射撃上手を選び出して配置した。

猛訓練が行われた。

「訓練で泣いて実戦で笑え」

といわれる。艦砲の照準発射訓練は、小銃を大砲の中に装置しておいて、砲員は大砲を操作して目標をねらい、その小銃弾を発射するという、

「内膅砲射撃《ないとうほう》」

という方法をとっていた。

猛訓練を行うため、三笠などは二万数千発という一年分の内膅砲弾薬を鎮海湾ではわずか十日で消費してしまうほどであった。

東郷長官は八時朝食、五時夕食を逆にして五時朝食、八時夕食の日課を決め副官に手弁当を持たせて、毎日毎日各艦をまわり、訓練の督励をした。

東郷の訓示で有名なのは、

「百発百中の砲一門は、百発一中の砲百門に匹敵する」

というのがある。

八月十日の黄海海戦のとき、旅順艦隊にくらべて日本艦隊の射撃の成績は、かならずしもよくなかった。東郷としてはこの鎮海湾における訓練によって、飛躍的に向上させなければならなかった。

「――こっちはだいぶ稽古したなあ」

とのち東郷は言っている。

射撃の方法も画期的な方法を採用した。艦橋にいる砲術長が射距離を伝達し、一艦のすべての砲の射撃を掌握指揮する方法である。各砲が各個にはやらない。一斉撃ち方である。

標的は汽艇がひっぱっていく、イカダの上にすえられている。障子一枚ぐらいの大きさの鉄板に○が描かれているか、敵の艦型があった。

射撃目標の識別も訓練しておく必要がある。バルチック艦隊の艦型と艦名を教えておかなければならなかった。

そこで覚えやすいように仇名をつけた。

クニヤージ・スワロフ――国親父座《くにおやじすわ》ろう

アレクサンドル三世――呆《あき》れ三太《さんた》

ボロジノ――艦褸《ぼろ》出ろ

アリヨール――蟻寄《ありよ》る

オスラビア――押すとピシャ

シソイ・ウェリーキー――薄《うす》いブリキ

アブラクシン――油ふきん

ドミトリ・ドンスコイ――ごみ取り権助《ごんすけ》

イズムルード——水洩《みずも》るぞ
射手をあつめて艦型図を示し、これは何という軍艦だ、と水兵にあてさせる。

「よし、これは」

「呆れ三太」

「馬鹿者、これは富士だぞ」

どっとみんな笑い、楽しいざわめきがおこった。

日本海軍の艦名にはアレクサンドル三世とか、ネルソン、ビスマルク、シャルンホルスト、リッシュリュウ、ニミッツ、セオドール・ルーズベルトといった個人崇拝を匂わせる艦名がない。戦艦東郷とか、広瀬という艦名は現われなかった。

昭和に入っても、戦艦は、大和、長門、伊勢と国の名前、重巡洋艦は鳥海とか摩耶とか足柄とか山の名前、軽巡洋艦は大井とか神通とか川の名前であった。

駆逐艦になると天気気象、花や草木を艦の名前にするので、『源氏物語』のようになった。夕顔、野分、早霜、秋風、吹雪、水無月……月クラスの新鋭駆逐艦が次々出来て、宵月、夏月、花月、と名付けられたとき、

「こりゃ、待合料理屋の名前ばかりつけやがって」
と士官連中が言ったそうだが、日本海軍はむやみに勇ましがらず、スマートな艦名をつけたものである。

真之は、バルチック艦隊が北海でイギリスの漁船を誤射した時の状況を調べて、バルチック艦隊の射撃能力は旅順艦隊より劣るのではないかとみた。事実、ロシアは優秀な砲員は旅順へ優先配置していた。

鎮海湾での猛訓練によって射撃の腕はあがった。水雷攻撃の訓練も重ねた。日本はバルチック艦隊にくらべ中小口径砲の数においてまさっている。

真之は、
「初瀬、八島を失って将棋でいえば、金や銀が少なくても、巡洋艦や駆逐艦を多く持ち、しかも実戦の経験を積んでいるので、桂馬や香車の持駒が多いのに似て、バルチック艦隊に負ける筈がない」
と言いきっている。

ロシアは旅順艦隊とバルチック艦隊を合わせて日本の二倍の戦力で圧勝しよう

とした。古来ロシアは、敵の二倍の戦力を備えて決戦に出るというやり方をとっている。

——それが崩れた。

その上、猛訓練の結果、一定の時間内により多くの弾を、より多く命中させる砲術において、ロシアに対し日本は、三倍の力をそなえたであろう。

この猛訓練ぶりは、昔、弘安の役に元軍を迎え打つために、国をあげて博多の浜に防塁を築き、防戦を準備した祖先の偉業に比すべきものであろう。

かくして日本は勝つべくして勝つ決戦にのぞもうとしている。

八月十日の黄海海戦のような、運にたよる——運命の怪弾が、偶然敵の旗艦に命中して、敵の指揮や陣形を大混乱におとしいれたからこそ勝ったというような決戦であってはならない。

(黄海海戦の苦戦をくりかえしては、日本は滅びる)

と真之の脳裏にはつねにそれがある。

偶然をたのむ要素をなくして、戦わなければならないと強く思っている。

そもそも戦いというのは、敵に倍する戦力をそなえて、勝つべくして勝利すべ

きものである。これは孫子がいう、

〝勝ちやすきに勝つ〟である。

戦国時代、織田信長は若き日、寡勢で今川の大軍に対し、桶狭間に義元の本陣を奇襲して勝った。しかしその後、信長はこのような戦い方を決してしなかった。

常に敵にまさる大軍をそろえ、外交によって味方の力を増やし、敵をあざむいて勝った。秀吉、家康も同様であった。力の限りをつくして勝つ態勢をつくり、勝つべくして勝った。戦に勝つということは、本来それが常識である。ところが、競争という精神をなくした徳川三百年の間は、戦いについての常識が失われ、軍事についての感覚が鈍くなった。

その屈折した心理の反映として、江戸時代、軍談ものが多くつくられ愛好されたが、その内容はことごとく、少人数をもって大軍をうちまかしたものが、もてはやされた。真田幸村が英雄になり、源義経や楠木正成が名将として憧憬のまとになり、勝敗よりも壮烈さの美が人々の心をうった。

この賭博性にとみ、奇襲にたよる戦いを重視する精神は、昭和期までつづいていく。

真之は日本海海戦にのぞんでは、そのような戦法をとらなかった。

真之は「完全無欠に実施された戦術は」、「――善く戦う者の勝つや、知名もなく勇功もなし」（孫子）というように、「ただ何となく、全体の力で自然に勝ってしまった」というかたちだという。

「誰かが非常に手柄をたてたとか、七本槍とか三本太刀とかいうような、軍談師の材料になるようなことのない戦い方がよい」とする。「全軍がそれぞれ分相応に、任務を果たし、全軍の協同動作が、海戦の終始を通じて、実行される」ことを最上とする。

その真之の練りあげたバルチック艦隊の迎撃戦法は、

――「七段構え」の全滅作戦であった。

済州《さいしゅう》島からウラジオストックまでの海面を七段に区分する。その区分ごとに、夜間は雷撃、昼間は砲撃を反復する。

まず第一段は、敵艦隊があらわれると、主力艦隊の決戦する前夜、駆逐隊、水雷艇隊の全力をもって敵主力を攻撃し、混乱におとしいれる。

第二段、早朝より日没まで、艦隊の全力をあげて、敵艦隊と正攻法で決戦する。勝敗の決まるヤマ場となろう。

第三段、第五段は、主力決戦のあとの夜間、駆逐隊、水雷艇隊の全力をもって、ふたたび水雷攻撃を行い、残存艦の落ち武者狩りをする。

第四段、第六段、艦隊の全力ではなくて、その主力を中心とする大部分をもって、敵艦隊の残存勢力を、朝鮮東部の鬱陵《うつりょう》島付近からウラジオストック前面まで、徹底的に追撃し砲雷撃する。

第七段は、第六段の攻撃でも残った敵艦を、前もってウラジオストック港口に敷設しておいた機雷沈設海域に追いこんでことごとく爆沈させる。

この雄大な七段の作戦は、隙間なく相互に関連させて、一艦もウラジオストックへ逃げこませないというものであった。

真之はこの合戦計画を、東郷長官と加藤新参謀長に説明し承認を得た。

島村前参謀長は、駆逐隊の司令、艦長のいっせい交替とあわせて、上村長官の第二戦隊司令官に転出していた。新参謀長の加藤友三郎少将は、秋山中佐が少尉のとき、軍艦吉野の回航委員として約九カ月一緒に勤務したことがあった。また、真之がアメリカ、イギリスの留学、駐在のとき本省の軍事課長は加藤であった。

加藤も島村と同様に、作戦のことは真之を信頼して全面的に委せるやり方をとった。

加藤友三郎はのちにワシントン軍縮交渉に日本全権としてのぞむ。そして四代の内閣に海相として歴任し、苦心惨憺して成立させた八八艦隊を、みずからの手で葬った。

これからの戦争は未曾有の総力戦、消耗戦となる。軍備だけ増強しても国力を充実させなければ、軍人だけで戦争はできないということを早くも先見した、識見の高い、良識の提督であった。

建艦競争の続行は国家の破綻を招く。

加藤のたてた国防論は比率問題以上に「日米不戦」を重視し、「海軍の存在は、外国の侵略を躊躇させればいい。大いなる犠牲を払わなければ日本を侵せないだけの力で足りる。あとは政治外交の領分である」という「不戦海軍論」であった。

加藤は磐石の重みをもって海軍の中心にあり、ゆるがぬ統制のもとに大リストラを断行した。

しかし、加藤は総理大臣就任後五カ月にして病によりたおれた。志なかばにして、六十二歳のまことに惜しまれる死であった。

井上成美（最後の海軍大将）は辛口で大将の格付けをしたが、一等大将としたのは、海軍をつくった山本権兵衛と海軍の幕引きをした米内光政、そしてリストラを断行した加藤友三郎の三人だけであった。

満州の野では遼陽、沙河《さが》の会戦のあと、日本軍は砲弾の補給と、旅順をおとした乃木第三軍の北上到着を待っていた。

厳冬の到来とともに戦線は凍りついたようにみえた。

ところが三十八年一月下旬、日本軍の左翼黒溝台方面に、グリッペンベルグの率いるロシア軍十万の大軍が一大攻勢をしかけてきた。黒溝台を守るのは騎兵第一旅団長秋山好古の率いる騎兵、歩兵、砲兵混成八千人の秋山支隊であった。

秋山支隊は四つの拠点を死守して、怒濤の如く殺到するロシア軍と死闘を演じた。白雪飛ぶ厳寒の中で、溝を掘り盛土して固めた陣地で、秋山支隊は孤軍奮闘した。騎兵は馬をかくして、機関銃でコサック騎兵団を迎えうった。日本軍総くずれの危機をふみこたえ、秋山支隊は応援の兵を得て、ついに敵を退却させた。零下二〇度から二七度の中で、日本の総兵力は五万三千余名、死傷者九千三百余名。ロシア軍の兵力十万五千余名、死傷者一万一千余名であった。秋山好古は黒溝台の拠点を死守し、九死に一生を得た。

三月一日、およそ二十五万の日本軍は、奉天（現、瀋陽《シエンヤン》）をめざして総攻撃を開始した。これをむかえるロシア軍は三十二万、堅固な陣地により、いたるところ優勢で戦局は一進一退した。乃木第三軍は奉天後方の鉄道を遮断しようとした。

しかし西方のロシア軍は次第に増強されて、乃木軍は苦戦した。

ところが七日夜になって、

「奉天北方二十キロの地点に日本軍六千が進出せり」

という報告を総司令官クロパトキンは受けた。クロパトキンは平静さを失った。

この日本軍六千というのは、秋山好古の率いる三千の部隊であった。しかし現実は、秋山支隊三千で、前面にいる十万の敵中に突っこんでいける状況ではなく、陣地を築きながら、機を見て少しずつ進んでいたのであった。

しかし、クロパトキンはそれに惑わされ、鉄道が遮断されて孤立する不安を抱いた。九日夜、ロシア軍は鉄嶺方面へ退却を決定した。そこへ、満州の歴史はじまって以来類をみない、大黄塵《こうじん》が吹き荒れた。

天は曇り地は光を失った。その中をロシア軍は陸続と北方へ退却していった。

奉天の大会戦は日本軍が勝ったというより、ロシア軍が自分で負けたというのが実相であった。日本軍の死傷七万名、ロシア軍の死傷九万名、捕虜二万名。日露戦争中最大の会戦であったが、敵主力の殲滅《せんめつ》という満州軍司令部の目的は達せられなかった。損害を差し引くとまだロシア軍の方が優勢であった。

ここで日本軍の戦争能力は壁につきあたっていた。さらに北進して再度の決戦を企てることは困難であり、軍事面からも早急に講和が望まれた。

だが、ロシアはまだ講和の意志がなく、バルチック艦隊が日本艦隊を突破してウラジオストックに入り、戦局を逆転させることに、大きな期待をかけていた。

バルチック艦隊はようやく、三月十六日、ノシベを去ってインド洋を東進しはじめた。三十日間をかけて艦隊はマラッカ海峡にはいる。シンガポールの沖にさしかかったのは四月八日の朝であった。

シンガポールにいた日本人はみな海岸へ出た。淡い朝霧が海面にただよい、どんよりとした中を、黒々とした大艦隊が黄色く塗った煙突から黒煙を吐いて進んでいた。四十五隻が白波を蹴って航進する威容は、悪夢を見ているようであり、見ている人々は思わず悪寒をおぼえた。

だれ一人言葉を発する者はなく、息をころして見つめた。

シンガポールにいる日本人の大部分は「からゆきさん」といわれた年若い売春婦であった。派手な長襦袢に細帯の姿で、これら薄幸な少女たちは祖国の滅亡を予想して悲しみにくれた。ロシアに日本が敗れればどうなるか――北海道や対馬はとられ、日本は属邦になる。佐世保や横須賀はロシアの大軍港になり、憲法は停止され、神社やお寺は叩きこわされて、ギリシャ正教のねぎ坊主が建つだろう。日本人は働けど働けど、働いた結果はみなしぼり取られて、永久に貧困生活がつづく。鞭で打たれて男は追い使われ、女は奴隷のようにロシアの男にかしずかせられる光景があちこちで見られるようになるだろう。

シンガポールの浜辺で、過ぎゆくバルチック艦隊を日本人たちは、うらめしく見送ったのであった。

堂々といくバルチック艦隊は、日本の潜水艦にねらわれているというまぼろしの情報に頭を悩ましていた。日本はアメリカから潜水艦を購入し、出動させているというのである。たしかに日本は昨年六月、アメリカから潜水艇五隻の購入契約をし、材料を運びこんで横須賀の工廠で組み立て中であった。

わずか百トンの〃どん亀〃といわれた初歩的なものであったが、これは日露戦争にはついに間に合わなかった。

四月十四日、バルチック艦隊はフランス領印度支那のカムラン湾に入った。しかしフランス政府は、ロシアのために国際紛争にまきこまれることを恐れた。

日本の同盟国イギリスに気がねして、ロシア艦隊が基地にすることを許さなかった。そこで艦隊はカムラン湾北方のヴァン・フォン湾にもぐりこんだ。ここでも追い立てを食ったので、艦隊は沖合に出たり入ったりして漂泊した。

ロジェストウェンスキーはここでネボガトフ少将の艦隊の到着を待つのである。ネボガトフの艦隊は、旧式艦をかきあつめたもので、

「浮かぶ火熨戸（あいろん）」

と悪口を言われ、速力がおそく、足手まといになる老朽艦であった。速力のおそい艦にすべての艦は、足をそろえなければならない。足かせになってしまう。

「長期の漂泊までして、家鴨《あひる》のネボガトフを待つ必要はみとめられない。ただちにウラジオストックへむかいたい」

ロジェストウェンスキーは、ペテルブルグへ電信をした。だが、本国の回答は、

「待て」

であり、海戦には一隻でも多い方がよいと、皇帝は単純に考えていた。

ロジェストウェンスキーは怒りを爆発させ、あたり散らした。この司令長官は専制的暴君であった。

端正な容姿とはうらはらに、一軍の将帥たる身で、水兵のだらしない現場を見ると、とびかかって行ってなぐりつけた。参謀長や幕僚でさえ、従卒程度にしか見なかった。『ツシマ』を書いたプリボイは、その目で司令長官の姿を次のように見た。

「――長官が甲板を歩いているとき、甲板の張板の継目にそって擦らない水兵を見つけた。――長官は顔を醜くゆがめて、水兵の方へとんでいくと、棒刷毛をもぎ取って、二つに折れるまで水兵の頭を殴りつけた。

長官が艦橋へのぼるとき、砲長が同僚と腐った肉の食事のことで話している声が耳に入った。長官は昇降段の途中に立ち、砲長は甲板の上にいた。長官の足は砲長の肩と同じ高さのところにあった。長官は二言、三言いって、いきなりぴかぴか磨きあげた重い靴で、砲長の顔を蹴りとばすと、見向きもしないで艦橋に上って行った。医務室へつれて行かれた砲長は、前歯が全部折れ、唇は切れ、鼻は砕けていた。

ある時、参謀長は緊急の用件を私室にいる長官に報告しなければならなかった。しかし、従兵《ボーイ》の顔を見てすぐ勇気がくじけてしまった。従兵の顔は長官に殴られて、はれあがっていた。

——参謀長、お会いにならん方がいいです。えらく怒っておられますから。

その緊急の用も機嫌のいい時期まで延ばされた。私室で参謀長が泣きそうな顔をしているのを何度も見た。

部下達はロジェストウェンスキーの侮辱をじっと我慢するしかなかった」

ロジェストウェンスキーは、司令官や艦長を集めて問題を検討させるということをほとんどやらなかった。

自分以外はすべて阿呆であると思っていた。しかし、ロジェストウェンスキーは、海軍戦術を身につけているわけではなく、無能な提督にすぎない。ただ独裁皇帝お気に入りの侍従武官長であったというだけだった。

待つこと一カ月、五月九日の午後、ネボガトフの艦隊がやっとヴァン・フォン湾に姿をあらわした。迎える全将兵は、自分たちと同じ苦労をして、はるばる故国から来た同胞に心から感激した。

「ウラー」「ウラー」

を連呼し、熱い戦友愛を燃えあがらせた。

「ロシアは勝つ」

と神に感謝し、ひさしぶりに士気は高まった。

ネボガトフの艦隊はつぎの五隻と運送船である。

ニコライ一世　　九千五百九十四トン

アブラクシン　　四千百二十六トン

セニャーウィン　四千九百六十トン

ウシャーコフ　　四千百二十六トン

モノマーフ　　　五千五百九十三トン

ロジェストウェンスキーは、ネボガトフ艦隊が合流するまでは、邪魔物と思っていたが、五隻のもつ大口径砲は十分な威力をもつようにみえた。バルチック艦隊はニコライ一世を加えて戦艦が八隻になる。

これは日本の四隻の倍である。

ロシアの頼みは、この八隻の主砲の威力と、去年の黄海海戦で一隻も沈まなかった戦艦の装甲防御力にある。

当時戦艦の場合、装甲の防御力の方が、砲弾の貫徹力より格段にまさっていた。

このことはドイツ領に逃げこんだ旅順艦隊の戦艦ツェザレウィッチが実証していた。

「徹甲弾」とは名ばかりで戦艦に対しては、装甲をつらぬけるほどの威力をもつものではなかった。

ロジェストウェンスキーは、自分の戦艦群は日本の戦艦を沈めることはできなくても、自らも沈まずにウラジオストックへ行けるであろうと確信していた。

バルチック艦隊が、

「神と皇帝の意志をもって日本を懲《こ》らしめるべく」

ヴァン・フォン湾を出たのは、五月十四日の朝であった。

その総数五十隻——戦艦八、装甲巡洋艦三、巡洋艦六、装甲海防艦三、駆逐艦九などで、合計排水量は十六万二百余トン。

第十四章　波高し

鎮海湾の日本艦隊の東郷司令部が、バルチック艦隊のヴァン・フォン湾出港を知ったのは、四日後の五月十八日であった。

ただちに活発な哨戒活動が開始された。この哨戒計画は、かねてより真之が練りあげた周密なものであった。

佐世保と朝鮮の済州島に線をひき、それを一辺として大きな正方形をつくる。その正方形を碁盤の目のように小さく区画して数十区にわける。

その目のひとつひとつに番号をつけ、哨戒用の艦船をはりつけ、運動させる。哨戒には非決戦用の艦船が動員され、その数は七十三隻というおびただしさに達した。

敵艦隊は二列縦陣で航行するとしても、長さは一海里半に達し、どこかで見張りの区域を横切るであろう。

三笠では哨戒部隊からの報告を待った。じりじりして待った。

二十二日、敵はもうあらわれてもよい筈であるが報告は入らなかった。

真之の心気は乱れはじめた。三笠司令部の幕僚の判断によって、国家の存亡がきまってしまうという心理的重圧感が苦しみとなった。

(敵が哨戒網にひっかからないところをみると、太平洋を迂回して、対馬沖を通らないのではないか)

秋山作戦主任参謀は、身もだえるように懊悩《おうのう》した。

敵艦隊の針路を予測するのに不動の判断がなかった。

第四駆逐隊司令の鈴木貫太郎中佐は、

(海軍を一人で背負っているような自信家の秋山が、迷いに迷って、人相が変るほど憔悴《しょうすい》していた)

と語りのこしている。

友三郎参謀長は、靴をはいたまま眠っているのか眠っていないのかわからない真之を見て、加藤

「そんなことをしていては体がもたないぞ」

と忠告したが、真之は加藤の顔をうつろに見つめているばかりだった。

そう言った加藤自身も、神経性の胃痛がはげしく夜よく眠っていなかった。

分析力が緻密であればあるほど、思考が袋小路に入ったり、枝葉にとらわれたりしやすい。真之、生涯最大のピンチだった。

東郷も心痛していたが顔には出さなかった。参謀は機を逸せず対策を講じなければならない。

鎮海湾に待機する各艦は三笠をはじめ、ずっしりと石炭を甲板上に山積みした。どの艦も英炭を吃水《きっすい》線が沈むほど積み上げた。もし敵艦隊が対馬海峡にこない場合は津軽海峡の所定の場所へ移れという「密封命令」がくだされた。

バルチック艦隊が太平洋に出たときは、

――津軽海峡の西口で待つ。

もし東郷艦隊がこのまま待ち呆けをくったら、敵をウラジオストックへ逃がしてしまう。

二十六日正午までに敵があらわれないときは、北海方面へ移動する――という電文が三笠から東京の大本営に届いた。

二十五日、第二艦隊の第二戦隊司令官の島村速雄が意見具申のため三笠にやってきた。加藤参謀長の前任者である。島村は、敵は船足がにぶっており、石炭の補給に難があるのに、霧のふかい北へ行くはずがないと対馬海峡説を主張していた。

「つぎの情報がくるまで待とう」

と、東郷はあくまでも敵が対馬海峡から来ると信じていた。

二十六日夜明け、ロジェストウェンスキーの分離した石炭補給のための運送船が、上海に入港した――という電報が届いた。まことに幸運であった。これでロシア艦隊は最短コースをとることが確信できた。

ロジェストウェンスキーは六隻の汽船を上海に行かせた。しかし工作艦カムチャツカほか数隻の特務船隊は伴っていた。ウラジオストックでは十分な補給が期待できないので、連れて行くことにし、巡洋艦隊を護衛にあてた。また各艦には石炭が満載されていたが、戦闘に邪魔になる余分の石炭を、捨てようとしなかった。

机とか椅子とか艦内の可燃物は、決戦前に投棄するのが常識であるが、その命令は出されていない。ロジェストウェンスキーは、艦隊の保存を考え、決戦に徹することをしなかった。勝つためには、この目的のためにすべてを集中すべきであるのに、ロジェストウェンスキーは、遁走《とんそう》と戦闘の二兎を追った。

ロジェストウェンスキーは艦隊速力を減じて、戦闘訓練をくりかえし、ゆっくり進んでいた。

夜に対馬の水道で、日本の水雷攻撃を受けないように時間調整をはかった。セニャーウィンの機関の故障で、全艦隊が減速を余儀なくされたこともあった。

そのため、日本側が予測したより、二日も遅く対馬にさしかかった。

二十六日の夕刻から霧が濃くなってきた。濃霧という大自然の煙幕にかくれて、対馬海峡を突破できるかもしれない。

ロジェストウェンスキーは二十三日に病没した第二戦艦戦隊司令官フェリケルザムの霊が、艦隊を護ってくれることを祈った。

第二戦艦戦隊は、

オスラビア　一万二千六百七十四トン
シソイ・ウェリーキー　一万四百トン
ナワーリン　一万二百六トン
ナヒーモフ　八千五百二十四トン
の四隻であった。
フェリケルザム少将の死は秘められ、オスラビアには司令官が健在のように、将旗がかかげられたままになっていた。
恵みである濃霧は夜半になっていよいよひどくなってきた。
日本の艦船の無電交信が頻々《ひんぴん》と傍受され、内容はわからぬながら、艦隊はすでに日本の哨戒区内に入っている。
この霧の中で哨艦信濃丸は、敵発見の第一報を打つのであるが、これより先にバルチック艦隊を東シナ海で発見し、急報した者があった。
昭和九年五月十八日の『大阪毎日新聞』は、
「四青年決死の冒険、遅かりし一時間」
という見出しで「日本海海戦秘史」を報道した。

「――哨艦信濃の発見に先立つこと四日、二十三日の午前十時頃、沖縄の一漁船が発見し、宮古島に到着して、島庁に届け出た。

ところが宮古島には、通信設備がないので、八重山の石垣島まで行かなければならない。

その間、海上六十里、この日は荒天でだれも怒濤の中に飛び出す者がいなかった。

〝やりましょう〟

と申し出た四人の勇敢な青年があった。

二十六日朝七時半、小さなくり舟を、荒浪の洋上に乗り出して、飲まず食わずに力漕、まさに十七時間。

ついに同夜十二時頃八重山郵便局に到着、打電し、この大冒険を遂行したが、惜しむべし、この報告が三笠に達したのは、信濃丸の信号におくれること僅かに一時間にすぎなかった。この遅かりし一時間が、ついに四勇士の壮挙を戦史上に記録させせなかったのだという」

これほどの壮挙が二十九年間もうずもれていたのは、島司から、

「これは国家の機密だから口外してはならぬ」

と念を押され、その後も長い間忠実にまもっていたからであろう。

また、この電報を受けとった大本営では、

――沖縄の八重山郵便局からも電報がきていた。

という程度の認識しかなかったらしい。ましてや、それが打たれるに至った経緯などは知らなかったという。

五月二十六日夜、鎮海湾に日本艦隊の主力は待機している。東郷の直率する第一艦隊第一戦隊の戦艦四隻と春日、日進。上村彦之丞の第二艦隊第二戦隊の出雲以下六隻の装甲巡洋艦。第四戦隊の浪速以下の四隻の巡洋艦である。

この他に第三艦隊があり、片岡七郎中将が司令長官で厳島、鎮遠、橋立、松島の第五戦隊が主力である。いずれも日清戦争の時の花形主力艦であるが、いまは老朽艦である。

この第三艦隊の大部分は対馬付近に待機していたが、快速を誇る、和泉、須磨、秋津洲、千代田の第六戦隊、および笠置、千歳、音羽、新高の第三戦隊の各艦は索敵のために哨戒の碁盤の目の上を走りまわっていた。

ほかに、大小の汽船で編成された「附属特務艦隊」があり、ぜんぶで二十四隻あった。

そのうち、

「仮装巡洋艦」

といわれるものが十隻あり、小さな砲をのせて哨戒任務についていた。

そのなかに信濃丸（六千三百八十八トン）がいた。高い一本煙突の船で、明治三十三年に竣工した日本郵船の貨客船である。太平洋戦争後、復員船ともなり長く働いた。

この哨艦信濃丸は、ひきつづき霧の中を哨戒任務にあたっていた。

バルチック艦隊は濃霧の中を無電を禁止し、無灯火で航進していた。

ところが艦隊の後方にいた病院船の一隻アリヨール号は灯火を点したままだった。

これほどの濃霧では敵に見つかるはずはないし、病院船は特別だからと思ったのだろうか。

その油断、命令違反の灯火を信濃丸は見つけた。

二十七日午前二時四十五分、信濃丸では闇の中にうかびあがった灯火を見つめていた。

白、紅、白が浮かんでいる。霧がふかくて相手がわからない。かすかな月光が時々東方からのぞいて視認を妨げている。

「相手の後方にまわって左舷へ出てみよう」

三本マストに二本煙突で、ロシアの仮装巡洋艦に似ている。

成川艦長は、危険をかえりみず勇敢な行動に出た。正体を確認しようと、さらに接近してみると備砲がなかった。

「病院船なら近くに艦隊がいるはずだ」

全員が眼を皿のようにして凝視した。しかし夜明け前で天は暗く濛気がたちこめて、なにも見えない。成川艦長は相手を停めて臨検をしようとした。このとき夜が白んだ。

「あっ」

おどろくべきことに信濃丸は、バルチック艦隊の真《ま》っ只中《ただなか》にいた。

煤煙をあげて無数の黒いロシア艦が、ひた押しにすすんでいた。もっとも近い大艦とは、わずか千メートルしかなかった。

成川は死地に入ったことを悟った。転舵一杯を命じ、全速力で離脱をはじめると同時に、

「敵艦見ゆ」

の電波を四方に発した。

「敵の艦隊二〇三地点に見ゆ」

時に午前四時四十五分。

二〇三という数字の符合は、奇しくも二〇三高地の難攻を連想させた。決戦は容易ならざるものがあろう。

ロシア側は信濃丸の離脱を見おとした。信濃丸はある地点まで脱出すると、しつこく接触をつづけて、

「敵航路東北東。対馬東水道に向かうものの如し」

と敵の針路を報らせた。

いったん濃霧中に見失ったが、午前六時五分に再び発見して、「敵針路不動、対馬東水道を指す」の無電をくりかえし、哨戒発見の功を全うした。

信濃丸の近くにいて接触を引き継いだのは、三等巡洋艦和泉（二千九百五十トン）であった。

和泉は濛気の中を急行した。波が高く前甲板を洗った。この艦には島田繁太郎少尉候補生（日米開戦時の海軍大臣）が乗っていた。

敵艦見ゆの報は信濃丸から、先ず対馬の第三艦隊旗艦厳島へ、そして厳島から三笠へ転電された。当時は、やっとモールス信号波を利用する電信が実用化した段階で、その通信距離は八十海里であった。

日本海軍は日露開戦前、すさまじい苦心と努力を払って無線の実用化をはかった。海軍技師、木村駿吉博士を中心に、三六式無線電信機をつくりあげ、各艦船などに配備した。

この三六式無線電信機は、当時世界的にも最も性能のいい船舶用無線機といわれた。科学技術に対する真摯な取り組みの成果であった。
学者達の心血を注いだ頭脳戦は、開戦までに「臥薪嘗胆《がしんしょうたん》」、続けられていたのである。

敵艦隊見ゆの暗号はきめられていた。
「ネ、ネ、ネ、ネ」（敵艦隊らしき媒煙見ゆ）
「タ、タ、タ、タ」（敵艦隊見ゆ。地点二〇三）
「ヒ、ヒ、ヒ、ヒ」（敵は対馬東水道を通過せんとするものの如し）
午前五時五分、厳島からの打電が三笠に入った。電信文を手にした後任参謀清河大尉は、甲板を走った。
総員起こしは朝五時であったので、みんな甲板に出て体操をしていた。
体操をしていた真之は、電文を見るとおどりあがった。そのあと片足で立ち、阿波踊りのように両手を振って、
「しめた、しめたぞ」

とおどりだした。

秋山真之、生涯における最大の歓喜であった。

これを見ていた砲術長の安保清種《きよかず》少佐は、

「秋山さんの雀踊《こおどり》」

をのちのちまで忘れなかった。

真之にとっては、敵が対馬海峡に来ることが勝利の鍵であった。

万が一、津軽海峡へ敵がまわれば、七段構えの作戦は根底から崩れてしまい、津軽へ急行しても敵を全滅させることはむつかしくなる。もし、敵が対馬海峡へ来ないことになったら――ということが、真之をここ数日、重く苦しめ、狂わんばかりにさせた疑念であった。

バルチック艦隊の方では、日本の全艦隊が対馬海峡に待ち構えているとは、全く思っていなかった。

ロジェストウェンスキーは、艦隊の中から二隻の仮装巡洋艦テレークとクバーニを太平洋へまわらせ、日本側の敵状判断を迷わせることもした。東郷は艦隊を分散させていると、スワロフの司令部では信じていた。

ロシア側がとらえている日本の暗号電信が、五時頃をさかいに、人いにかわり、複雑となり数を増した。日本の通信状況の激変ぶりから、発見されたとみられた。

——両軍、全兵力をあげて決戦にのぞむことになった。

加藤友三郎参謀長は、ここ数日来の心労のため、神経性の胃痛に悩んでいた。疼痛をしずめるため呼吸を大きくし、椅子へ反ったようにしてすわっていた。

「敵見ゆ」の電信文を見ると、加藤は腹部がすうっと楽になったように感じた。蒼白い顔をかえず、立って長官公室へ行った。

東郷は喜色にかがやいていた。これほど晴れやかな東郷の表情を、加藤は見たことがなかった。

「ただちに出港用意」

「錨を揚げ、出港せよ」

全艦隊に下命された。

どの艦もすぐ出港できる準備ができていた。煙突からは煙がのぼっていた。

「いい時刻に来てくれたものだ」

洗面をすませた将兵は口にした。

真之は幕僚室へすわって腕を組んでいた。今はさしあたってやるべきことはなかった。

全艦隊はするするとすべるように出港していく。

参謀の飯田少佐が、大本営へ打電する電文の起案書を持ってきた。

「敵艦隊見ゆとの警報に接し、連合艦隊は直ちに出動、之を撃滅せんとす」

とあった。

「よし」

と真之はうなずいた。飯田参謀はそれを持って加藤参謀長のところへ行こうとした。

「ちょっと待て」

真之がとめた。

その電文用紙をとりもどすと、さきの文章につづけて、

「本日天気晴朗なれども波高し」

と書き入れた。

バルチック艦隊の進行図
（27日午前10時頃）

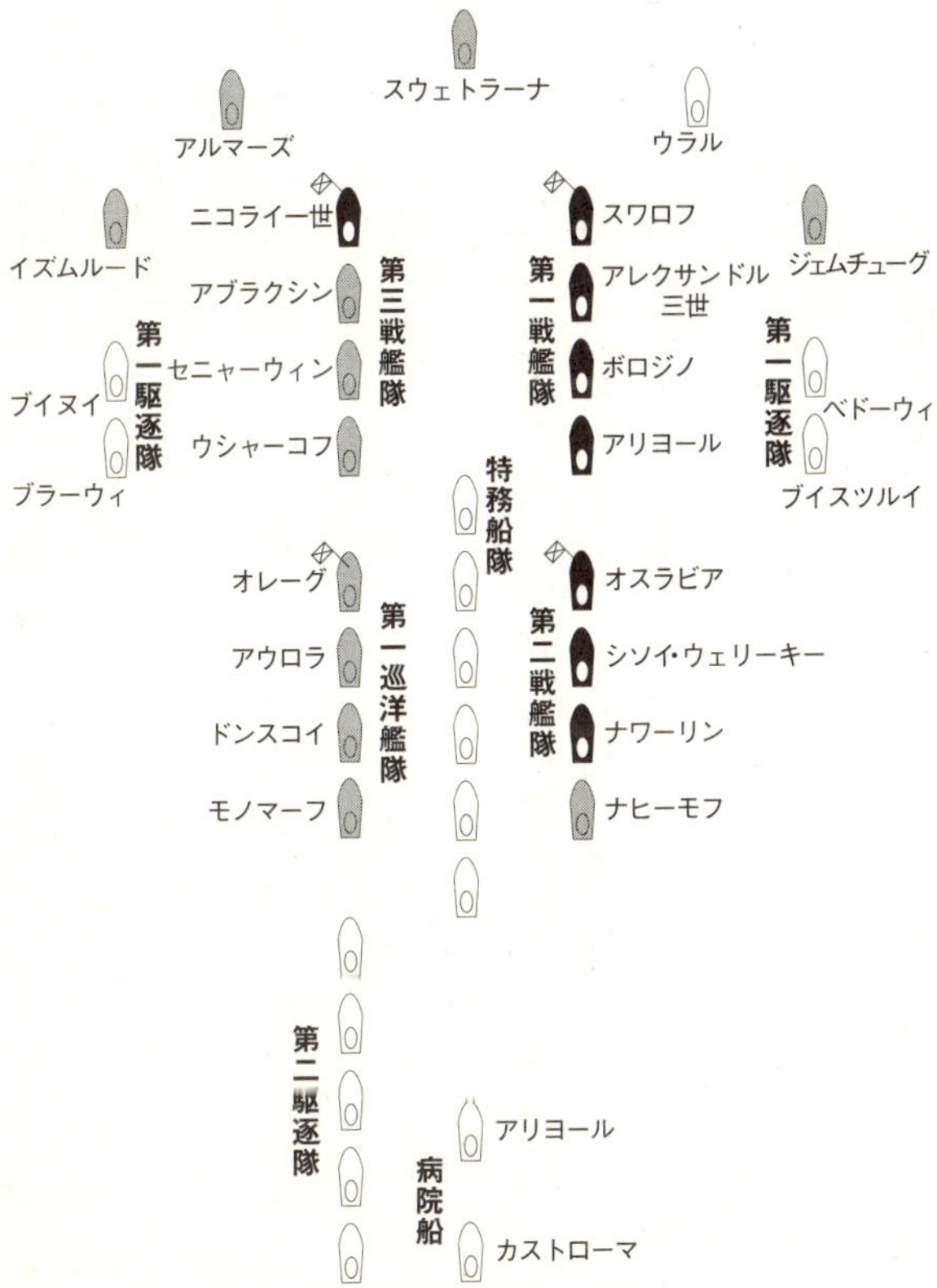

これについては、前日、対馬海峡に待機する全艦隊に、大本営から天気予報が送られてきていた。

「天気晴朗なるも波高かるべし」

というものであった。

真之はそれを見ていたから、書き入れたのである。しかし、飯田参謀はのちのちまで言った。

「この一句をはさんだ一点だけでも、われわれは秋山さんの頭脳に遠く及ばない」

たしかにこれによって、連合艦隊司令長官が、大本営に対し、決戦場へむかうことと、その決心をのべる作戦用の文章が、国民的な文学になった。

しかし、この一句には実に重大な意味が含まれていた。

「天気晴朗」

は、視界がよくきいて、敵をとり逃がさないことであり、

「波高し」

の方は、この日本海海戦の勝因をあらわしていた。

二十七日の波が高かったからこそ、バルチック艦隊の戦艦は沈んだのである。日本の砲弾が命中して大穴をあけた場合、高い波のために海水がどっと入って艦を沈める。高い波は、艦をゆるがせ無防備の赤い艦腹を波間に見せることになる。

そこへ砲弾があたれば艦は沈む。

黄海海戦では、日本は旅順艦隊を撃破したのみで一艦も沈めることはできなかった。

蔚山沖海戦で、ロシアとグロムボイはあれほど、砲弾を受けながら、沈まずに逃げ帰った。それは波静かで、高波の海水が穴のあいた逃走艦を襲わなかったからである。甲板を洗う高波こそ、戦果を確実にして敵艦を沈める決め手となる。

勿論、高波は両軍に同じようにあたる。

しかし猛訓練によって腕をあげた日本の方に有利にはたらく。しかもロシアの新型戦艦ボロジノ型には高波に対して重大な欠陥があった。フランス式のボロジノ型戦艦は、上部構造物が高く大きいため、重心が高かった。そのため被害が生じて傾斜すると、復元力が弱く、波の高い天候のもとで戦闘することは、極めて危険であった。

吃水線ちかくに砲弾を受けて、海水が浸入すると、容易にひっくりかえるおそれがあった。

「天気晴朗なれども波高し」

は単なる美文ではなかった。

日本海海戦の勝利の決め手を表現していた。しかもこの一句は情景躍動する、みごとな報告文であった。

この報告文が日本人にひろく、いつまでも愛誦されるのは、国民的危機のなかで、愛国心に燃えたった戦士の心の躍動をそのまま伝えているからである。

晴れわたった初夏の日本海で、士気は絶頂に達し、祖国のために勇躍する将士の心境を晴朗なる天気はあらわしている。

また海上に荒れ狂う怒濤は、これから決戦場へむかう戦士たちの武者ぶるいを伝えているようである。

この短い電文はその律動が調和よく、調子が朗々とひびく。俳句や和歌と同じような象徴性があり、これが報道されると、五千万国民の激しい感激の波動を伴って、国民文学の名作となった。

「本日天気晴朗なれども波高し」

この変哲もない短い文句は、日本海海戦の類をみない圧勝によって、歴史にのこる世界的な名文句となった。この傑作に匹敵する名報告文は、ユリウス・カエサルがローマの元老院に送った、

「我は来たり、我は見たり、我は勝てり」

ぐらいであろう。

第十五章　沖津宮沖の島

「出港用意、錨をあげ」

の下命があり、各艦ともラッパが鳴りひびき、

「ピー」

と号笛を吹いて、伝令が艦内を駆けまわっていた。

この出撃準備は、まず艦上うず高く積みあげられていた無煙炭の海中投棄から
はじまった。

「総員、石炭捨て方用意」

「石炭の投棄作業から射撃要員は除く。射撃要員は眼をつぶって炭塵から眼を守れ」

という前代未聞の珍号令が艦内にひびいた。

津軽海峡への転進にそなえて各艦には、石炭袋の山が上甲板に積みあげてあった。英国産の無煙炭はどしどし海にほうりこまれた。一袋が巡査の月給位に相当する高価な輸入炭は、惜しげもなく投げこまれる。

「もったいない」

と思うまもなく、みんな炭塵でまっくろになって捨て去った。

「総員、艦内大掃除」

「上甲板洗い方」

そして、艦内がきれいになったところへ、なんと噴霧器で消毒薬がふきつけられた。これは艦内の構造物の破片が、兵員の体にささった場合、化膿して傷が悪化するのを少しでも防ごうとする配慮であった。さらに、

「入浴」

して、消毒済の新しい被服が支給され、全員が着がえた。

そのうえ、砲側には砂がまかれた。自分の臓腑がずたずたになって、血のりがふき出たとき、同僚の足をすべらせないためである。水兵は黙々と、このおそるべき作業をおえた。

そのあと、

「酒保は無料にする。酒以外は勝手に食え」

という、かつてない命令の出た艦があった。兵員は歓声をあげて菓子やアンパンにむらがった。敷島では、艦長が総員を上甲板にあつめ、四斗樽をひらいて訣《けつ》別《べつ》の酒杯をあげた。朝日では、鎮海湾でとれた鯛の塩焼に、恩賜の清酒の栓をぬいて、

「天皇陛下万歳」

「大日本帝国万歳」

を三唱した。

三笠は湾の一番奥にいたが、速力をあげて先頭に立つべく追いこしていく。軍楽隊が『軍艦行進曲』を演奏した（作詞、鳥山啓、『此の城』）。

石炭《いわき》の煙は　わだつみの
竜《たつ》かとばかり　なびくなり
弾丸《たま》うつひびきは　雷《いかずち》の

声かとばかり　どよむなり
万里の波濤《はとう》を　乗りこえて
皇国《みくに》の　光輝かせ

旗艦三笠は先頭に立って、そのあとを敷島、富士、朝日、春日、日進がすすみ、通報艦竜田がつき従っている。

この第一戦隊に属する駆逐艦、水雷艇は、春雨、吹雪、有明、霰《あられ》、暁、朧《おぼろ》、電《いなずま》、雷《いかずち》、曙《あけぼの》、東雲《しののめ》、薄雲、霞、漣《さざなみ》、千鳥、隼、真鶴、鵲《かささぎ》である。

第二戦隊は、出雲、吾妻、常磐、八雲、磐手そして浅間で、通報艦千早が従っている。

つづいて第四戦隊の浪速、高千穂、明石、対馬が白波を蹴立てていた。

第二艦隊に所属する駆逐艦、水雷艇は、朝霧、村雨、朝潮、白雲、不知火《しらぬい》、叢《むら》雲《くも》、夕霧、陽炎《かげろう》、蒼鷹《あおたか》、雁《かり》、燕《つばめ》、鴿《はと》、鷗《かもめ》、鴻《おおとり》、雉《きじ》であった。

片岡七郎中将を長官とする第三艦隊は、愛称を「滑稽《こっけい》艦隊」といわれ、旧式艦のよせ集めで対馬に待機していたが、信濃丸の無電を三笠へ転電すると同時に、全艦船を出動させ、四方からバルチック艦隊を遠巻きに包んでいた。

第三艦隊の旗艦は厳島で、松島、橋立に日清戦争の戦利艦である鎮遠の四隻で第五戦隊をなしていた。従う通報艦は八重山である。

第三艦隊の第六戦隊は、須磨、千代田、秋津洲、和泉である。

第七戦隊は、真之が昔乗っていた筑紫に、扶桑、高雄、鳥海、摩耶、宇治の老朽艦である。所属する水雷艇は、雲雀《ひばり》、鷺《さぎ》、鶺《はいたか》、鶉《うずら》、それに第四三号艇などの番号のついた水雷艇が十六隻。呉鎮守府に属する旧水雷艇など十四隻も参加した。

まさに威風堂々の出撃であった。

しかし外洋は、うねりが大きくて波は高く、駆逐艦や水雷艇はへさきから波をかぶり難航をきわめている。

わずか百トンあまりの水雷艇は、艇身が大きく傾き、大波を艇首にかぶると人も艇も海中に没して煙突だけが波間に見えるようであった。艇上の士官は柱にしがみつき、指揮しているが、うっかりしているとたちまち海中にほうり出される。波に全身が洗われるので、合羽とゴム長をはいているが邪魔になるので、たいていの士官は手拭でほおかぶりし、首に手拭をぐるぐる巻いて足袋はだしであった。「乞食姿」といわれ、水雷艇はあぶないのりものであった。

連合艦隊について出港した水雷艇は、やむなく、風浪がしずまるまで対馬沿岸に待機させるということになった。


哨艦信濃丸のあとをうけて、バルチック艦隊との接触を果たした和泉は、艦齢二十一年という老朽艦であった。和泉は、昔の名を「エスメラルダ」といい、日清戦争の時、軍艦の不足を補うために、南米のチリ海軍からゆずりうけた英国製であった。

和泉の石田一郎艦長は、

「たとえ和泉が沈められても、わが方にとって戦力にさほどのマイナスにはならない。わが艦隊の目となり、逐一状況を報告するために、敵艦隊の中にわけ入ろう」

と犠牲的決心をした。

午前四時四十五分信濃丸の無電を受信してから、早朝のもやの中を二時間ばかり走りまわった。

午前六時四十五分、霧の中から立ちのぼる無数の煤煙を発見した。

和泉はおそれることなく猛然と接近した。

バルチック艦隊では後尾の装甲巡洋艦ナヒーモフ（八千五百二十四トン）がいち早く和泉を見つけた。スワロフのロジェストウェンスキーも和泉に気付いた。

しかし、ロジェストウェンスキーは、和泉に砲の照準をつけさせただけで撃沈せよとは命じなかった。日本の主力艦隊の居どころがわからない段階で、哨戒用の小艦を相手にすることによって陣形が乱れたり、おそくなったりすることを避けたのであろう。

七時二十八分、

「敵艦隊十一隻以上。ジェムチューグ先頭、後尾、病院船二隻、二二五地点」

八時、

「二三七地点。針路北東微東、速力十二ノット」

和泉はつぎつぎに知らせてきた。

「バルチック艦隊の煙突は黄色に塗られている」

ということも報告した。

敵味方の識別という海戦での困難な問題が敵によって解消した。

ロジェストウェンスキーは和泉の無電を妨害せずに報告をゆるしつづけた。仮装巡洋艦ウラルの強力な電信装置を使えば妨害は可能であった。ロジェストウェンスキーは妨害電波を出しつづけることは、自分の位置を知らせることになると思ったのか妨害を許可しなかった。

不可解な処置であったが、このために三笠の司令部では敵艦隊のすべてを事前に知ることができた。

八時、バルチック艦隊の全艦のマストにロシア国旗が掲揚された。当日ロシア暦では五月十四日、皇帝ニコライ二世戴冠式記念日である。日本艦隊に対する砲撃は皇帝への祝砲となるであろうとロジェストウェンスキー中将は考えていた。

中将は、不自然な姿勢で仮眠したために、凝った首筋をもみながら、

(前夜、水雷艇の夜襲を警戒したが何もなかった。今朝も和泉に発見されてから、二時間以上もたつのに、日本側の反応はない。日本の主力は遠くにあって、にわかに出てこられないのではないか)

と楽観した。

「ウラジオストック到着の目的は達せられるであろう」

とロにした。ところが、

十時、バルチック艦隊は、左舷に日本の艦影をみとめた。

「鎮遠か」

ロジェストウェンスキーは望遠鏡を手にして言った。

「松島、厳島、橋立もいます」

幕僚にロジェストウェンスキーは言った。

「老人は放っとけ」

老朽艦にかかわることは無用の沙汰である。黙殺せよということであった。

なぜ攻撃しなかったか——日本海海戦でロシアは日本の軍艦を一隻も撃沈できなかった口惜《くや》しさから、戦後の「査問会」は、司令長官ロジェストウェンスキー中将の失策とみてきびしく批判する。

第三艦隊の三景艦などにつづいて、笠置、千歳、音羽、新高の巡洋艦戦隊も接触してきた。敵が撃ってこないため、どんどん接近してわずか三、四千メートルになった。

するとバルチック艦隊の皇帝への祝砲が撃たれて、笠置や音羽の前後左右に巨弾の水柱があがりはじめた。

巡洋艦どもはあわてて遠ざかって行く。

開戦早々の仁川沖海戦において、戦の直前、浅間艦長八代大佐は、艦橋に立って、尺八『千鳥の曲』を吹奏した。余韻嫋々《じょうじょう》として、あるいは高くあるいは低く流れて、艦員は敵前にあるのを忘れて恍惚無我の境に入ったという挿話があった。

それと並んで後世まで言いはやされたのが、このときの松島艦上の琵琶《びわ》の一曲である。

――松島（四千二百十トン）艦長は奥宮衛大佐であった。

奥宮艦長は艦橋に立って、旗艦からの射撃の命令を今やおそしと待っていた。同時にいつ敵が砲門をひらくか注視していた。敵の主力が攻撃をしかけてきたら、容易に撃沈されることを覚悟しなければならなかった。鬼気迫る状況にあった。

奥宮は軍医が薩摩琵琶の名手であったことをおもいだし、「一曲たのむ」と言い、みんなの気持を落ちつかせようと思った。上甲板に下士官や水兵が集ってきた。波が高いので、しぶきがとび散った。

上甲板はあがったり、さがったりゆれている。はるかかなたにはバルチック艦隊の吐き出す媒煙がいくすじも天にのぼっている。

琵琶の名手は撥《ばち》をたたき、高く低く弾《ひ》き出した。曲は耳を澄ませば雄壮なる『川中島』であった。一世の快将上杉謙信が、遺恨十年一剣を磨き、長剣をかざして単騎馬をあおって敵陣に斬り込む雄壮な一節を弾奏した。松島艦は敵艦隊の前を、風浪を衝いて疾走している。

聴き入っている乗組員達は、一瞬この時を離れて忘我の心境にあった。

第三艦隊はバルチック艦隊に密着監視し、東郷艦隊主力に引きわたすのが任務であった。水軍の戦法にある「豹《ひょう》陣」の役であり、送り狼のようなものである。

バルチック艦隊の士気は敵を見てからあがり、砲の照準をつけただけで射撃命令が出ないことにじりじりしていた。

戦艦アリヨールの砲員は、眼前に日本の巡洋艦が同航しているのをみているうちに耐えきれなくなった。

「なぜ号令が出ないんだ」

砲員は眼を血走らせ、緊張に頭が割れそうになった。このためまわりの怒声が号令に聞こえた。錯覚のまま、砲を撃った。

この第一弾は旗艦が戦闘を開始したのであろうと思って、各艦はつぎつぎ撃ち出した。

日本の巡洋艦隊は応射しつつ遠ざかった。

まもなく旗艦スワロフに信号があがった。

「砲弾の乱費をやめよ」

ロジェストウェンスキーには、ウラジオストックへ到着しても十分な補給が受けられないという不安がある。

三笠をはじめとする日本の主力艦隊は、白波をかぶりながら南下していた。駆逐艦などは、赤色の艦腹をときどきさらしてうねりにゆれている。

三笠艦上の真之はこのとき、珍妙な格好をしていた。他の幕僚と同じように、紺色の軍装である。その軍装の上衣の上に剣帯の革ベルトを巻いて腹部をぐっと締めあげている。

その「異彩」を見て、中、少尉、候補生らは笑いを嚙《か》みころしたが、真之には持論があった。

「褌《ふんどし》論」

というもので、褌は衣偏《へん》に軍《いくさ》と書く。戦いのときには必ず締めるものだ。

「臍下《せいか》丹田」をひきしめると、胆力と気力が充実する。そこで剣帯を「軍帯《いくさおび》」に使用した。真之は六尺褌のかわりに革ベルトを締めて出て来たのだが、だれの目にも異様だった。

東郷や加藤は、

「変ったやつめ」

という目付で、ちらっと見たがあとは無視した。

もっとも真之自身も、この「軍帯」姿を正常とは思わなかったとみえて、のち

に東城鉦太郎画伯が、あの有名な三笠艦橋上の東郷大将ら群像の絵を描くとき、

「勘弁してくれ、他の参謀たちと同じ姿にしてくれ」

と申し入れたので、この姿は描かれていない。

真之はこのところ睡眠不足がつづき、心身の疲労が累積していたが、三十八歳の若さがそれをふきとばした。決戦の日に集中力を発揮することはできそうであった。

加藤友三郎参謀長は、神経性の胃痛がつづいていた。ここ数週間の心労のため、腹をえぐられるような疼痛にときどきおそわれた。沈勇の将といわれ、つねに氷のように冷静な理性でうごく傑物であったが、このときは、

「なんとかならぬものか」

と自分が腹立たしかった。

すぐ軍医室へ行き、

「劇薬でもなんでもいい、あと五時間生きられればいいからたのむ」

といって処置をしてもらった。

痛みをいたわりながら、あおい顔をした加藤参謀長と秋山先任参謀は、憮然と

して腕を組み、海図をにらんだ。

バルチック艦隊の針路が三本描かれている。和泉の報告する線と、厳島と笠置の報告する針路がみな異るのである。

「敵艦隊はどちらの方向にむかっているのか――」

「沖の島の東かそれとも西か――」

衛星もレーダーもない当時は、太陽や星の位置と時刻を基本にして、自分の艦の位置を算出するが、前日も前々日もたてつづけに天候が悪かった。各艦とも天測ができず、かなりの誤差を生じていた。海域は霧がたちこめ視界は五～六海里にせばめられている。敵の左翼は和泉の線、右翼は笠置の線をたどっているとして、その間隔は十海里以上になる。方位を誤っていれば、視界外の敵とすれちがってしまう可能性がある。

混乱した敵情報告のために、司令部には、はたして敵と出会えるのかという不安が消えなかった。零時二十三分、三笠はそれまでの速度十四ノットを十二ノットに落とし、沖の島北方を東に通過しようとした。

「沖の島」

という孤島は古来、神の島である。

天照大神の三女神は、

市杵島姫《いちきしまひめ》――沖の島――沖津宮

田心姫《たごりひめ》――大島――中津宮

湍津姫《たぎつひめ》――田島――辺津宮（宗像《むなかた》大社）

と、それぞれ「海北道中」といわれる玄界洋上の要衝に鎮座されている。そして、

「道の中に降って、天孫を助け奉りて、天孫に祭《いつ》かれよ」

との神勅をいただいた。

古代、大陸や半島との間に、水稲文化や金属文化の交流のため、天鳥船《あまのとりふね》といわれるくり舟に乗って往来する海洋種族がいた。宗像族、阿曇《あずみ》族、住吉族などである。

これらの海洋民族が神とした沖の島を、天孫を助けて建国に貢献したその功績によって、代々天孫からお祀りを受けなさいと神勅はくだしたのであろう。

沖の島は神体島として、大和朝廷から、年代として四世紀から十世紀の約七百

年間、「斎祭《いつきまつ》られ」た。

「海の正倉院」として、学術調査の結果、この神話の島から二百十余点の国宝が発見された。日本の歴史の尊厳を伝える証《あかし》であった。

沖の島は二つの海流の合流点に位置しており、島のまわりは切り立った断崖をなしている。宗像大社の沖津宮であるため、今でも女人禁制で、当時も神職一人と少年一人の二人が島に住んでいた。

二人とも宗像大社から派遣されている職員で、少年は宗像市五郎といった。

日露戦争がはじまると、現在灯台のある丘に望楼が設けられた。この望楼には通信用員も含め五人が常駐していた。

宗像市五郎少年は、島の頂上に近い大木の上にのぼって、日本海海戦の実況を目撃したのである。バルチック艦隊がその全容をあらわしたとき、ふるえるような驚きを感じ、やがて、砲声が殷々とひびき、世紀の海戦が眼下に展開された。

それを社務所の日誌に書きのこした。

濃霧にちかいほどに、濛気がたちこめている。

「天気晴朗」

とし、気象予報もそういったが、視界は十分ではなかった。

(霧で敵を取り逃がしてはならない。霧よ薄らいでくれ)

真之は天佑を祈った。

濃霧では、霧にまぎれてバルチック艦隊がとらえられない。といって晴朗すぎてもいけなかった。遠くから東郷艦隊を発見したロジェストウェンスキーは、いちはやく針路をかえて逃げきることもおおいにありえた。

薄い霧があって、両艦隊が発見しあったときには、すでに抜きさしならぬ近距離になっていることが理想であった。

(そんなうまい具合に、天運が東郷艦隊に微笑むだろうか)

祖霊みちみちたこの対馬の海に、日本の神々が神の島である沖の島めざして上天からふり降《くだ》ってくることを真之は懸命になって祈った。

山本権兵衛はのちに、

「秋山は天佑天佑と言いすぎる。後世、神秘的な力で勝ったように錯覚する者が出てきては、日本の運命があやぶまれる」

といったが、真之は作戦段階で脳漿をしぼりきるほどの努力を尽くして、あとは天佑を祈った。しかるに後世、昭和に入ると、安易に天佑を枕詞のように使い、期待して、現実意識を薄くしてしまった。

第十六章　皇国の興廃この一戦に在り

旗艦スワロフの士官室ではニコライ二世戴冠記念の祝宴が行われていた。

「神の加護のあらんことを――。

皇帝陛下、皇后陛下、ロシア帝国万歳」

出席した士官はそろって、

「万歳（ウラー）」

を三唱した。

そのとき戦闘用意のラッパが鳴って、日本の巡洋艦群が前方に再び姿をあらわした。

バルチック艦隊は、日本側に針路をはっきりつかませないために、ときどき針路を変えたりしていた。敵の針路というのは、敵艦隊の横から遠望しているとわかりにくい。そのため三笠では加藤参謀長の胃痛がなかなかおさまらなかったのである。

片岡第三艦隊長官は、第六戦隊を敵の前方へ出そうとした。第二艦隊に所属する第四駆逐隊の朝霧以下の四隻も近くにいた。

司令の鈴木貫太郎中佐も同じことを考えた。

「快速をもって敵の前面を横切ってやれ」

と決意し、二十九ノットでもって、十二ノットの敵の前面を通過してしまった。

その結果は和泉の測定は正しかった。敵の針路はまぎれもなく東北東だと判明した。

ところが、朝霧、村雨、朝潮、白雲の駆逐隊の前面突進は、ロジェストウェンスキーを驚愕《きようがく》させた。

「やつらめ、わが進路に機雷を撒《ま》きやがった」

こう判断したロジェストウェンスキーは、それを回避するために、大いそぎでその撒いたであろうと思われる海域を避けようとした。

あわせて目の前の日本艦を沈めてしまおうとして第一戦艦戦隊に右九〇度の方向転換を命じた。波が高いので右舷から大波が甲板を洗った。

次に針路をもどすため左九〇度の一斉回頭を命じた。

ところが先頭の旗艦スワロフが左に折れると、三番艦のボロジノと四番艦アリヨールは同じく左へ向きを変えたのに、二番艦のアレクサンドル三世は旗艦スワロフにあがった信号を誤認して、そのままスワロフのあとについて走りだした。

大艦隊の戦艦にはあるまじき粗末な行動であった。

ボロジノとアリヨールは、

「自分たちは信号を間違ったのか」

とおもって、せっかく正しく左へ向きを変えていたのに、あわてて中止し、まちがっているアレクサンドル三世のあとにつづいた。

結局バルチック艦隊の主力戦艦は、単縦陣から戦艦四隻を右側に、残りを左側にする二列に変形した。

「馬鹿艦長どもめ、わが艦隊の運動は未熟なり」

とロジェストウェンスキーは舌うちした。なんともいえない陣形になってしまった。ロジェストウェンスキー司令長官は十二隻の戦艦隊を単縦陣で進み、三笠以下に集中攻撃をかけようと考えていたのである。だがもはや時間がなくなっていた。旗艦スワロフは、戦闘のための単縦陣にもどそうと、信号をかかげるが、艦隊運動がにがてのロシア艦隊は、この陣形の乱れが、ほどなくはじまる主力決戦において、いちじるしく障害になる。

しかし三笠では東郷も真之もなぜそんなことになったかは知らない。

「敵は二列縦陣でやってくる」

という第三艦隊からの無電が入った。整然とした二列でもなかった。スワロフ以下の第一戦艦戦隊が先行し、その左横をオスラビア以下の第二戦艦戦隊がならび、それにつづいて第三戦艦戦隊があとを追う。さらに第一巡洋艦戦隊が真ん中に入りこんでいる。

「ダンゴになって敵はやってきた」

というのが、のちにバルチック艦隊を見たときの日本側の感じであった。

いまや完全にロシア艦隊は日本側に捕捉されている。

「もう見えるはずだが——」

三笠の艦橋上ではみなが前方の海面を見詰めた。

東郷はドイツのツァイスが誇る倍率の高い双眼鏡を買い求め手に持っていた。参謀の飯田久恒少佐、清河純一大尉は一本メガネの望遠鏡で見ていた。この海賊が使っていたようなメガネを、当時どの海軍でも使っていた。

真之だけが両眼を三角にして前面を見詰めていた。真之は望遠鏡嫌いでとおしていた。

「望遠鏡は一局所に気を取られて、大局を見損うおそれがある」

というのであるが、こんな場合でも望遠鏡をのぞこうとしないのは、矢張り相当かわっているとしかいいようがないであろう。

午後一時十五分、

――かすかに艦影が見えた。

三笠の艦橋では、それがすぐにバルチック艦隊の索敵に出ていた第三戦隊であることがわかった。山屋他人艦長の笠置、有馬良橘艦長の音羽、そして千歳と新高の巡洋艦四隻であった。

敵は近いがまだ見えない。

午後一時二十八分、

まもなく艦影が点々とうかびはじめた。敵かと見たが、これも片岡七郎中将の第三艦隊の主力第五戦隊であった。旗艦厳島につづいて、鎮遠、松島、橋立が無事な姿をあらわした。敵によく食いついて刻々貴重な情報を送ってきた和泉がいる。ほかに須磨、千代田、秋津洲がつづいている。片岡中将の第三艦隊は、捜索艦隊としてバルチック艦隊に接触し、それを東郷艦隊のもとに誘導する「豹陣」の役を見事に果たした。老朽艦と小艦のあつまりである第三艦隊は、誘導の役がすめば、主力決戦の舞台では後方へさがることになっていた。

真之の構想どおりそれらは、

「予期以上にうまくいった」

真之たちの立っている三笠の艦橋は、ふきっさらしの露天台である。この日風が強くて海は荒れている。逆巻く怒濤は山のように起伏し、三笠のような大艦でも大きく動揺した。艦首へ激突した大波がくだけ、はじけて、烈風がまきあげる潮しぶきが高所にあるこの艦橋までふきあがってきた。

艦橋はずいぶん高所にあって眼下に二本の主砲がつき出ている。有名な三笠艦橋の絵のように広くはなく、スペースはごく狭い。簡単な柵があるが、まわりをハンモックをまきつけて、かこってある。床は木製で、足もとは飛沫でびっしょり濡れていた。

東郷大将はここに立ちつくしていたが、戦闘がおわって去ったあと、その靴のあとだけが乾いていたのが目撃者の印象にあるという。

ロジェストウェンスキー中将は、戦闘隊形である単縦陣をつくるべく、右翼列のアレクサンドル三世、ボロジノ、アリヨールに下命した。

「速力十一ノットに増速し、左に回頭して左翼列の先頭に出よ」

しかし左翼列は九ノットで航進している。

その差はわずか二ノットなので、なかなか左翼列を追いぬけず、単縦陣への転換がすすまなかった。

日露両艦隊はいよいよ相まみえようとしている。対馬海峡のこの海に、時間と空間が次第に圧縮され濃密になっていく。刻々ちぢまっていくこの時空に、歴史が凝縮し過熱し、やがて火花を発して燃え上がろうとしている。

明治維新をなしとげて急速に西洋科学をとり込んだ有色人種の国と、欧亜にまたがる大ロシア国が、たがいに世界の最高水準の海軍の全力をあげて、ここに一大決戦を展開しようとしている。近代世界史上、空前絶後のことである。

午後一時三十一分、三笠は南南西に変針した。敵の二列縦陣のうち左翼縦陣が弱そうなので、そこをねらって敵艦隊の想像位置にむかう。

午後一時三十九分、

「左舷南西」

に煙をあげる黒い艦影を望見した。

やや濛気が風に散り視界がひらけたところへ、意外に大きな艦影がつぎつぎにあらわれてきた。霧のベールの中からバルチック艦隊はついに出現した。発見の瞬間には、すでに意外なほど近い距離で遭遇することになった。

煤煙と濛気にかすむ水平線上に林立する、

「黄色煙突」

は、はっきりと望見できた。

三笠の前部最上艦橋に立った東郷大将は、長剣を持って両脚をわずかにひらき、あたかも不動の摩利支天像のように立っていた。司令長官は全艦隊の最先頭にあって、敵艦の中へ突入していく。加藤友三郎参謀長は双眼鏡を手にして右隣りに立ち、伊地知彦次郎艦長は羅針盤を睨《にら》む。布目満造航海長は海図をのぞき込み、安保清種《きよかず》砲術長は秒時計を手にしている。

首席参謀の真之は、東郷大将のややうしろにあって図板を持って敵状を書き込んでいた。

東城鉦太郎画伯の有名な名画にあるように、その刹那の三笠艦橋における光景は、しいんと凍りついたような緊張の中に、なんとも荘厳としかいいようのないものがあった。

東郷司令長官の握る長剣は、皇太子殿下（大正天皇）から賜わった一文字吉房の名刀であった。名刀は武運長久を念ずる武士の魂であると同時に、皇太子殿下から賜わったこの長剣は、皇祖皇宗の神霊の加護を祈念する東郷の守り刀でもあった。

南からくるバルチック艦隊の色は真っ黒で、煙突が黄色く、海や空との見わけがつきやすかった。

午後一時四十五分、バルチック艦隊はその全容をあらわした。距離はざっと一万二千メートル。二列というよりダンゴのようになって進んでくる。ロジェストウェンスキーは、二列縦陣を単縦陣に変えようとして、あわただしく信号をあげたり、速力の調整をしたりしているうちに、東郷艦隊と遭遇してしまったのである。

「へんなカタチだね」

東郷は、かたわらの加藤につぶやいた。

加藤の双眼鏡にうつったバルチック艦隊もへんな陣形をしていた。堂々たる二列縦陣ではなかった。これでは艦隊運動が不自由なうえに、戦力が減じてしまう。しかしもはや単縦陣になおす時間はない。

一時五十分、東郷は速力を十五ノットにあげた。三笠の揺れがひどくなった。マストにくくられていた軍艦旗のひもが引かれて旗が風にひるがえった。戦闘旗の掲揚であり、後続の艦にも次々に軍艦旗がひるがえり風に鳴った。

真之が東郷のそばに寄った。

「先刻の信号とともにいました。ただちに掲揚いたしますか」

東郷大将は力をいれてうなずいた。

「先刻の信号」というのは、今回特別に用意した旗——Z旗のことであった。

各艦とも信号書をもっている。その信号書に、この出動の数日前、エンピツ文字が書き加えられた。その文章については各艦の航海長か信号係が知っているていどの新しいものであった。旗は、対角線で四つに分けられ、上が黄、下が赤、右が青、左が黒になっていた。

真之が信号長へ合図した。

四色のZ旗はするするとかかげられ、折からの風にはたはたとひるがえった。

「皇国の興廃、此の一戦に在り。各員一層奮励努力せよ」

彩旗を一同が仰げば、これこそ千載不朽の名訓を告げるZ旗——。

Z旗を見た各艦では、各部署の伝声管を通じて、または口移しで全員の耳に伝

えられた。この信号文は、トラファルガー海戦におけるネルソンの信号文、

「英国は各人がその義務を尽くすことを期待する」

というのを参考として、真之が書いたものであろう。この名文句は、明治人の意気軒昂たる躍動を象徴する詩句である。

艦隊将兵は、烈々の闘志を秘めて戦闘配置についた。近代的艦隊がたがいに全滅を賭して戦うこの決戦に日本が敗れれば、満州で善戦した日本陸軍の大軍は、補給を失って立ち枯れてしまうことは疑いない。

明治維新以来、営々築いてきた近代日本は、ロシアの属国となり奴隷の国になり果てる。まさに皇国の興廃はこれからくりひろげられるこの一戦にかかっていることを、全将兵は胆に銘じていた。

ロシア艦隊には、どの軍艦にも聖アンドリューの軍艦旗がはためいていた。

この世界を征服すべき義務を象徴する聖アンドリューの軍艦旗のもと、決戦にのぞむロシア将兵の士気は、かつて炎暑のノシベでだらけきっていた当時とは見違えるほどに高まっていた。

旗艦スワロフの前部艦橋でロジェストウェンスキーは三笠の艦影を発見していた。

回航の記録を担当する参謀セミョーノフ中佐は、

「敵は八月十日と同じ陣形でやってきます」

と叫んだ。セミョーノフは唯一人、黄海海戦に参加した経験者だったからである。そのことを強調しようと思ったのであろうが、ロジェストウェンスキーは冷静に言った。

「いや、六隻だけじゃない。うしろから六隻続いてくる」

黄海海戦のときにはいなかった上村艦隊が、出雲、吾妻、常磐、八雲、浅間、磐手の順でつづき、十二隻がほぼ一直線をなして迫ってきた。

ロジェストウェンスキーは戦闘準備を命ずると、艦長や幕僚たちと共に、ぶ厚い装甲で鎧われた司令塔の中へ入った。

三笠でも露天の艦橋で真之が、東郷にむかって、

「司令塔の中へお入り下さい」

とたのんだ。

「ここにいる」

東郷は拒否した。

副官の永田中佐と加藤参謀長も、

「ぜひ入って下さい」

とかさねてたのんだ。

しかし東郷は、

「おいは齢をとっているから、今日はこん位置においもそ。若いみなは塔の中に入れ」

と言って動かなかった。

ネルソン提督はトラファルガー海戦で戦死した。五十八歳の東郷は、この最終決戦において自分の生命の終りを感じていた。加藤参謀長は、黄海海戦のとき三笠の幕僚がかたまっていたため、一弾で数人が負傷したことを思い、

「分散しよう」

と言った。

飯田、清河の参謀と永田副官らが司令塔に入った。

東郷のそばには加藤、真之の二人の幕僚だけとなった。ほかに砲術の指揮をする安保少佐と測距儀を扱う長谷川清少尉と玉木少尉候補生などが艦橋に残った。

のちに三笠が敵の砲弾の集中攻撃を受けたとき、装甲に鎧われて安全な筈の司令塔に、敵弾が命中し、飯田、清河らは負傷したのに対し、ふきっさらしの最も危険とされる上部艦橋にいた東郷らはかすり傷ひとつ負わなかった。

この驚異的な東郷の運のよさというものは、とても偶然というようなものではなく、人知を超えた神霊の加護によるとしか、いいようのないものであった。

Z旗があがったのは午後一時五十五分である。

両艦隊の距離はさらにせばまった。波頭を白くたてながら、バルチック艦隊はぐんぐん北上してくる。東郷艦隊はそれに対して南下しすれちがう形になっている。

——反航戦ではいけない。

反航戦はすれ違いざまに砲撃するだけだから、決定打を与えにくい。しかも敵を逃がしてしまうおそれがある。どこかで敵と、併航戦を戦う陣形に変える必要がある。

その地点が死活にかかわる。一歩遅れたら「八月十日」を再現して苦戦となるし、早すぎれば、いたずらに背面をさらして自ら追撃を受けることになる。——敵前での大転回の地点は、敵の先頭を圧し得るところであると同時に、砲戦を開始する距離のところでなければならない。

砲術長の安保少佐は気が気ではなかった。一艦のすべての砲火を、艦橋にある砲術長の指揮によっておこなう方式をとることにしているため、敵を右にして戦うのか、左に見てやるのか、それとも敵と併航してやるのか、あるいは反航のかたちになるのか、射撃指揮はずいぶんちがってくるのである。

この当時の射撃指揮とは、彼我の艦の速力と方向、風むき、風力、大砲の射線などを瞬時に砲術長の頭で計算して照尺量を出し、これを各砲に号令することであった。

敵の艦影はみるみる近づいてくるように見えた。安保砲術長はあせった。測距儀を見ている長谷川清少尉が言った。

「距離八千五百メートル」

安保砲術長はたまりかねて、

「もう八千五百でありますが……」

と誰にというわけでもなく叫んでしまった。

丁字戦法をとるのか、別の戦法でいくのか指示してほしいとせきたてたい気持からであった。加藤参謀長はそれには答えず、スワロフをぐっと、ひとにらみして、

「砲術長、君ひとつスワロフを測ってくれ給え」

といった。

加藤参謀長は蒼白な顔色であったが、この世紀の正念場にのぞんで、胃痛をおさえこみ沈着冷静な特性を発揮していた。

安保少佐は真之の横顔をちらっと見てから、その横をすりぬけ、長谷川少尉と交代した。のぞくとすでに八千メートルに近づいていた。

測距儀から頭をあげた安保少佐は大声で、

「もはや八千メートルになりました」

そして、

「どちらの側で戦をなさるのですかッ」

と叫んだ。

安保砲術長は、右舷か左舷かどちらであるかを決めてもらわなければ、射撃指揮に困るのである。机上の作戦計画ではとるべき方策はすでにいろいろ決まっている。

丁字戦法は、

「水戦のはじめに当たっては、わが全力をあげて敵の先鋒《せんぽう》を撃ち、やにわに二、三艘を討ちとるべし」

という能島村上水軍の軍法書から秋山参謀が拾い出し理論づけた戦法である。

「敵の将船を破る。わが全力をもって敵の分力を撃つ。常に敵をつつむがごとくに運動する」

日本古水軍の軍法書から秋山参謀の立てた戦術は、練りに練って「戦策」としてすでに定められ、会敵の際は予定の運動としてとることを長官も参謀長も心に決めている。

しかし、この戦法は実際の用兵においては、きわめて困難で、場合によっては味方の破滅をまねくおそれもあった。

げんに敵とあまりにも接近している状況下にあっては、全艦隊がつぎつぎ回頭しているあいだの、十五分間に無数の砲弾を浴びることになる。だが、東郷は、このとき波の高いことを奇貨とした。山のような、というにふさわしい怒濤の大波が、艦にぶち当っているのである。風が強くて海が荒れ、艦の動揺は非常に大きかった。

波が高いため、ただでさえ遠距離射撃に長じていない敵にとっては、高い命中率を得ることは困難である。さらに敵の陣形、風むきが、敵に不利なこと、などを総合的に判断した。

「時機はよし」

この適切な時機をつかむのは、豊富な海戦の経験からのみ弾《はじ》き出される〝かん〟である。運命の鍵をにぎる敵前大回頭は、東郷平八郎ならではの決断であった。

午後二時五分。

東郷司令長官は頭をめぐらして、きっと加藤参謀長を見、右手をさっと挙げて、左方へむかって一振りし、こう折れという合図をした(砲術長付、今村信次郎中尉、のち中将の目撃の言、東郷会『東郷』三六四号)。

加藤参謀長はすかさず甲高《かんだか》い声で、声をはずませて叫んだ。

「艦長。取舵《とりかじ》一杯に——」

〝トオーリカアジ〟とは面舵《おもかじ》に対する水軍用語で、左に舵をまわすことである。しかも一杯にとは極度まで急転させて、艦の横腹を敵に見せることである。

伊地知艦長は加藤に念を押した。

「取舵ですか」

「さようだ」

たちまち三笠は艦体をきしませながら、艦首をぐっと勢いよく左へ急転しはじめた。

艦首の左へ白波がふきあがり、風がしぶきを真之たちの顔にまで吹きあげた。

有名な敵前大回頭がはじまったのである。

東郷は敵前で「東郷ターン」といわれる大回頭を行った。「肉を斬らせて骨を斬る」である。敵艦隊の列に対して、横一文字に遮断して、敵の頭をおさえようとする、

「丁字戦法」

を東郷はとった。

しかし正確には「丁」の字より「斜めに敵の先頭を圧迫する」かたちで「イ」の字に近かった。しかも東郷艦隊が寄った分だけ、ロシア側が逃れるため常に並航の航跡を描いた。ロシアの戦史ではこの二時五分の転回のことを、

「東郷がしばしば用いるアルファ運動を実施し」

と書いている。アルファの文字の形のように、一回り回転する意味であり、今までの海戦に東郷はこれを行っているので、ロジェストウェンスキーはこれを予想していた。

東郷のアルファ運動を攻撃の最良の機会として待っていた。三笠以下の各艦がつぎつぎに回頭しているあいだは、極端にいえば静止目標を撃つほどにたやすい。回頭がおわるまでの十五分間は、ロジェストウェンスキーにとっては運命の

神が微笑む「黄金の時間」であった。

旗艦スワロフの司令塔にいるロジェストウェンスキーは、ただちに砲撃を命じた。

午後二時八分、距離七千メートルである。

「三笠をねらえ」

ロジェストウェンスキーは絶叫した。おびただしい砲弾が三笠をめがけて飛んできた。バルチック艦隊の主力艦群は主砲、副砲をここぞと撃ちまくった。

三笠の被害はたちまちすさまじいものとなった。命中弾も多かった。砲弾の破片は四散して、兵員を殺傷し血の海となった。

三笠は二十七日一日で、右舷側に四十、左舷側に八の弾痕をとどめている。

巨大な水柱をあげて無数の至近弾が落下した。艦橋を越える高さの水柱は滝のように甲板へ崩れこんだ。炸裂音の物凄さは天が割れ崩れ落ちるのではないかとおもわれるほどであった。

東郷大将は身じろぎもせず、艦橋に立ちつくしていた。加藤も真之も前をにらんで立っていた。

5月27日
敵前大回頭時の態勢

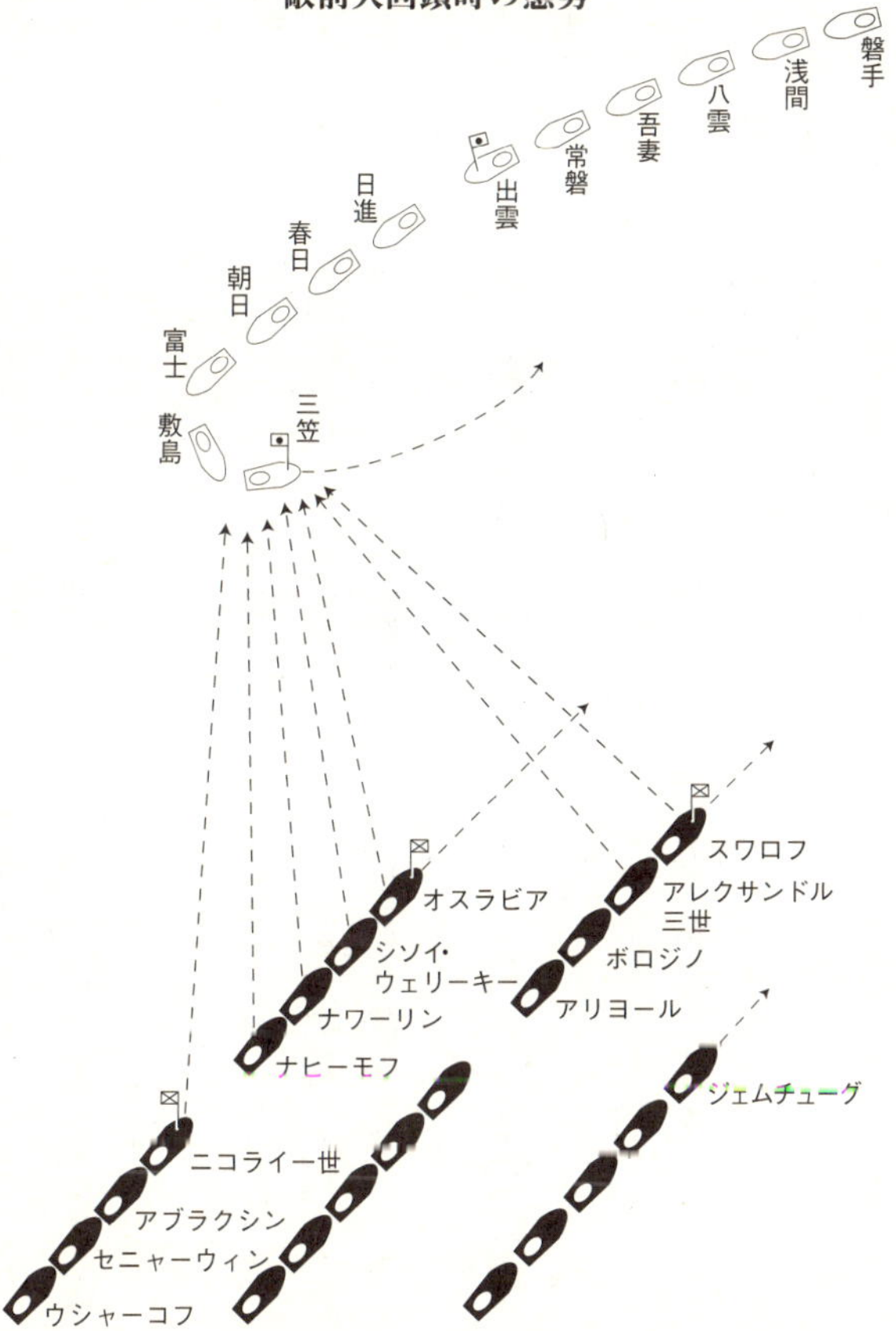

二時二十分、敵の砲弾の大弾片が足下の甲板を貫通して噴きあげてきたが、東郷の胸もと、わずか十五、六センチのところをかすめて、横の羅針儀に突きささった。

――一瞬のことであった。

羅針儀をとりまいて、ハンモックが巻かれていたが、その釣床のひとつにぐさりと突きささった。釣床の緒が切断され、一本の釣床が東郷の足もとにころがった。もし、弾片がもう少し右であったなら、東郷は縦に切り裂かれていたであろう。

伊地知艦長は戦後に東郷の強運を祝う意味をこめて、この弾片を置物に作りかえて東郷に贈った。

露天の艦橋に比べて装甲にかこまれた司令塔ははるかに安全な筈であったが、砲弾の破片がとびこみ、参謀飯田久恒少佐、水雷長菅野勇七少佐らを傷つけた。また別の砲弾の破片は副長松村竜雄中佐、参謀清河純一大尉らを負傷させた。

三笠の死傷者は九十余人に達している。

この敵前回頭という捨て身の運動中、三笠に続く各艦は撃たれっぱなしに撃たれた。

上村彦之丞の第二艦隊は、装甲の弱い巡洋艦だけに被害状況はすさまじかった。浅間は艦尾に一二インチの巨砲弾をくらって、舵機に故障を生じ、艦隊の列から脱落して、孤艦になってしまった。

ロシアの砲弾は、貫通力を重視する徹甲弾なので、至近弾は炸裂しないことが多く、煙突などに命中しても突きぬけるだけに終ったが、これがもし下瀬火薬をつめた日本の砲弾と同じであったなら、被害ははかりしれないものがあったであろう。

日本の砲弾は水面に着弾しても、必ず炸裂して破片を浴びせかけるのである。

第十七章　祖霊の海

三笠以下の各艦が回頭をおわったとき、バルチック艦隊の黒い列は、右舷の海にひろがった。両者の距離は六千四百メートルにちぢまった。

隠忍していた砲術長は、敵旗艦スワロフへの砲撃開始を号令した。右舷の大小の砲がいっせいに火をふいた。

三笠とほぼ同時に二番艦敷島も攻撃を開始した。目標は敵旗艦スワロフだ。つづく富士、朝日、春日、日進も回頭をおえると右舷射撃をおこなった。上村艦隊の出雲以下も同じように砲撃を開始した。

二列のバルチック艦隊の先頭をいくスワロフとオスラビアが目標に選ばれた。「オスラビア」はバルチック艦隊の主力艦が、いずれも二本煙突である中に、このオスラビアだけが三本煙突だった。そのため目標の識別が容易だった。

春日と日進はイタリアから回航する途中、地中海で、この戦艦オスラビアから、しつこくつけまわされ邪魔だてされた。

春日と日進はオスラビアをねらい、砲弾を浴びせかけた。東郷艦隊の主力十二隻の片舷の諸砲あわせて百二十七門が、スワロフとオスラビアにねらいをつけて火蓋を切った。砲撃戦はいまやたけなわとなった。

砲火は殷々轟々《いんいんごうごう》、硝煙濛々《もうもう》として、天日暗く、百雷一時に落ちるかと思われる一大海戦となった。巨砲の放つ轟音は、天と地を震わせ、沖の島からさらに遠く、博多湾にまで轟きわたった。沖の島西方の対馬海峡は、「劫火の海」となった。

スワロフとオスラビアのまわりは暗褐色の爆煙につつまれ、閃々《せんせん》と火光がきらめいた。

三笠も多くの砲弾を浴びせかけられた。一二インチ砲の巨弾がうなりをあげて飛んできた。三番砲の砲塔天蓋をぶちやぶり、なかで大爆発をおこして砲員を全滅させた。

艦橋に立つ真之は鼓膜をまもるために耳栓をつめていたが、ものすごい飛翔音や炸裂音は聴覚を異常にさせる。

三笠のメインマストの上部に、飛来してきた一弾が命中した。四方八方に弾片が飛び散った。真之がマストを仰ぐと、途中で折れていた。今まで風にひるがえっていた戦闘旗(軍艦旗)と東郷の座乗をあらわす大将旗がなかった。マストの下にいた信号係の下士官が、かねて個人用に持っていた戦闘旗と大将旗を、すぐさま折れたマストにかかげた。

「えらいことをする」

真之は思わずつぶやいた。

東郷と加藤は、ちらとふりかえっただけだった。

敷島、朝日などの艦橋からは、折れて消えた軍艦旗がふたたびあがったのを見てひどく感動した。旗艦三笠にひるがえる戦闘旗は、日本艦隊の象徴であり、かかげられた大将旗は司令長官の健在をあらわすものだからである。

三笠の艦内ではマストの折れたのも、旗が再びあげられたのも、気付いた者は、ほとんどいなかった。弾火薬庫、罐室《かましつ》、機械室などでは海上の模様を見ることなく懸命に働いていた。

艦橋で射撃指揮をとる安保砲術長は、だれよりも忙しかったが、外界から隔離されている将兵の士気を鼓舞するために、戦闘の状況を、伝令をつかい、知らせていた。

「今、〝押すとピシャ〟（オスラビア）が傾いたぞ」

「今撃った一二インチ砲弾が〝呆れ三太〟（アレクサンドル三世）にあたった」

「只今、三笠の一二インチ弾が〝襤褸《ぼろ》出ろ〟（ボロジノ）に命中したぞ」

東郷はこの時横にいて、笑いをふくんだ声で、

「砲術長、今ンなァ、あたっちゃおらんど」

と言った。

東郷は日本に二個しかないドイツ、ツァイス社製の高倍率の双眼鏡を持っている。肉眼で戦況を見ていることが多かったが、たまたまボロジノ砲撃のときは双眼鏡を目にあてていた。実は、安保少佐も弾着は至近弾らしいとわかっていた。

「ハァ。ただいまのは、実は激励のためにそう言いましたので」

「そいなら、よか」

東郷は小さく笑ってうなずいた。加藤と真之は顔を見合わせただけだった。

午後二時二十分、艦橋から見る真之には、日本側有利とみとめられた。敵の旗艦スワロフはマストが折れ、煙突は砕かれ、火につつまれている。三本煙突の第二戦艦戦隊旗艦オスラビアは、おびただしい砲弾を浴びて大檣は折れ、煙突はふっとび、前部砲塔は崩れ去り、火焰をあげていた。

オスラビアは、フェリケルザム少将の座乗する旗艦であった。少将は三隻の戦艦と装甲巡洋艦一隻の司令官であった。が、少将は海戦の四日前に病没し、遺体は白い棺におさめられたまま、士気にかかわるため、死はかたく秘せられていた。そのため新司令官は欠けたまま、マストに司令官旗をひるがえさせていた。オスラビアは水線部を砲弾で貫かれており、弾孔から大量の海水が艦内に浸水しつつあった。真之は戦闘詳報を書くため、ノートをとっていた。「オスラビア傾く」と書いた。

左舷に一二度傾斜して戦列外に出た。

やがて、アレクサンドル三世、ボロジノも火煙につつまれた。火災から出た猛煙が、海上の濛気とまじりあって視界をさまたげていた。

午後二時二十四分、スワロフの司令塔の塔蓋の下に一弾が命中した。塔内の者は飛散した弾片で全員負傷した。ロジェストウェンスキー司令長官は、頭、背中、右足に弾片がめりこんだ。

　塔外に出た中将は、被害を見て息をのんだ。いまはじめて見る光景は、戦闘が初体験のロジェストウェンスキー中将にとっては、悪夢のような地獄絵であった。上甲板は完全に火におおわれていた。十六隻の搭載している短艇が燃え上っていた。砲塔の背後にまわろうとしてあわてて飛びのいた。上着の袖口がふれたと思ったら、たちまち焼けこげたのである。砲塔の内部が燃え、砲塔は溶鉱炉の鉄のようになっていた。

　スワロフは急に揺れ、ロジェストウェンスキーは膝をがくっとついた。至近弾によって舵機が損傷したのである。


「――最初の三十分で大局はきまった。敵の戦列まったく乱れたり……」

と真之は日本海海戦を語るとき常に言った。

「百年兵を養うは一日のためにあり」と古来言われている。

ペリー来航以来、国費を海軍建設に投じ、営々として兵を養ってきた。

「三笠以下主力の十二艦は、いずれも多年の惨憺たる経営によって製艦されたものであるが、これを用いるのは、主として三十分の決戦にあった。……実に皇国の興廃はこの三十分の決戦によって定まりしなり」

と真之は艦隊主力同士の決戦が、三十分たらずの間に決したことに深い感慨を覚えている。

バルチック艦隊の針路を圧迫するかたちで、旗艦三笠を先頭にする十二隻は西から東へすすんでいる。

「三笠はつねにわが前面にいた」

とスワロフのセミョーノフ参謀は言っている。

ロシアの各砲は撃ちに撃った。三笠のまわりには水柱がいくつもあがった。しかし、どの水柱が自分の砲のものなのかわからず、照準の修正ができなかった。

これに対し、三笠では一門だけが試射をし、その水柱を見、弾着を確めて、艦橋から距離を各砲に知らせて撃つという方法をとった。

スワロフと三笠の距離はいよいよちぢまった。二千四百メートルまで接近して撃ち合った。日本側は砲弾を、「鍛鋼榴弾から徹甲榴弾に詰めかえた」。近距離になると徹甲弾が敵の装甲をつらぬくことができるからである。そして弾孔から高波が浸入すれば、不沈戦艦も傾いて沈む。

午後二時四十五分、頭をおさえられたバルチック艦隊の背後に、笠置、千歳、音羽、新高の第三戦隊と、浪速、高千穂、明石、対馬の第四戦隊がおそいかかった。敵の後尾の右側にまわりこみ、その巡洋艦列に追尾、並航しながら攻撃した。

バルチック艦隊は第一、第二戦隊に頭をおさえられ、第三、第四戦隊に尻をかみつかれた形となった。

バルチック艦隊の陣形は乱れた。旗艦スワロフが右転して脱落すると、二番艦アレクサンドル三世が先頭に立った。「呆れ三太」は集中砲火を受けて、大火災をおこすと、これも列外に出た。つぎに三番艦ボロジノが先頭に立ったが、そのとき円形を描いて右旋回中のスワロフは、ボロジノの二隻後方のシソイ・ウェリーキーの方に突っこんでいった。

スワロフが北へ回頭をしたこのとき、東郷は大きな失敗をした。東郷だけではない。加藤参謀長、秋山先任参謀の三笠艦橋に立つ三人は、敵艦隊の動向について重大な誤認をした。

スワロフは舵機が損傷したために、北へ北へと回頭しはじめた。

ところが三笠でこれを見ていた東郷たちは、ロジェストウェンスキー司令長官の意志から出たものとみた。東にむかって並航しながら、両艦隊は戦っていたが、スワロフは、「北へ針路をかえて逃げる」のではないかとみられた。

舵機が損傷し、操艦の自由を失ったスワロフは、ゆっくり回頭をはじめた。しかし、スワロフに後続している戦艦アレクサンドル三世の艦長は、これを見て、「旗艦の回頭はなんとなくよろめいたようで、いかにも不自然である。舵機の故障だ、あとに従う必要はない」と判断しそのまま直進した。

三笠の艦橋では加藤友三郎参謀長が、双眼鏡に眼をあててスワロフを見ていた。

スワロフの艦首が北へわずかに動いた。

敵が北へ逃げるのではないかということを予感していた加藤は、矢張り敵艦隊は北走すると思い込んだ。

「思ったとおり敵は北へ逃げる気だ」

加藤はスワロフの回頭を、冷静に観察するよりも先入観によって判断した。加藤は細長い眼を、切り裂くようにして真之の方をふりかえった。

真之もスワロフをするどく見ていた。しかし、双眼鏡を使わなくても肉眼でたしかなことはわかると真之はいうが、このとき肉眼では、スワロフの艦首の微細な動きはわかるはずがなかった。すぐ双眼鏡を借りて見るべきであった。

加藤が真之の同意を得ようとふりかえったとき、真之は……例の煎豆をほおばって、あごをしきりに動かして噛んでいた。

(このばかが……)

加藤は、作戦の天才がこのようなときに、抜けているのが腹立たしかった。

東郷は倍率のいい双眼鏡によってスワロフを見ていた。東郷もまた加藤と同じことをおもった。

「左へ九〇度回頭してよろしいか」

という加藤の伺いに、東郷はうなずいた。

午後二時五十七分、三笠に「左八点一斉回頭」の信号旗があがった。後続する各艦も同じ信号旗をかかげる。

そのとき後続している、第二艦隊の旗艦出雲の艦橋にいた、参謀佐藤鉄太郎中佐は憤然として言った。

「敵と反対の方向に九〇度の旋回をするとは何事だ」

(スワロフは舵に故障ができてよろけはじめたにすぎない、この時機を逸せず猛撃を加えるべきだ)

横に立っている司令長官の上村彦之丞も同じことを考えていた。

この二人は蔚山沖の海戦で、リューリックが舵機を損傷した瞬間をありありと見ていた。そのときの光景がいまのスワロフの様子とそっくりだったのである。

三笠以下の第一戦隊はくるくると左へ九〇度回頭している。

「長官、面舵(右まわし)をとって敵の頭を押さえましょう」

「よかろう」

出雲以下は敵の前面へ押し出していくことになった。

佐藤中佐は、如何にも壮快な場面と思うと同時に、少し気味悪くも感じた。こちら五隻（浅間は列外にいた）の巡洋艦は、薄い装甲の「中艦中砲」をもって「大艦巨砲」の敵戦艦群にいどむのである。「冒険以上の冒険」であり無謀にちかい。これは上村と佐藤の決断と勇敢さにあったが、三笠の司令部の錯覚が原因である。だが、決断した以上は突撃あるのみ。

出雲以下の五隻は単縦陣で速力を十七ノットにあげ、猛撃しつつ直進した。バルチック艦隊の先頭を丁字を描くように圧迫して進んだ。距離はあっという間に三千メートルにちぢまった。上村艦隊は先頭をいくボロジノめがけて砲撃を加えた。出雲以下に被害も出た。

三時十分、火焔につつまれ、傾いていたオスラビアはついに艦尾を高くあげ、海面に大きな渦をつくって沈没した。駆逐艦ベドーウィ、ブイヌイなどが、約八百人の乗員のうち三百八十余人を救助した。

ボロジノは日本艦隊の後尾を突破しようとして針路を北に急変した。

ボロジノなどの煙と炎は、増してきた濛気といりまじって視界をさまたげた。追う上村艦隊の眼をくらませて、日本艦隊から逃れたと、バルチック艦隊主力は安堵した。

そのとき、三笠以下がふたたび眼の前にあらわれた。

視界をさえぎる濛気の中で、はなればなれになった艦隊が、ふたたび遭遇できたのは、日本側にとっては好運だった。ロシア側にとっては、上村艦隊が南から追っかけているところへ、西から東郷の三笠以下が出現したので、「乙字戦法の挟撃されるかたち」になってしまった。

しかも、脱落していた上村艦隊の浅間が、三笠以下の第一戦隊のあとに続行していた。浅間は舵を損傷して孤立したあと、敵の集中射撃を受け、水線部に被弾して、激浪が浸入し、一時危急におちいった。ようやく応急修理をして第一戦隊のあとを追ってきた。

上村中将は撃沈されたかと思っていたので、浅間を見て安堵した。

運よく東郷の第一戦隊と上村の第二戦隊が挟撃態勢に入れたのは午後四時である。上村の巡洋艦戦隊は敵をつつむようにして射撃をつづけた。三笠も撃ちつづけた。

各艦とも火だるまのようになったバルチック艦隊は混乱しながら、南方へ、つぎに西方へと必死にのがれようとした。針路を転々として、もがくようにして日没のくるのを待った。

日本側はそれを追ってめまぐるしく艦隊運動をくりかえした。

海面に煙霧がだんだん濃くなってきた。

「駆逐隊と水雷艇隊を出動させましょう」

と真之は加藤参謀長にささやいた。

駆逐艦二十一隻、水雷艇約四十隻がこの海域に待機中であった。

午後五時過ぎ、旗艦スワロフは、甲板の上は屑鉄のようになりながらも、沈まずにゆっくり動いていた。「新鋭戦艦は砲弾のみでは沈むものではない」という見本のようなものであった。

司令長官ロジェストウェンスキーは、頭蓋骨の一部が陥没していたので、頭に巻いた包帯を血で赤く染め、砲塔内に横たわっていた。意識はかすかにあった。

オスラビアの生存者を救助した駆逐艦ブイヌイはただようスワロフを発見した。

ブイヌイはスワロフに接舷し、大波でせりあがったところを、吊床にしばりつけた司令長官を手渡しで受け取った。幕僚も移ったが、八百人以上の乗員はスワロフに残った。

駆逐艦ブイヌイは勢いよく、後ずさるようにスワロフから離れた。スワロフからは別れを告げる「ウラー」の声がひびいた。

夕暮になると日本の駆逐艦や水雷艇が落ち武者狩りに、魚雷をいだいてかけまわりはじめた。

第五戦隊に属する第一一艇隊の水雷艇四隻は、スワロフの至近距離に近づいて魚雷を発射した。残骸のようなスワロフから、驚くべきことに艦尾の砲が火を吐いた。魚雷二本が命中しスワロフは左に傾いた。ついで命中した三本目は弾薬庫に誘爆したらしく、艦底をみせていたスワロフはいきなり艦首を水面に突き出したとみるまに、引きこまれるように海中に没した。

スワロフに乗っていた造船技師ポリトゥスキーは艦と共に沈んだ。このポリトゥスキーは大航海の間、故郷の新妻へ手紙を送りつづけていた。妻に対して、ロジェストウェンスキー中将が、いかに冷酷下劣な提督であるかを書き綴っていた。ロジェストウェンスキーが駆逐艦に移るとき、ポリトゥスキーが置き捨てら

日本海海戦
午後3時15分の態勢

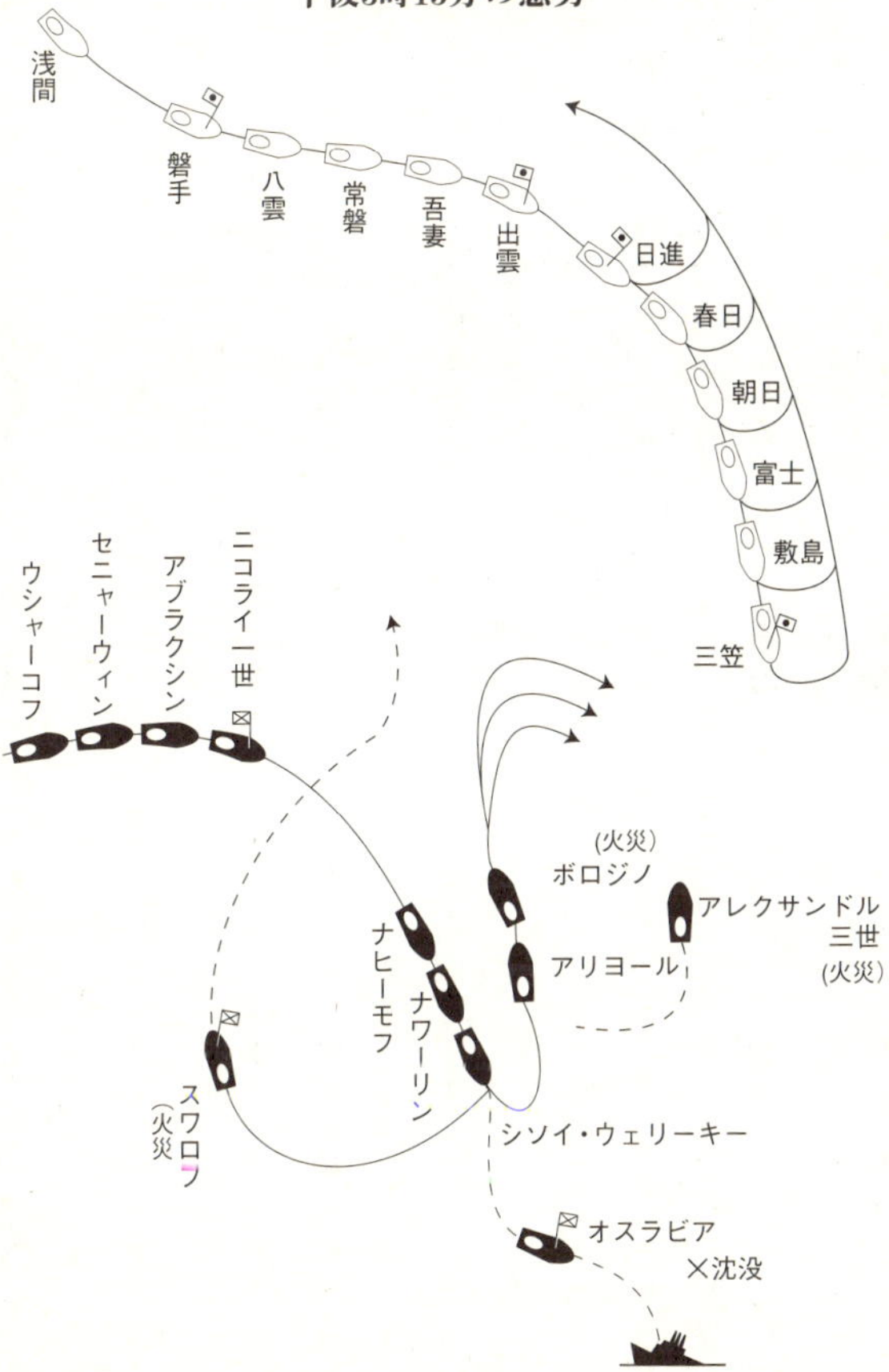

れたことをうらみ、その妻は夫からの手紙を出版することによって、痛烈な告発をした。

この頃、仮装巡洋艦佐渡丸、満州丸はロシアの病院船アリヨール、カストローマを捕えて対馬に連行中であった。

第一戦隊は仮装巡洋艦ウラルを発見して撃沈した。ウラルは大西洋航路の大型汽船であった。巨大な煙突が水平になる位傾いて、その後一時的に船体が直立して沈んだ。

日進に乗ってこの様子を見ていたアルゼンチンの観戦武官ガルシア大佐は、沈む際の不思議な印象を書き残している。

「沈むとき大きな鳴音が海面に流れた。その奇妙な現象による鳴音は、突きさされるように鋭く、また長い泣き声のようでもあった。それは艦船が沈むときに、浸入してくる海水によって、艦内の空気が追い出され、その空気が通風筒や煙突などを通るときに鳴音が発するもので、その不気味な音は遠くからでも聞くことができた」

日進と春日は七千七百トンの装甲巡洋艦でありながら、初瀬、八島の身代りとして戦艦戦隊に入って戦った。

殿艦《しんがり》をつとめ、時には逆順で先頭艦となった日進は三笠に次ぐほどの砲弾を浴びた。大口径砲弾が日進の砲塔に度々命中して大量の破片を飛散させた。破片はそれ自体が生命を得たような、小さな飛翔物となって、司令塔の開口部から侵入した。

司令官三須宗太郎中将が重傷を負い、片方の眼は失明した。さらに山本五十六少尉候補生など九十名も負傷した。

日進、春日の活躍を、その後各国は注目し、やがて巡洋戦艦という艦種が出現することになる。

午後六時になった。太陽は西に傾き、夕闇がたちこめはじめていた。

東郷艦隊は敵の残り主力艦隊を見失い、一時間余りになろうとしていた。

「なんとしてもとらえなければ」

真之はやっきになって捜索の状況を催促しつづけていた。

東郷はどこまでもついていた。三笠の右前方にたちのぼる数条の煙が見えてきた。ウラジオストックにむけて必死に走っているバルチック艦隊の生き残りであった。

——ボロジノが先頭で、ニコライ一世、アリヨール、アプラクシン、アレクサンドル三世、セニャーウィン、ウシャーコフ、モノマーフ、ナワーリン、シソイ・ウェリーキー、ナヒーモフと十一隻が夕闇をついて、いまにも息切れしそうに航走していた。その前方を先導しているのはジェムチューグであった。

東郷艦隊は全速力で追いかけた。

六千メートルの距離に迫って発砲を開始した。

午後六時五十分、戦艦アレクサンドル三世が沈没した。火薬庫に誘爆発をおこして黒煙をふきあげて転覆し、艦底を上にして沈んだ。

夕陽が西の海に入ろうとする時、砲戦はつづき閃々《せんせん》、轟々、暮色を破った。

先頭の戦艦ボロジノは火焰が全艦をおおっていた。数回の爆発音をひびかせると、右に大傾斜し、爆煙を噴きあげて転覆したとみるまに、水中から火焰が柱のようにあがり轟沈した。艦と共に人は沈み、救助された浮遊者は、日本の駆逐艦が救いあげた一名だけであった。

二番艦アリヨールは転舵して南西に変針し、後続艦も列を乱して左折した。陽はすでになく海上は漆黒の闇となった。

バルチック艦隊の決戦主力であった新式戦艦五隻のうち四隻が沈み、プリボイの乗っているアリヨールだけがのがれた。そのアリヨールも艦上は大部分が破壊されて、鉄屑のようになっていた。

ネボガトフ少将の率いる旧式戦艦など四隻は、闇の中へのがれた。これらの艦は旧式であるため東郷艦隊の攻撃主目標になっていなかった。

東郷は午後七時三十分、

「明朝、全艦隊は鬱陵島《うつりよう》に集合せよ」

と指令し、二十七日ずっと立ちっぱなしでいた艦橋から、はじめて靴を離した。真之も暗い海を見ながら艦橋を降りた。

「七段構え」の海戦は二段目の昼戦からはじまった。

五月二十七日の昼戦の結果は、戦艦四隻、特務艦三隻撃沈、病院船二隻拿捕《だほ》であり、日本側で沈んだものはない。夜襲は五十余隻の駆逐艦、水雷艇が夜明けまでつづけるであろう。

明けて次の日はふたたび主力艦隊が決戦をおこなう。そのために敵の逃げる先へ、今、全速力で走っている。

(明日で片がつきそうだな)

真之は戦闘概報をまとめながら思った。

——すぐれた艦隊をもとうとする国家と国民の意志が結実して、日本の連合艦隊ができあがった。また戦意の高いすぐれた士官と兵が訓練養成された。ここに国の総力をあげた近代的な海軍の決戦となったが、日露の戦力を比較すると、ロシアは戦艦の数においてまさり、日本は中小艦艇の数にまさり、双方の物質的戦力はほぼ同じとみられていた。

両軍の物質力がほぼ同じとすれば、あとはこれを運用する将兵の資質が勝敗を決することになる。沈んでいく鉄屑のような廃艦から、なお果敢に砲を撃ってきた、ロシア水兵の戦いぶりをみるとき、ロシア将兵の資質が、世間で言うほどだらしないものではなかったことは明らかである。残るは将と参謀の艦隊を運用する優劣はどのようであろうか。

ロジェストウェンスキーを独裁者とするバルチック艦隊では、艦隊の戦術的運用という考え方が乏しく、海戦は昔ながらの単艦同士の撃ち合いというかたちをとった。そのようなことから、味方が邪魔になって、十分砲力が発揮できないダンゴのかたちで、戦闘に入ることになってしまった。

また、ロジェストウェンスキーは東郷と刺し違えるという決死の覚悟がなく、ウラジオストックへの遁走《とんそう》を常に考えていた。

日本側では、海戦は単なる撃ち合いではなく、砲力をいかに集中するか、によって決すると考えていた。そのため中心命題として、常に砲力を集中するよう行動をとった。火力の一点集中である。射撃については艦橋において、一艦の砲火を統制する画期的な指揮方法をとり、射撃力をあげた。射撃の速度と命中率において、日本はロシアの三倍以上であったといわれる。

下瀬火薬は威力にまさると同時に、ロシアのように黒煙を生じないため、照準においても有利であったが、東郷はさらに艦隊を常に風上に立つようにもっていった。そして近距離になると、日本側は砲弾を榴弾から徹甲弾に切り替えた。まず艦上の戦闘力を焼きつくし、近づいたときには、装甲に弾孔をあけ浸水をはかるためである。

これらのことが日本側では計画的に行われたが、ロシア側では幕僚の頭脳の面において、劣っていたといえる。将と参謀同士の「知恵の戦い」において、日本はすぐれ、バルチック艦隊に勝利した。

日進に乗り込み「観戦報告書」を書いたアルゼンチン海軍のガルシア大佐は、

「日本海軍は最新の科学技術を取り入れるとともに、様々な事態を想定し、綿密な作戦計画を練り上げ、訓練を繰り返してから戦いに臨んだ。情報の収集にもぬかりなかった」

と強調し、日本の勝利を、

「願望や情熱のみで得たものではなく、敵に対してあらゆる警戒措置を怠らず、戦闘行動における様々な局面に至るまで、研究した結果手中にしたものである」

と結論づけている。

秋山真之参謀の苦心のあとを裏付けるものである。

第十八章　泡《うた》沫《かた》

駆逐隊、水雷艇隊の夜襲がはじまった。駆逐艦二十一隻、水雷艇三十六隻が三方から敵の残存艦隊に迫った。

二十七日は三笠でさえ、艦橋に波がとび散るほどの激浪である。転覆しないのが不思議なほどの状況で、百トン前後の水雷艇は、魚雷に綱をつけ、水兵二人が馬の手綱のように、引っ張っていないと滑り落ちてしまうような、傾斜と動揺であったが、乗組員は屈せず、敵に肉薄攻撃した。

バルチック艦隊の残存部隊のうち、ネボガトフのニコライ一世の群、六隻は無灯火をまもり、忍者のように航行したが、残りの五隻は、日本の駆逐艦、水雷艇がやってくるとおどろいて探照灯をつけ、砲火をもって激しく応戦した。

第四駆逐隊を率いた鈴木貫太郎中佐は、朝霧に乗って村雨、朝潮、白雲とともに敵を探しているうち、敵の戦艦を発見した。月あかりに艦影を見ると、四本の煙突が二列に二本ずつ組になってならんでいる戦艦ナワーリンだった。なかば沈みかけて、動きがにぶかった。

朝霧と白雲が至近距離に迫って、それぞれ魚雷を発射した。たちまちにして沈んでいった。午前二時過ぎであった。

近くに戦艦シソイ・ウェリーキーがいた。この艦も浸水のため艦首が沈下し、速力も減少していた。第四駆逐隊から艦尾に魚雷を二本くらったが、すぐには沈まず、さかんに海面を乱射した。朝になって浸水はげしく艦影を没した。

巡洋艦ナヒーモフ、モノマーフも水線下に魚雷をくらって沈んだ。

日本側では水雷艇三隻を失った。

第三駆逐隊の駆逐艦漣《さざなみ》は僚艦とともに夜襲に加わったが、艦が故障したのでひとり蔚山港に入って修理をした。運が悪いと艦長の相羽少佐はぼやいたが、漣は世界の海戦史上でも類のない幸運を拾う。

蔚山港には同じような事情で、第五駆逐隊の陽炎《かげろう》も入っていた。故障がなおったので、漣と陽炎は鬱陵島をめざして走った。二十八日は前日とうってかわって遠望がきいた。

この漣に、広島県出身の塚本克熊中尉が乗っていた。油絵のうまい塚本中尉は、変った人物だった。塚本は、三笠に乗っていたとき、東郷の双眼鏡をちょっと借りて見せてもらって以来、その双眼鏡が欲しくてたまらなくなった。給料の一年分をはたいて、銀座の玉屋に注文しておいたところ、なんと驚くべきことに、この日本に二つしかないという双眼鏡が、対馬にいた塚本のところに送られてきたのである。

塚本中尉はこの宝物の双眼鏡で、はるか水平線を眺めていた。

「四本煙突の駆逐艦だ」

相羽艦長がかわってのぞきこむと、たしかにロシアの駆逐艦だった。この四本煙突に、バルチック艦隊の司令長官が乗っていたのである。この駆逐艦はベドーウィであった。

旗艦スワロフからロジェストウェンスキーが、二十七日午後五時半頃、手渡しされて移乗した駆逐艦は、ブイヌイであった。

「指揮権をネボガトフに譲る」

　という信号を発して、ブイヌイは全速力で走った。ところが機関の調子が悪くなってしまった。夜明になって、水平線上に味方の軍艦を見つけることができた。装甲巡洋艦ドンスコイに駆逐艦ベドーウィとグローズヌイだった。

　当然、司令長官は、六千二百トンのドンスコイに移るべきところ、ロジェストウェンスキーは奇怪にもベドーウィを選んだ。それはベドーウィ艦長バラーノフ中佐が、ロジェストウェンスキーのお気に入りだからであった。ロジェストウェンスキーは依怙贔屓《えこひいき》の激しい不公正な提督として、部下は皆、認めていた。ドンスコイ、ブイヌイとわかれて、ベドーウィとグローズヌイは二隻だけで走っていた。

　塚本中尉の双眼鏡がとらえたのはこの二隻である。

「戦闘配置につけ」

　たちまち速度をあげて近づいていった。

　相羽は攻撃分担を決めた。

　陽炎には敵の後の艦、グローズヌイをやれと信号した。グローズヌイは全速力をあげて逃げ出したので、陽炎はそれを追っていった。双方、砲を撃ち合いながら走ったが、いずれもあたらず、結局陽炎はとり逃がしてしまう。

漣はベドーウィにどんどん近づいていった。射撃をはじめた。あたらなかった。駆逐艦は日、露とも射撃がへたであった。ところがベドーウィは逃げるだけで撃ってこない。

（おかしい）

と相羽艦長は思ったが、ベドーウィの砲に覆いがかけたままになっていることに、気付かなかった。

ベドーウィは機関をとめて停止し、

「われに重傷者あり」

の万国信号をかかげた。

塚本中尉は銃剣つきの水兵十名とともにベドーウィに乗り込んだ。ある部屋の中に頭を包帯でおおった人物が寝ており、金モールの人物が四、五人立っていた。

塚本はまさかと思ったが、

「ロジェストウェンスキー中将か」

と問うと、イエスとうなずいたので、塚本は、異様な戦慄に身ぶるいをした。

重傷の身を動かすわけにいかないので、漣はベドーウィにロープを渡して、曳航することにした。走りながら相羽は気味悪かった。

敵の巡洋艦に出会わないことを祈りながら一晩走った。夜明けに巡洋艦が煙をはいているのを発見した。敵かとみると、明石（二千七百五十六トン）だった。相羽は迷子のひよこが母鳥に出会ったように安堵した。

明石から三笠に無電が入った。

（敵の司令長官を、広い海域で手に入れるなどということは、想像を絶する）

真之は、しばらくは本当だと信じられない気持だった。

ベドーウィは佐世保までひっぱっていって、ロジェストウェンスキー中将は佐世保海軍病院に入院する。

ベドーウィと離れた装甲巡洋艦ドンスコイは、日本の巡洋艦隊に包囲されたが、四十時間にわたって抗戦し、その間何発かの砲弾を日本側に命中させた。驚嘆すべき奮戦のすえついに、「ごみ取り権助」は力つきて鬱陵島にみずから艦をぶちあて、乗員が上陸したあと、艦底のキングストン弁をひらいて自沈した。

二十八日は地久節（皇后陛下の誕生日）の祝日である。全将兵は東方を遥拝して、水平線を見た。この日の朝は、前日の濛気が拭われたように晴れわたり、うねりが多少残っていたが、空も海も青く澄みきっていた。

鬱陵島の南でバルチック艦隊の残存艦を待ち受ける三笠艦橋の真之は、

「天佑だ」

と視界のよくきく海面を見ながら思った。

「まもなく見つけるでしょう」

と加藤参謀長に言った。真之は敵のコースを計算して味方を配置し、かならず発見できるようにしていた。

厳島以下の第五戦隊が、ネボガトフの艦隊を発見し、接触をはじめた。午前五時二十五分であった。

ネボガトフ少将の率いる残存艦隊は、旧式戦艦ニコライ一世（九千五百九十四トン）を旗艦とし、二隻の装甲海防艦、アプラクシン、セニャーウィンに新鋭戦艦五隻のうち、たった一隻残ったアリヨールが加わっていた。アリコールは世界最新鋭の戦艦であったが、いまは鉄屑のような残骸になっていた。しかし航走することができたので、ニコライ一世のあとについて走っていた。そして、横を前後しながら軽巡洋艦イズムルードが通報の役をしていた。

東郷艦隊は二十六隻が、ネボガトフの五隻を包囲しはじめた。

ニコライ一世の艦上から、これを見ていたネボガトフは、あらわれた三笠以下の東郷艦隊が無傷であることに、

（信じられない。きのうの戦いは何だったのか、夢をみているのではないか）

と驚きの眼を見張った。三笠のマストが折れているのを見ると、夢ではなかった。

ネボガトフはとうてい戦えるものではないと絶望し、ロシアへ帰ってから自分が死刑を宣告されることを覚悟して、

（二千五百人の生命のために降伏しよう）

と決意した。

東郷は先ずもっとも遠距離で砲撃できる春日に砲撃を命じて、接近していった。砲撃は十分以上つづいた。ネボガトフは全く応射せず降伏の旗をかかげた。

「長官、敵は降伏しています」

真之は東郷に言った。

ところが、東郷は「撃ち方止め」の命令を出さず、砲撃をつづけさせている。

「武士の情けです。発砲を中止して下さい」

真之はきっと表情をかえてどなった。

「降伏なら、艦の機関を停止せにゃならん。敵はまだ走っちょる」

戦時国際法である。東郷は慎重であった。まもなくネボガトフは停止し、砲撃は中止した。

するとこの時、突如、軽巡洋艦イズムルード（三千百三トン）が全速力で東へ逃げ出した。二十四ノットの快速である。第六戦隊の千歳がこれを追ったが追いつけない。「水洩るぞ」はウラジオストックの近くまで逃げた。しかしついに力つきて座礁してしまう。

東郷はネボガトフのところへ、

「秋山サン行きなさい」

と軍使を命じた。

真之はフランス語のできる山本信次郎大尉を連れて、水雷艇「雉《きじ》」に乗りニコライ一世へむかった。見あげるように舷側の高い艦のまわりを一周してから、真之はつなばしごを登ってニコライ一世の甲板にあがった。

艦上は異様な騒ぎであった。死骸がたくさんならべられ、水葬の準備をしていた。真之は屍体に近づいていき黙禱した。日本人の感情では、死者は神であり、仏である。真之は自然に死者の冥福を祈る動作をしただけであったが、ロシア兵たちはそれを見て、東洋人の真情を理解し、反抗心をやわらげた。

白いひげをたらした五十男のネボガトフは、きたない服を身につけて出てきた。

(日本は死装束のつもりで晴れの軍服を着て戦うが、ロシアは作業服で戦闘をするのか)

真之はそう思いながらネボガトフと握手をかわした。肥ったロシア人の手だった。

やがて礼服に着替えたネボガトフと幕僚を連れて、真之は三笠へ戻った。ネボガトフは悄然《しようぜん》として、三笠の甲板へあがってきた。

ニコライ一世はのち「壱岐」と命名され、日本の艦籍に入るが、この時からマストに旭日の軍艦旗がひるがえることになった。

真之はバルチック艦隊撃滅のために七段の構えを考えたが、二十七日の昼夜と二十八日の三合戦で終了をむかえた。つぎつぎに入ってくる戦闘の結果は、真之でさえ信じられないほどの完勝であった。大国ロシアが、国力をあげて送り出した大艦隊が消滅していたのである。

三十八隻のロシア艦隊は、

撃沈――戦艦六、巡洋艦五、海防艦一、駆逐艦四、特務艦三。

捕獲――戦艦二、海防艦二、駆逐艦一、病院船二。

脱走中喪失――巡洋艦一、駆逐艦一。

残りの十隻のうち、巡洋艦戦隊は、海戦の後半にウラジオストック行きを断念して南方へ逃れ、巡洋艦三隻はマニラ湾にたどりついて武装を解除され、駆逐艦一隻と特務艦二隻は上海に入って同じ運命になった。

ウラジオストックへ逃げこむことができたのは、遊覧ヨットを改装した仮装巡洋艦アルマーズ（三千二百五十八トン）と駆逐艦二隻のみである。運送船アナズリイはマダガスカルで給炭して、本国へ逃げ帰った。

戦死者、四千五百二十四人。

捕虜、司令長官以下六千百六十八人。

これに対して日本側の損害は、

沈没、水雷艇三隻。

戦死、百十六人。

負傷、五百七十余人。

という空前絶後の全面的完勝であった。世界海戦史において、このような一方的大勝利の記録はない。戦史に名高いトラファルガーの海戦でさえ、イギリスは、ネルソン司令長官が旗艦ヴィクトリア上で戦死し、敵の仏西艦隊三十三隻のうち十一隻を討ちもらすという不完全戦勝であった。

この海戦は世界史を変える一大事であった。極東の小国が、大国ロシアを打ち破ったことは世界中を震撼《しんかん》させた。

ロシアの圧迫に苦しんできたトルコやポーランド、フィンランドなどの国々は、自国の勝利のように狂喜した。また日本びいきのチリやアルゼンチンはおおいによろこんだ。

　春日と日進を日本に譲ったアルゼンチンでは、平成の今日でも大使が日本に赴任するごとに、横須賀の記念艦三笠を訪問することが、なかば恒例になっているほどである。日本に来る外交官で、ガリ元国連事務総長のように東郷神社に参って、敬意を表する者は、なおあとをたたない。

　有色人種が白色人種と戦って完勝したということは大きな衝撃を与えた。

　中国の革命家孫文は、

「日本がロシアに勝った。以前はわれわれ東洋の有色人種は、いずれも西方民族の圧迫を受けて浮かぶ瀬がなかった。だが日本はロシアに勝った。東方民族が西方民族を打ち破ったということだ。白人はアジア人を見下さなくなった」

　と感動して語り、インドの首相のネルーは、

「日本の勝利は私の心を沸きたたせた。インドをヨーロッパの従属から、アジアをヨーロッパの隷属から救い出すことに思いを馳《は》せた」

　と『ネルー自伝』で言っている。

　ただ、東アジアの植民地国は、大東亜戦争によって日本が支配者である白人

を、かれらの眼前で打ち負かし追い出すまでは、アジア人としての自信と民族的自覚はめざめなかった。

海は静かだ。三笠以下の艦隊は佐世保にむかっている。黒い色のネボガトフの降伏艦隊を連れて、ゆるやかに航海している。激しい戦いがうそのように海は凪《な》いでいた。

真之は上甲板を歩きながら、おだやかな海を見た。戦いがおわって、真之には有頂天の歓喜も、こみあげるよろこびもなかった。真之は祖霊の満ちたこの海原で、人知の及ばぬ神霊の力を感じた。人間の力の小ささを思わずにはいられなかった。泡沫の浮かんでは消えるように、人間の営みはむなしいものに思えた。目的達成の喪失感でもなかった。さすが、ずっしりと疲労感があった。

佐世保が近づいた。今にも降り出しそうな重い雲がおおっていた。

五月三十日、三笠以下は佐世保港に入った。ロジェストウェンスキーの臥せていた駆逐艦ベドーウィが入っている。

佐世保海軍病院に収容されたロジェストウェンスキー中将を、東郷が見舞うことになった。六月三日、同行者は真之と山本信次郎大尉の二人だけである。白い夏服を着た真之は、海軍病院の長い廊下を、東郷について無言で歩いていった。

病室では、頭に白布を巻いたロジェストウェンスキーがベッドに寝ていた。この俘虜の入院患者が、昨秋、ロシア皇帝、皇后らの熱烈な歓送を受けて、リバウ軍港を堂々抜錨した大艦隊の司令長官だとは、とても想像できなかった。

真之は激しい転変の運命とむなしさをおもった。東郷はひくい声で、日本人らしい情義のこもった言葉を述べた。

ロジェストウェンスキーは眼をうるませ、

「私は閣下のような提督と戦って敗れたことを、少しも恥辱とは感じません——」

と答えた。

真之はベッドの端に立って、勝者と敗者のふたりが握手をして別れるのをじっと見ていた。

「東郷は運のいい男ですから——」

と山本権兵衛は、明治帝に東郷推挙の理由を申しあげたが、たしかに東郷はふしぎなほど好運にめぐまれた。マカロフとウイトゲフトのことを考えれば感無量である。身近なことでは、三笠を狙って飛んできた敵弾は何千発とあったが、東郷らの立つ露天艦橋には当らなかった。大きな弾片が一つ跳《は》ねてきたが、東郷のわずか右にそれて、そばの羅針盤を巻いたハンモックに突き刺さった。東郷が入ってくれといわれた司令塔には、逆に弾片が飛び込んで四散し、中にいた飯田参謀ら数名が負傷した。

天候も二十七日は波が高く、二十八日は視界がよくきいて絶好の条件となった。敵が対馬にこないのではないかと案じていた時、上海に石炭船が入ったという情報を得たことは日本艦隊にとって開運となった。

秋山真之とともに、戦術家の評価の高い第二艦隊の先任参謀だった佐藤鉄太郎中佐は、戦後、海軍大学校の教官になった。佐藤はもし真之がいなければ、真之の地位についたにちがいない。

その佐藤のところに第一戦隊司令官だった梨羽《なしば》少将がきて話しかけた。

「どうして、あんなに勝ったんだろうか」

佐藤は言った。

「六分どおり運でしょう」

「おれもそう思うが、あとの四分は何だ」

「それも運でしょう」

「じゃあみんな運ではないか」

と梨羽は笑い出した。それに対して、

「前の六分は本当の運です。しかしあとの四分は人間の力で開いた運です」

と佐藤は答えた。佐藤は決して参謀の秋山や自分の手柄であるとは言わなかった。

真之は、「天佑の連続だった」と言い、東郷は、「天佑と神助による」と言った。戦略、戦術の理論では解釈のつかない不明の「あるもの」が、人知を超えて、大きくのこる。

日本海海戦の戦闘報告は真之が書いた。真之は軍令部長に提出する東郷長官の戦闘詳報の書き出しに、

「天佑ト神助ニ由リ、我ガ聯合艦隊ハ五月二十七、八日、敵ノ第二、第三艦隊ト

日本海ニ戦ヒテ、遂ニ殆《ほとん》ド之ヲ撃滅スルコトヲ得タリ」

と書いた。

そして戦闘経過を述べたあと次のようにしめくくった。

「――我ガ聯合艦隊ガ能ク勝ヲ制シテ、前記ノ如キ奇蹟ヲ収メ得タルハ、一ニ天皇陛下御稜威《みいつ》ノ致ス所ニシテ、固《もと》ヨリ人為ノ能クスベキニアラズ、特ニ我ガ軍ノ損失死傷ノ僅少ナリシハ、歴代神靈ノ加護ニ由ルモノト信仰スルノ外無ク、曩《さき》ニ敵ニ対シ勇進敢戦シタル麾下将卒モ、皆此ノ成果ヲ見ルニ及ンデ唯感激ノ極、言フ所ヲ知ラザルモノノ如シ」

これは国運を賭けた戦闘を経た者が、一切の虚飾をかなぐり捨てた凝縮の文である。真之は東郷、加藤の考えや気持をあらわして、「天佑と神助により」とか、「歴代神霊の加護による」と書いたものである。

熱火の戦闘をくぐりぬけた者は、自分らの能力を超えた不可思議な力を感じ、それを謙虚に反省したとき、天佑神助あるいは戦運ということをたしかに実感したものである。

この句は単なる修辞でなく、心眼に湧出した意味深い実語である。勇戦した戦士全員が、過去十年忍苦をつづけ、誠心誠意努力したことが、神の心にふれたと信じたのであった。一水兵に至るまで全員が、バルチック艦隊の進攻を、昔の元寇の時と同じように祖国の危機と考え滅私奉公に励んだ。

徳川時代までは、戦いはさむらいのすることで、百姓町人には関係のないことであったが、明治維新後は、国民国家が成立した。上に天皇をいただいて、全国民が心をひとつにして敵に当たることになり、国民ひとりひとりが愛国心に燃えた。「天皇陛下御稜威《みいつ》の致す所」というのは、明治日本人の忠君愛国の心意気をあらわす実相であった。

アルゼンチンの観戦武官ガルシア大佐は、当時、日本海軍への志願者が大変多くて、人気が高かったことに驚いている。

水兵の選抜は狭き門で厳格であり、心身ともに極めて優れた者しか合格できなかった。例えば、歯ならびが悪い者は、それが原因で身体が強健でないとして、それだけの理由で採用されなかったという。

水兵たちは、それぞれ郷党を代表する選ばれた者として、大きな期待を背負って戦いに参加した。その愛国心と士気の高さは、旅順港閉塞の決死隊の志願状況によくあらわれていた。

六月十九日、留守宅から真之のいる佐世保の旅館に電報が入った。

「母のお貞が亡くなった」

という。真之はひと晩中、声をあげて泣き悲しんだ。母は七十八歳だった。日露開戦に先だって、出陣する真之をお貞ははげました。

「おまえが決死の覚悟で戦おうとしないなら、後顧の憂いがないようわたしは自決する……」

という意味の手紙を送ってきた。真之はその手紙をお守り袋のようにして肌身につけてきた。おかげで、かすり傷ひとつ受けずに弾雨の中をすごすことができた。

真之は終生、母を強く慕い、母も真之をもっとも愛していた。

戦いが終った今、母が亡くなるとは――真之は無常の思いに胸もはりさけんばかりだった。心の中に、ぽっかりと大きな穴があいたように感じた。その穴はなかなかうまらない穴のようであった。

その頃兄の好古は、奉天北方の最前線にいた。松山の友人にあてたハガキにこういう意味のことを書いた。

「あの腕白小僧の真之が働いたために、母は戦勝の号外をもって、亡父のところへ行っていることだろうと存候《ぞんじそうろう》」

満州では押しつ押されつの戦況がつづいていた。

日露講和の気運が高まった。

ニコライ二世は革命の脅威を感じていた。

アメリカ大統領セオドール・ルーズベルトは講和の調停を買ってでた。アメリカのポーツマスで、小村寿太郎全権とロシアのウイッテとの間に交渉がすすめられることになった。

ロシアは賠償金を払うくらいなら、再び満州で戦争を継続すると主張し、交渉は難航した。日本は砲弾も若手の将校も不足し、陸軍力も経済力も余裕がなかった。結局、遼東半島と樺太の南半分を得ただけで、ロシアから賠償金はとれなかった。

九月五日、条約が調印。

児玉源太郎は講和の実現に涙を流してよろこび、政府首脳もほっと安堵したが、新聞の煽《あお》りにのった無知の群衆は、不満を爆発させた。日比谷で交番の焼き打ち騒動がおこり、戒厳令がしかれる事態になった。交渉に尽瘁《じんすい》した小村は、ひっそりとかくれるように帰国しなければならなかった。

その間、佐世保軍港内に連合艦隊の大部分は待機していた。

九月十日、ちょうど東郷に真之が随行して、列車で東京へむかっている時、この留守中に信じられぬような一大椿事《ちんじ》が起こった。

九月十一日零時半の深夜のことである。突然三笠の大檣付近に小爆発がおこった。あとからの調査で、格納火薬の自然変質による爆発だとされたが、爆発と同時に後艦橋が火災となった。消火作業により一時火勢が衰えたが、再び火勢がもりかえし、後部弾薬庫に火が入って大爆発をおこし、吃水線下に大穴があき、浸水のため艦体はしだいに沈んで、二時半には水深六尋《ひろ》の海底に擱座《かくざ》してしまった。

真之はすぐさまひきかえし、佐世保へ戻った。

三笠は無残に港内で沈んでいた。日本海海戦を勝利に導いた栄光の旗艦は、晴れの凱旋を前にしてその雄姿を没した。

乗員の半数は半舷上陸のため危難を免れたが、この爆発事故での死者は三百三十九人、負傷者二百五十余人であった。東郷も真之も在艦中の事故であったら、死傷していただろう。

この爆発事故がもっと早く、戦時中であったなら、海戦の結果も、ひいては日本の命運もかわったものになったであろう。

——真之は三笠の爆発が、将来の日本のおごりをいましめる天意の兆しであるような畏怖をおぼえた。

日本は史上類例をみないほど一方的に、完全に勝ちすぎた。天はあまりにも与えすぎた恩寵《おんちょう》を、将来のいましめのために、三笠を沈めたとしか考えられなかった。真之は体中の骨がふるえるような、言いようのない強い衝撃を覚えた。

——この奇怪な椿事が、真之の精神に異常な緊張を与えた。

日本海海戦における日本側の戦死者は、わずか百十数人にすぎなかった。戦闘で死んだよりもはるかに多数の戦友が、火薬庫の爆発というおよそ信じられないような事故で死んだ。三百三十九人の死者は、三笠の上で、苦楽をともに戦った栄誉ある戦友であった。それが敵弾によるのではなく、戦勝後、考えられぬほど愚劣な事故で一挙に死んだ。真之はたえられぬおもいであった。天に対する畏怖の気持がたかまり、真之は神霊の研究に傾斜していくことになる。

旗艦は三本煙突の敷島に変った。

東郷長官は連合艦隊をひきいて、十月十八日伊勢湾に入った。威風堂々伊勢湾に集結した艦隊を国民は歓呼して迎えた。東郷は各司令官、幕僚、艦長らとともに、皇大神宮に参拝し、皇祖皇宗の神霊に戦勝を報じた。

ついで横浜沖に投錨したのは、十月二十一日だった。日露戦争の凱旋観艦式が行われたのは明治三十八年（一九〇五年）十月二十三日である。

明治天皇のお召艦は装甲巡洋艦浅間であった。加藤参謀長、秋山首席参謀は浅間艦上で、天皇の乗艦と退艦を舷門の近くで迎えて送った。親閲中は天皇と同じ後部艦橋上にあって、艦艇が整然と並ぶのを見つめ、東郷の天皇に対する説明も耳に入った。

満艦飾の各軍艦は、本牧沖に六列になって整然と錨を入れている。

浅間は天皇が波止場を離れると二十一発の皇礼砲を発した。

ついで先導する通報艦八重山ほか四隻の供奉艦と、百六十五隻（合計三十万八千五百トン）の参列全艦艇のうち各軍艦がこれにならう。殷々と砲声は横浜の街々にこだました。浅間はマストに天皇旗をかかげ、第一列にむかう。

参列の全艦艇の乗員は甲板に整列する。各艦では『君が代』を吹奏《すいそう》し、万歳を三唱して最敬礼を行う。侍立する東郷は順次に各艦の履歴、戦闘状況、艦長、艇長以上の官氏名を報告する。先ず、敷島、富士、朝日、つづいて出雲、常磐、磐手、八雲、吾妻、そして、春日と日進。この十隻はいずれも連合艦隊の中核だ。ついで厳島などの三景艦と鎮遠。

それから煙突の黄色い戦利艦がいる。旅順港から引き揚げた戦艦「ポルターワ」が「丹後」、「ペレスウェート」が「相模」と命名された。ネボガトフの旗艦「ニコライ一世」が「壱岐」で、「セニャーウィン」が「見島」、「アブラクシン」

が「沖島」となった。降伏したもう一隻の戦艦アリヨールは損害がひどくて参列できなかった。

第一列の最終艦壱岐を過ぎた浅間は大きく左に回頭して、こんどは二列目と三列目の間を逆コースで通過する。第二列には巡洋艦、砲艦などが、第三列には駆逐艦が並んでいる。ロジェストウェンスキーを乗せて降伏した駆逐艦「ベドーウィ」はこのとき「皐月《さつき》」となって並んでいた。第四列から第六列までは、駆逐艦と水雷艇七十七隻であった。

さらに戦争には間に合わなかったが、組み立ての完成した五隻の潜水艇が観艦式場にやってきて潜水運動をやってみせた。

盛儀を見ようと、数えることもできない多数の船が集まっていた。周辺の野も山も、歓喜の国民であふれていた。

この凱旋観艦式の模様は、明治神宮外苑にある明治天皇の治世四十六年間の御事蹟を巨匠たちが描いた聖徳記念絵画館の壁画に見ることができる。

東城鉦太郎画伯が描いた浅間艦上のご親閲の光景は、海軍服の天皇の左に皇太子（大正天皇）と山本海相、伊東軍令部長が立ち、左に東郷長官が侍立している。

東郷はネルソンを超える、世界の名将となり、国民は国の至宝と称賛したが、東郷自身は謙虚そのものであった。

この観艦式は、長い戦いの間の苦労が花開いた史上最良の日であった。真之にとっても、人生の頂点をきわめる輝ける日であった。

ペリーがこの横浜沖に錨を入れて以来、日本は近代海軍の建設に力を入れ、いまや世界一流の海軍に成長した。

それから二カ月後の十二月二十日、戦時編制の「連合艦隊」は編制を解かれた。

その翌日、解散式が旗艦朝日（敷島から変っていた）の艦上で行われた。

東郷は、有名な、「連合艦隊解散の訓示」を読み、全艦隊の将兵に訓示した。

「二十閲月の征戦已《すで》に往事と過ぎ……」で始まる、この文章は真之が書いた。この中で、のちのちまで軍人たちに暗誦するほどくりかえして読まれたのは次の個所である。

「……百発百中の一砲、能《よ》く百発一中の敵砲百門に対抗しうるを覚《さと》らば、我等軍人は主として武力を形而上《けいじじょう》に求めざるべからず。……惟《おも》ふに、武人の一生は連綿不断の戦争にして、時の平戦に由り其の責務に軽重あるの理なし、事有れば武力を発揮し、事無ければこれを修養し、終始一貫その本分を尽さんのみ。過去の一年有半、かの風濤《ふうとう》と戦ひ、寒暑に抗し、屢《しばしば》頑敵と対して、生死の間に出入せしこと、もとより容易の業《わざ》ならざりしも、観ずればこれまた長期の一大演習にして、これに参加し幾多啓発するを得たる武人の幸福、比するにものなし」

以下東西の戦史の例をひき、最後はつぎの一句でむすんでいる。

「――神明はただ平素の鍛錬に力《つと》め、戦はずしてすでに勝てる者に勝利の栄冠を授くると同時に、一勝に満足して治平に安《やすん》ずる者より、ただちにこれをうばふ。古人曰《いわ》く、勝って兜《かぶと》の緒を締めよ。と」

この「解散の辞」は訓練の重要なことをさとし、軍人の本分を説いたものである。とくに、「勝って兜の緒を締めよ」という結語は古今の名言である。

米国のルーズベルト大統領は、この「解散の辞」に感動し、全文を英訳させ自国の陸海軍将兵に配布して示した。

〝勝利は敗因を蔵す〟という。日本の後世の人びとは兜の緒を締めたであろうか。

第十九章　般若心経と教育勅語

秋山真之の日露戦争後の経歴は次のとおりである。
明治三十八年十一月　海軍大学校教官
〃三十九年四月　功三級金鵄勲章（年金七百円）
〃四十一年二月　「三笠」（復旧後）副長
同　八月　「秋津洲」艦長
同　九月　海軍大佐
同　十二月　「音羽」艦長
明治四十二年十二月　「橋立」艦長
〃四十三年四月　「出雲」艦長
同　十二月　「伊吹」（巡洋戦艦）艦長

明治四十四年三月　第一艦隊参謀長
大正元年　十二月　海軍軍令部参謀兼海軍大学校教官
〃二年　十二月　海軍少将
〃三年　四月　海軍省軍務局長
〃五年　二月　海軍軍令部出仕
同　十二月　第二水雷戦隊司令官
大正六年　七月　海軍将官会議議員
同　十二月　海軍中将　待命仰付

同期のトップをきって順調に昇進したが、最後に待命になったのは病気が重くなったためである。

真之は海軍軍人として海上勤務が長く、東京にあっても軍務局長のような激職にあったし、孫文の革命活動の支援に関係をもつなど、各界方面に間口が広く、家庭を顧みる暇はほとんどなかった。家庭のことは妻にまかせっきりで、子供の教育にもなかなか時間が割けなかった。

季子夫人は良妻賢母、四男二女の子沢山の家庭をよくまもった。真之もわずかな時間を惜しみ、子供らと戯れ遊び、可愛いがった。鉄のハコのような軍艦の生活を続ける者には、家庭の生活は甘露のような幸せそのものなのである。夫婦相和す家庭は、大事な憩いの場であり、心の安まるところであった。

真之は家庭では、実に善良な慈父であった。いつもひざに子供を抱き、可愛いがった。夏には子供と一緒になって真裸になり、水合戦をして騒ぎ遊んだりした。

真之は次々に生まれる子供達に名前をつけるとき、ひとつの主義をもっていた。

——名は簡単を第一として、一字名とし、字は子供が小さい時から自分の名だけは書き覚え易いように、字画はできるだけ少ないものとした。しかもその上、字は左右同形の「シンメトリー」な文字とした。

こうして名付けられた子供の名は、長男から順に、「大（ひろし）、固（かたし）、中（ただし）、少子（わかこ）、全（やすし）、宣子（たかこ）」である。長女の少子だけが、左右同形の原則をはずれているが、これは大、中につぐ小の字をきらって「少」としたことからきた。

真之は幼時から絵が好きだったので、父親になっても子供によく絵を描いてやった。とくに馬の絵が多かった。これは騎兵である兄の影響かもしれない。

「絵をかいてごらん」

と言って子供にもよくすすめた。

その練習の手本だと言って、真之は絵ハガキの収集に熱心だった。日露戦後あたりから、絵ハガキが大変流行し、いろいろなものが売り出されて大ブームになった。真之は役所がひけると、あちこちの絵ハガキ屋をまわっては買い集めてきた。今日は銀座、明日は神田というように買ってきては子供達をよろこばせた。

真之は書画が好きなので、書画の販売があると売り場へ行って、その目録をもって帰り、それを見て描いた。大変器用なもので、渡辺崋山なら崋山の、谷文晁なら文晁の特色をすぐにのみこんで、それを真似てうまく描いた。

真之の趣味はこういうことから、着物の柄選びにも及んでいた。呉服屋のショーウインドーの前に立ち、飾られている呉服をよく見ていて、着物の柄の見立てがうまかった。

夫人に、

「どれだけの丈があったらよいのか」

と聞いて、自分で子供の着物を買ってきた。

図案風のものが好きだった。

家具や焼物を買うときも、自分の好みのものをよく選んだ。

真之の住まいは渋谷にあった。子供達を連れて四谷見附の三河屋というところへよくすきやきを食べに行った。ドロップスという飴をしゃぶりながら、子供達と一緒に歩いた。渋谷の道玄坂のあたりの夜店をよくぶらついた。勝海舟の書というのを買い込んできたり、小さな植木を沢山買ってきて楽しんだりしていた。

真之は子供達を大変よく可愛いがったが、食事の時などの子供の行儀だけは口やかましかった。きちんと行儀よく正座させたが、自分自身は妙な恰好で行儀悪く箸をとっていた。真之は服装、行儀について、無造作、無作法であったので、それはいささか滑稽なさまであった。

ともかく真之は、

「親に孝行、子に慈愛、妻宝極楽、一家繁栄」

を旨とした家庭生活を持った。

真之は文章家といわれ、秋山文学と称賛されるほど、真之の書いた公文書はきびびと韻律性に富み、流麗な名文であった。「舷舷相摩《げんげんあいま》す」など真之の造語《ご》は語彙《い》の乏しかった明治期に多くの影響を与えた。

真之は名文家であったが、同時に言葉もきれいな人であった。部下を呼ぶのに「お前、貴様」と言うのが普通であったが、真之は必ず「あなた」と呼び、ものを命ずる際には「下さい」をつける。そして仕事のあとには「ありがとう」の言葉を忘れなかった。

また部下の建言を重んじ、もし実行して失敗しても、「お前では駄目だ」と頭からしりぞけたりすることなく、失敗の原因などについて諄々と説明してやるという風であった。

部下を労《いた》わる真之のやり方は、上陸許可の与え方にあらわれていた。普通、準士官以上の上陸は、いちいち副長のところへ行って許可を得なければならなかった。ところがその許可の受け方が、恩恵を与えられるような感じになり、実際には許可を願おうとすると副長の所在がわからなくなるとか、許可を頼みに行くと恩きせがましい態度をされるとか、許可を受ける方にとっては、さまざまの気重いことや不快なことが多かった。

真之が副長のときは、外出する者は、いちいち副長の許可を得ないで、名札かけをひっくりかえすだけで上陸できるようにした。もし不在の者に用があったときは、名札さえ見ればすぐわかるという合理性のためであるとともに、情理に通じたやり方でもあった。

この上陸許可方式の廃止は、乗組員にとってどんなに幸福かわからないほどのものであった。やがて時が経ち、各艦で許可方式は廃止されるようになった。

真之は自分の欠点を、「短気」であると自覚していた。このため寛大になるよう絶えず心掛け、「短気は損気、急がばまわれ」と書いた座右の銘を艦内の見えるところに貼って修養につとめていた。

真之は本来人情深い天性をもっていたが、このような修養により、寛大性を身につけたために、副長や艦長など人の上に立ったとき、部下から深く推服《すいふく》、尊敬された。

大正三年、海軍未曾有の大疑獄、ジーメンス事件がおきた。海軍の高官がシーメンス社から機密費として賄賂《わいろ》をとっていたということで、時の山本内閣は責任をとって総辞職した。

その後始末のために、八代六郎が大隈内閣の海相になった。八代は懐刀《ふところがたな》として、軍務局長の要職に少将となっていた真之を起用した。

「次官は誰にするか」

八代は真之に相談した。順序が逆である。普通は次官が決まって、軍務局長を人選するのである。

次官は鈴木貫太郎（昭和二十年終戦時の首相）がなった。

海軍未曾有の難局にあたって、真之は八代海相をたすけ懸命に事件処理にあたった。「泣いて馬謖《ばしょく》を斬る」の言葉どおりに、真之は処置される人物を自宅に呼んでは、涙を流して説いたという。

軍務局長は苦しい立場であった。昨日までの同僚、朋友に対し、処罰の斧をふるわなければならない。一歩処置を誤れば、世間からも部内からも、ごうごうたる非難を浴びなければならないのである。真之の苦衷《くちゅう》は、察するに余りあるものがあった。よく難局をのりきった。

真之は軍務局長の職を二年つとめたあと、大戦視察のため渡欧することになった。第一次世界大戦が勃発していた。真之は国際情勢を分析し、すぐれた洞察力をもって、この大戦の進行と結末について予想をことごとく的中させる。

当時ドイツは、破竹の勢いで連戦連勝であったが真之は、

「ドイツは誇大妄想ともいうべき極端な自我主義に染まっていて、孤立している。ドイツは必ず敗れる」

と予言した。また、

「こういう戦争は思想、経済、人種など難問題が錯綜して絡みあうから、短時日の間には片付かない」

と見通した。

一般世論はこの戦いが案外早く終結するものと観測していたので、真之の言うことを信じる者はいなかった。しかし事実は真之の予言のとおりであった。

欧州戦線視察の結果を真之は報告した。真之の献言は次のとおり明快であった。

――この大戦は短期決戦に失敗したドイツが敗れ、連合国側が勝つ。アメリカはいずれ連合国側に参戦する。だから、地中海に艦隊を派遣して、勝利に寄与しておけば、戦後の外交上有利である。

――参戦はもとより多少の危険をともなう。だがこの大戦で兵器は大いに進化し、潜水艦が将来の重要な武器となるだろう。護衛戦に参加すれば、兵術研究上効果があり、技術、兵器の改良に貢献する。

日本海軍はこの秋山意見にもとづいて、「明石」を旗艦とする第二特務艦隊に、駆逐隊を編成して地中海に派遣した。この駆逐隊は、マルタ島を基地として、三百五十回の連合国船団護衛を実施した。

第一次世界大戦から戦争の様相は変った。真之は次の大戦は国家の総力戦、無制限戦争になること、戦闘は航空機と潜水艦が主力となることをはっきり予測していた。

「米国と事を構えてはならぬ。海軍は航空機と潜水艦の研究発達に、万全を期さなければならない」

と真之は、病の床にあっても最後まで叫んでいた。

真之は戦争を通じて、天佑あるいは、戦運というものに人間の力を超える、なにものかの力——神霊的なものを感じていた。また、真之は多くの人の死を見て、人間の生死について釈尊のように悟りを得たいと思った。

戦後、軍務のかたわら、納得のいく宗教原理を求めようと各種の宗教の研究をはじめた。

さまざまの宗教を研究し、そこからこれと思える宗教原理をつかもうとした。キリスト教を除くいろいろな宗教にかかわり、教典の類を読み、新興宗教といわれるものにまで首を突っこんでみた。しかし特定の宗教に没入するとか、深く信心をするということはできなかった。真之の理知的な思考にとって、理でつきつめられる戦術とちがい、理でつきつめられない宗教では真之流の原理をつかみ、深く突き進んでいくということはついにできなかった。

「人間はどこから来て、どこへ行こうとするのか」

という永遠の問いに対する答えはむつかしい。

「人は自分が生まれたいから、生まれてきたものではない。また死ぬのも同じだ。それを決めてくれるのが神だ」

と真之は長男の大《ひろし》に説明し、宗教による人格の確立と社会の救済に尽くすように言った。大氏は父の意を受け、無宗派の僧としてすごすことになる。

真之は行きついた先として、般若心経の短い字句の中に深遠な宇宙の哲理を見出した。これを口ずさむことによって心が安まり、落ち着くことができるようになった。

「……色即是空、空即是色……是諸法空相、不生不滅……」

夜明け前の暗いうちに眼覚めることがよくあった。寝床に横たわったまま、眼をとじて般若心経を口ずさんだ。

真之は般若心経とともに教育勅語もくりかえし口ずさんだ。

「……父母に孝に、兄弟に友に、夫婦相和し、朋友相信じ、恭倹己を持し……一旦緩急あれば義勇公に奉じ……」

日本人としての大事な心構えを凝縮している、最高の道徳規範として、真之は教育勅語の全文をくりかえし口ずさんだ。

——般若心経と教育勅語は、真之にとって最高の宝典であり、同時に眠れぬときの子守唄であり、念仏であった。

これをぶつぶつと、くりかえし唱えていると、いつしか眠りに入ることができた。眠れぬときでも、心の安静と落ち着きを得ることができた。

真之は大正六年十二月、中将に昇進したが、病気がなかなかよくならないので待命となった。

明けて大正七年一月下旬、真之は小田原の知人山下亀三郎の別邸で病気が悪化した。小田原に来ていたのは、陸軍の長老山県有朋を訪問して、日本の国防計画を説明するために逗留していたものであった。真之は前年の六月、盲腸炎が悪化したとき、

「自分の精神力（心霊力）で治してみせる」

といって医師の切開手術を拒否したことがあった。それが再発し、腹膜炎を併発、悪化したようである。

二月三日の夜、危篤におちいった。枕もとには近親者が詰めていた。

長男大に、

「お父さんは死ぬるんですよ」

ともしずかに言い、室内をきれいにしてくれと希望した。

翌四日、午前三時頃、見舞客たちに、

「みなさん、いろいろお世話になりました。これから独りで行きますから――」

と別れのことばを述べた。そして危篤の床にありながら、

「我が国の前途は実に深憂すべき状態にある。すべての点において行き詰まりを生じ、おそるべき国難に遭遇しなければならないであろう。俺はもう死ぬるが、このあと俺に代って誰が今後の日本を救うか」

と死の直前まで、国家の前途を憂い、国家の憂いを自己の憂いとして嘆いた。

この年十一月、第一次世界大戦はドイツの敗北をもって終結し、その前年三月、ロシアでは共産主義革命がおこっている。最期の病床で真之がした予言は、昭和の国難を看破した大予言であった。

それからしばらくして真之はふと思い出したように、

「辞世というほどのものではないが」

と言って、

「――〝不生不滅、明けて烏《からす》の三羽かな〟」

とつぶやいた。終りの「かな」は聞きとれないくらいであった。このころ、夜がしらじらと明けはじめ、夜明け烏がどこかでカアカア鳴いていた。

真之のみた黒い烏は、あるいは濛気をやぶってあらわれた「スワロフ」か「オスラビア」か、はたまた「ニコライ一世」の黒い艦影であったかもわからない。烏のような黒い艦影は霧の中を動いていった。

そのあと、「不生不滅……」と般若心経と教育勅語を交互に低くつぶやきながら、遂に息をひきとった。

相模灘にようやく太陽が昇ろうとしていて、水平線上がやや赤くなっていた。

大正七年（一九一八年）二月四日の午前六時ごろであった。満四十九歳十一カ月の生涯であった。

二月七日、青山斎場で盛大な葬儀がいとなまれた。

兄の陸軍大将の好古は、公務のため、弟の臨終には姿を見せなかったが、芝の青松寺の追悼会の席上で次のようなあいさつを行った。

「弟真之には兄として誇るべきものは何もありません。しかしただひとつ、わたしからみなさまへ、申し上げてよろしいのは、真之はたとえ秒分の片時でも『御国のため』という観念を捨てなかった。四六時中、この観念を頭からはなさなかったということです。このことだけははっきり兄として言い得ることです」

この言葉は至言であった。真之の一念は愛国心にあふれていた。列席の者はひとしくうなずき襟を正した。


昭和六年（一九三一年）は真之の十三回忌で、日本海海戦の二十五周年に当たる年であった。真之の郷里松山の道後公園内に、有志の寄付により、銅像が建設された。真之が連合艦隊先任参謀として、三笠艦上にあったときの軍装姿である。銅像の表には、元帥東郷平八郎の筆になる、「智謀如湧」（ちぼうわくがごとし）の四文字の銅板がはめられている。

あとがき

青山墓地に秋山真之を詣でたが、墓石は好古、お貞とは別に鎌倉霊園に移されたということだった。

明治神宮に近い原宿の、東郷神社の回廊には東郷一代記を描いた絵がかかげられている。明治日本が世界に躍り出た日々の物語である。

明治は新興の気に燃え、国民の精神がもっとも生き生きと見られる時代であった。

「雲わきあがる明治の人々の偉業を見よ」

「近代国家、日本を建設した明治人の意気に見習え」

と言いたい。

武力で土地をかすめ取りながら、一路南下してくるロシアに対して小国日本は、負けたら国は滅びるぞと、その覚悟を新たにし闘魂を燃やして戦った。

明治日本は国民戦争の典型といえる時代であった。

そこには、戦いに生きた男たちのドラマが展開する。栄光と歴史の中で躍動する人物がある。

東郷平八郎五十八歳、山本権兵衛五十三歳、小村寿太郎五十歳、そして秋山真之三十八歳、みな若かった。

海のむこうに国家の未来を夢み、血と涙と汗の営々たる努力の結果、明治日本は一流の海軍をつくりあげた。

ペリー来航以来、百年遅れてスタートした資源の乏しい弱小国が、よくも大国ロシアに完勝する大海軍をつくりあげたものだと、日本民族のエネルギーには驚嘆すべきものがある。

この大海軍の上に日本民族の誇りをみる。

三月十日の陸軍記念日も、五月二十七日の海軍記念日も今は忘れられているが、明治の日本人が大国ロシアに、国家の命運をかけて戦いをいどみ、勝った大いなる歴史の節目の日だった。

不朽の名参謀秋山真之は、その脳漿をしぼって日露の海戦を勝利に導いた。

秋山真之は日本海軍の至宝である。

真之は帆柱倒して元の軍船に斬り込んだ河野通有の末裔、河野水軍の血をひく者であった。瀬戸内海の水軍の歴史の中から生まれた至宝であった。倭寇の熱き血潮が体内にやどる。

古代より対馬の海を漕ぎ渡った、先祖伝来の血潮が五体のうちを渦巻きおどるのを、真之は三笠の艦上で感じていたにちがいない。

秋山真之は第一次世界大戦を欧州に視察して、大戦の進行と結果を予言し、これをことごとく的中させた。真に合理的な先見力をもつ頭脳のみが、将来をよく見通すことができる。真之の国際情勢に対する洞察力と先見力は稀有のものであった。

しかし日本は第一次大戦では甘い経験をした。そのために世界大戦のことを真剣に研究しようとしなかった。

戦争は第一次大戦から本質的に変わった。国家総力戦であり、長期にわたる苛烈惨憺たる無制限戦争であり、国家のグループ化による戦争の時代であることを認識しなければならなかった。

また、秋山真之は兵器の発達が著しく、次の大戦は航空機と潜水艦が主力となることを早くから予見していた。

「昨日の堅艦は、今日ではもう弱艦になる。戦術の有効期限はおそらく二年を超えることはないだろう」

と明言していた真之は、兵器兵術がたちまちにして古くなることを知悉していた。

真之が長命であったならば、先見性のある献言をつぎつぎに行い、たとえば、巨艦「大和」「武蔵」を戦艦でなく航空母艦として建造するよう、主張していたように思えてならない。

しかし、戦争というものは国家政略の一方法にすぎない。本来、戦争は孫子の言うとおり戦争の始まる前に、すでに勝敗の半ばは決まっているものである。

「古来、戦争に勝つ国はあらゆる要素においてすでに勝っている」ものである。

真之は、戦術から戦略、戦略から大戦略に発展し、その天下経綸の大戦略をもって、日本の安全と発展の途をひらこうと考えていた。

真之はそのなみはずれた知謀と才能に、みがきをかけ、その後の世界史を予言していた。

第一次大戦でドイツは敗れ、第二次大戦でもドイツは敗れた。

真之がもし長命であったなら、ドイツの敗北を予想し、三国同盟そして英米と事を構えることに反対していたことはまちがいない。

真之のすぐれた先見力が昭和にあれば、その影響力によって、その後の姿はかわったものになっただろうと想像する。

加藤友三郎亡きあと、いたずらな建艦競争にはしり、ドイツの勝利をあてにして、バスに乗り遅れまいと英米に宣戦した昭和の歴史をみるとき、秋山ありせばこのような方向にすすまなかったのではないかと、真之の早い死が惜しまれてならない。

日露戦役に昭和の開戦時の責任者の名が出てくる。

島田繁太郎海軍大臣、永野修身軍令部総長、山本五十六連合艦隊司令長官。

彼らは中、少尉の若さで日露戦争に参加している。

昭和の海軍は、秋山真之の軍学を正しく受け継がなかったために、国を敗ることになった。

それはともあれ、秋山真之の活躍した日露の海戦は、躍動感あふれる壮大な日本民族の叙事詩であった。

――敵艦見ゆ。明治三十八年五月二十七日未明、ロシア帝国の威信をかけたバルチック艦隊が、ついに沖の島の近く、濛気の中に姿をあらわした。三笠艦橋上でこれをにらむ東郷と秋山。血湧き肉躍る大海戦の火蓋はここにきられた――。

明治の青春の躍動はここによみがえる。史は詩であり志である。

終りにあたって、ＰＨＰ研究所、文庫出版部の大久保龍也氏に大変お世話いただいたことに厚く深謝します。

神川武利

平成十二年一月

《参考文献》

『秋山真之』　秋山真之会　非売品
『提督秋山真之』　秋山真之会　岩波書店
『アメリカにおける秋山真之』　島田謹二　朝日新聞社
『ロシヤ戦争前夜の秋山真之』　島田謹二　朝日新聞社
『坂の上の雲』　司馬遼太郎　文藝春秋
『アルゼンチン観戦武官の記録』　マヌエル・ドメック・ガルシア　津島勝二訳
日本アルゼンチン協会
『知将秋山真之』　生出寿　光人社
『秋山真之のすべて』　生出寿他　光人社
『智謀の人秋山真之』　土門周平　総合法令出版
『海原が残った』　相良俊輔　光人社

『ああ　海軍』　実松譲　光人社
『海軍大学教育』　実松譲　光人社
『乃木と東郷』　戸川幸夫　ＰＨＰ研究所
『情報戦の敗北』　長谷川慶太郎他　ＰＨＰ研究所
『日本海軍の興亡』　半藤一利　ＰＨＰ研究所
『大海軍を想う』　伊藤正徳　文藝春秋
『海は甦える』　江藤淳　文藝春秋
『ツシマ』　ノビコフ・プリボイ　上脇進訳　出版協同社
『此の一戦』　水野広徳　改造社
『日露戦争』　児島襄　文藝春秋
『日露戦争』　古屋哲夫　中公新書
『日本の歴史（二十二）』　隅谷三喜男　中央公論社
『日露戦争』　歴史群像シリーズ　学習研究社
『帝国海軍提督総覧』　秋田書店
『甦る秋山真之』　三浦康之　ウエッジ

『秋山真之』　中村晃　ＰＨＰ研究所
『秋山兄弟に学ぶリーダーの条件』　池田清　ごま書房
『明治に名参謀ありて』　三好徹　小学館文庫
『艦隊気分』　上村嵐　ダイヤモンド社
『海の史劇』　吉村昭　新潮社
『日本軍艦百選』　野沢正　秋田書店
『連合艦隊（上）』　世界文化社
『島村速雄』　生出寿　光人社
『錨と星の賦』　木村久邇典　新評社
『悪の論理』　倉前盛通　日本工業新聞社
『高松宮と海軍』　阿川弘之　中央公論社
『真実の日本海軍史』　奥宮正武　ＰＨＰ研究所
『日本海海戦の真実』　野村實　講談社

本書は、書き下ろし作品です。

著者紹介

神川武利（かみかわ　たけとし）

1932年、広島に生まれる。広島大学政経学部卒業。損害保険会社に勤務のかたわら、歴史小説を執筆。

主な著書

『天の剣　毛利元就』『竜の夢　尼子経久』『大乗の剣　鉄舟海舟将軍慶喜』『瀬戸七橋と水軍の宝の歴史物語』以上、叢文社刊。

ＰＨＰ文庫　伝説の名参謀
秋山真之

2000年2月15日　第1版第1刷
2005年6月28日　第1版第14刷
2009年9月24日　改　版第4刷

著　者　神　川　武　利
発行者　江　口　克　彦
発行所　ＰＨＰ研究所
東京本部　〒102-8331　千代田区一番町21
文庫出版部　☎03-3239-6259(編集)
普及一部　☎03-3239-6233(販売)
京都本部　〒601-8411　京都市南区西九条北ノ内町11
PHP INTERFACE　http://www.php.co.jp/
制作協力
組　版　ＰＨＰエディターズ・グループ
印刷所
製本所　凸版印刷株式会社

ISBN4-569-57343-6